Oui, je le veux

... et vite !

Catalogage avant publication de Bibliothèque et Archives nationales du Québec et Bibliothèque et Archives Canada

Dubois, Amélie
Oui, je le veux... et vite !
ISBN 978-2-89585-255-1
I. Titre.
PS8607.U219O94 2012 C843'.6 C2011-942892-X
PS9607.U219O94 2012

Les Éditeurs réunis bénéficient du soutien financier de la SODEC et du Programme de crédits d'impôt du gouvernement du Québec.

Nous remercions le Conseil des Arts du Canada de l'aide accordée à notre programme de publication.

Nous reconnaissons l'aide financière du gouvernement du Canada par l'entremise du Fonds du livre du Canada pour nos activités d'édition.

Édition :
LES ÉDITEURS RÉUNIS
www.lesediteursreunis.com

Distribution au Canada :
PROLOGUE
www.prologue.ca

Distribution en Europe :
DNM
www.librairieduquebec.fr

Suivez Les Éditeurs réunis sur Facebook.

Imprimé au Canada

Dépôt légal : 2012
Bibliothèque et Archives nationales du Québec
Bibliothèque nationale du Canada

AMÉLIE DUBOIS

Oui, je le veux ... *et vite !*

Roman

LES ÉDITEURS RÉUNIS

De la même auteure

Chick Lit, tome 1. La consœurie qui boit le champagne, Les Éditeurs réunis, 2011.

Chick Lit, tome 2. Une consœur à la mer !, Les Éditeurs réunis, 2011.

Chick Lit, tome 3. 104, avenue de la Consœurie, Les Éditeurs réunis, 2011.

Chick Lit, tome 4. Vie de couple à saveur d'Orient, Les Éditeurs réunis, 2012.

Chick Lit, tome 5. Soleil, nuages et autres cadeaux du ciel, Les Éditeurs réunis, 2013.

Ce qui se passe au Mexique reste au Mexique !, Les Éditeurs réunis, 2012.

À paraître (automne 2013) :

Ce qui se passe au congrès reste au congrès !, Les Éditeurs réunis.

À mon amie, ma consœur, ma sœur, Marie-Ève.

Il était une fois, dans une paisible banlieue de la Rive-Sud de Montréal, trois adorables princesses modernes et épanouies.

La première, Princesse Annie, 33 ans, vivait plaisamment en couple depuis cinq ans avec Prince Pierre-Luc, aussi âgé de 33 ans. Elle travaillait dans un centre de la petite enfance appelé « Les petits trésors » et elle adorait son travail plus que tout. Prince Pierre-Luc, quant à lui, était dentiste, mais il ne possédait pas encore son cabinet privé. Toutefois, il en rêvait... Le couple filait le parfait bonheur, dans une routine établie et bien inscrite sur un immense calendrier, occupant à lui seul les trois quarts de la porte du frigo. On pouvait y lire : les mardis : riz au poulet ; les samedis : promenade à vélo ; les jeudis : réception du sac publicitaire... Sac dans lequel Prince Pierre-Luc découpait gaiement les coupons de rabais lui permettant d'économiser le maximum de dollars possible. « C'est avec des cennes qu'on fait des piastres ! » clamait-il joyeusement chaque fois. La vie dans leur quatre et demi sans garage semblait si douce et confortable...

La deuxième, Princesse Jasmine, âgée de 32 ans, vivait également une union fort enviable avec Prince Charles, de tout juste un an son aîné. Ayant cru toute sa jeune vie qu'elle était atteinte d'une maladie mentale au nom inconnu, Princesse Jasmine avait orienté sa carrière en psychiatrie, et ce, dès la fin de ses études en sciences infirmières. Prince Charles, de son côté, travaillait comme informaticien pour une firme qui louait ses services à forfait. Le couple avait vécu, dans le passé, beaucoup de relations peu concluantes avec d'autres princes et princesses avant de se découvrir, par hasard, dans un Tim Hortons, il y avait de cela trois ans. Depuis, ils habitaient ensemble et bienheureux, dans un condo modeste, manquant cruellement de lumière, et qui leur coûtait un prix exorbitant en chauffage...

La dernière, Princesse Stéphanie, d'à peine 23 ans, entretenait une relation de moins d'un an avec Prince Steve, de neuf ans son aîné. Elle travaillait comme adjointe administrative pour Les Assurances Paix d'Es-Prix. Bien que son emploi l'ennuyât au plus haut point, elle s'y rendait sans jamais avoir une minute de retard, motivée chaque jeudi par le dépôt que la compagnie effectuait dans son compte de banque. Le robuste Prince Steve, lui, travaillait de ses mains comme charpentier-menuisier, pour une compagnie de construction. Chacun possédait son propre appartement pour le moment et cela leur convenait ainsi. Tous deux irascibles de nature, ils se réfugiaient parfois, avec grand soulagement, dans leurs logis respectifs. Leur amour, encore jeune, évoluait au fil du temps, en empruntant des voies tantôt passionnées, tantôt tumultueuses.

Les princesses allaient découvrir, dans ce récit palpitant, qu'elles étaient toutes porteuses d'un rêve. Un rêve lointain, inconsciemment enfoui dans leur jardin secret, en raison d'une peur latente d'être déçues. Les changements de mœurs modernes avaient occasionné chez elles la crainte terrible que leur destinée soit irréversible et que ce rêve énigmatique ne soit jamais concevable.

Heureusement, l'orgueil mal placé de chacune et leur obstination maladive allaient réanimer ledit rêve afin de le rendre plus désirable qu'il ne l'avait jamais été. Il ne restait plus qu'à souhaiter qu'une pointe de folie-bipolaire-passagère s'en mêle et nous allions obtenir la belle histoire de princesses qui suit !

N.B. Veuillez noter que, dans ce conte de fées, il n'y a ni château, ni forêt enchantée, ni pouvoir magique et, malheureusement, les princes ne sont pas toujours charmants.

JOUR 0

Le mariage

— Monsieur Brandon Thibault, acceptez-vous de prendre pour épouse madame Julie Tanguay ici présente, promettez-vous de l'aimer, de l'honorer, de la chérir et de la respecter selon la volonté de Dieu, tout en lui étant fidèle, et ce, pour l'éternité ?

Charles, assis à la troisième rangée d'en avant, se penche discrètement vers Jasmine et lui susurre à l'oreille, en exagérant une moue dégoûtée :

— Est-ce que le prêtre a bien dit « pour l'éternité » ?

Celle-ci lui exagère des yeux désapprobateurs en guise de réponse à son commentaire, puis elle redirige son attention vers les futurs mariés.

— Oui, je le veux, répond Brandon, en regardant tendrement Julie qui lui sourit, les joues légèrement rougies.

— Madame Julie Tanguay, acceptez-vous à votre tour de prendre pour époux monsieur Brandon Thibault, ici présent, promettez-vous de l'aimer, de l'honorer, de le chérir et de le respecter selon la volonté de Dieu, tout en lui étant fidèle, et ce, pour l'éternité ?

— Oui, je le veux, acquiesce timidement la mariée, le regard toujours vrillé dans les yeux de Brandon.

— Après ce consentement mutuel, proclamé à haute voix dans la maison de Dieu, devant vos familles et vos amis, vous pouvez échanger les alliances, annonce le curé en ouvrant les bras ; puis il se met légèrement en retrait, comme si la suite des choses ne lui appartenait pas.

Parmi l'assistance, des gens allongent légèrement le cou pour mieux voir le couple échanger leurs bagues. Certains, pour ne pas dire certaines, esquissent quelques sourires nerveux à leurs voisins pendant l'échange des anneaux.

Durant ce moment magique, Annie tourne la tête vers Pierre-Luc en espérant vivre, à travers un échange de regards mutuels, un instant de complicité et d'amour avec lui.

Cependant, le regard de celui-ci est rivé sur son BlackBerry, qu'il tient discrètement dans ses mains, pour ne pas être vu de ses voisins. Sans émettre de commentaire, Annie lui assène un coup de coude chargé de frustrations, pour lui témoigner son mécontentement. Il la regarde à peine, mais délaisse tout de même son cellulaire, avant d'observer à nouveau la scène devant lui.

— De par les pouvoirs qui me sont conférés en tant que représentant de Jésus-Christ et de son Père bien-aimé, je vous déclare maintenant mari et femme. Vous pouvez vous embrasser, affirme le curé, en reprenant le même écart et la même attitude affranchie que lors de l'échange des alliances.

La mariée, maintenant rouge écarlate, fixe Brandon dans les yeux avant de s'avancer pour que leurs lèvres fusionnent. Le baiser, un peu maladroit du fait qu'il se déroule devant cent vingt-cinq personnes, clôture la cérémonie. Les invités se lèvent d'un bond pour applaudir la scène romantique, mais surtout pour bien voir les nouveaux mariés, fiers et heureux, défiler dans l'allée centrale de l'église.

Émotive, Stéphanie, s'essuie délicatement le coin de l'œil droit avec un mouchoir qu'elle avait pris soin de glisser dans son sac à main avant de partir de chez elle, au cas où. La coulure de mascara ainsi évitée, elle se lève. Elle perçoit dans son angle mort gauche que son voisin, alias son chum Steve, est resté assis. En le voyant somnoler la tête bien droite, les yeux mi-clos, elle lui assène une tape sur le torse du revers de la main. Steve sursaute. À la fois à cause de la claque, mais surtout à cause de la foule qui s'anime bruyamment au passage des mariés. Nerveux, il se lève d'un bond, pour faire croire à sa douce que, au fond, il ne sommeillait pas vraiment. Agacée, Stéphanie roule des yeux en direction d'Annie, qui l'imite avant d'avertir encore une fois son conjoint de ranger son cellulaire. Jasmine, quant à elle, se tourne vers Charles, qu'elle surprend en train de fixer, la bouche ouverte, l'air dadais, le popotin d'une des demoiselles d'honneur qui suit les mariés. Elle reste de marbre, habituée de le voir obsédé par tout ce qui concerne les régions « fesses-seins » des femmes de la terre entière.

Les mariés terminent la marche nuptiale au milieu d'une arche vaporeuse de bulles de savon qu'une dizaine d'enfants excités soufflent dans les airs.

La réception

— Et c'est ainsi que je cède la parole à nos mariés, mais avant, je tenais à leur souhaiter de tout cœur le mariage le plus réussi qui soit. Ma chère fille, je t'aime tant, et toi, Brandon, je t'ai à l'œil ! déclare le père de Julie, debout à la table d'honneur.

Il s'esclaffe au micro de sa propre blague avant de serrer la main de son gendre et d'embrasser chaleureusement sa fille émue.

Julie se lève à son tour en regardant la foule, qui cesse d'applaudir petit à petit. Elle approche timidement le micro de sa bouche :

— Chéri, je t'ai écrit un petit quelque chose pour te faire rire et pour te montrer à quel point je t'aime. Ça va comme suit…

La mariée s'éclaircit la voix en toussotant avant de déplier une feuille rose qui reposait sur la table devant elle.

— Mon chéri, lorsque nous nous sommes rencontrés le 10 du 06, je t'ai trouvé tout d'abord vraiment sur ton 31. Tu m'as par la suite invitée à une belle soirée jet 7. Lorsque nous avons additionné nos bouches dans le stationnement, j'ai vraiment su que jamais nous ne nous diviserions…

Comme tout le monde glousse à chacune de ses phrases, Stéphanie demande à Steve, en chuchotant :

— Je ne sais pas si je suis conne, mais je ne comprends pas pourquoi tout le monde capote sur son poème *cheap*…

— Brandon est comptable. Elle fait des références aux chiffres et tout, lui susurre Steve à l'oreille.

Brandon est un bon ami de Pierre-Luc, de Charles et de Steve ; mais comme ceux-ci se voient presque exclusivement au terrain de balle, Stéphanie ne le connaît que très peu.

— Hish, ajoute Stéphanie, les sourcils froncés, pas certaine d'apprécier l'initiative.

Elle croise le regard de Jasmine, et croit y déceler le même genre de questionnement. Elle s'incline pour lui souffler l'information que son conjoint vient de lui fournir. Jasmine mime un écœurement en sortant discrètement la langue. Importunée par leurs simagrées, Annie les dévisage pour leur signifier d'arrêter ces diversions. Elle reporte son attention sur le discours de la mariée dans l'espoir d'être imitée par les deux autres filles.

— ... Donc voilà, j'espère qu'un jour nous nous multiplierons pour accueillir de nouveaux membres dans notre famille d'amour !

Les invités applaudissent la déclaration humoristique de Julie, qui se penche pour embrasser gloutonnement Brandon. Celui-ci se lève à son tour et prend le micro pendant que sa femme se rassied.

— À mon tour ! Moi aussi j'ai fait des références au travail de ma blonde dans mon discours. En fait, nous avons eu cette idée en écoutant l'émission « Marions-nous » ! Un couple avait fait ça à leur mariage et ça nous a inspirés, explique Brandon en dépliant lui aussi une feuille de papier rose.

Steve se penche vers Charles, qui est assis juste à côté de lui :

— Simonaque ! Brandon regarde des émissions de mariage avec sa blonde, pis il vient de le dire devant tout le monde ! On va tous subir les conséquences de ça, nous autres !

Charles lui sourit avant de se retourner pour écouter son ami, le nouveau marié.

— Je me lance : Mon bel amour, dès le premier jour de ta rencontre, tu as su mettre de la couleur dans ma vie, tu as enduit mon cœur d'un faux fini bien à ton image...

Encore plus troublée, Stéphanie demande de nouveau à Steve :

— Et elle, que fait-elle ? Elle est peintre ?

— Non, décoratrice d'intérieur, répond-il à voix basse.

Stéphanie se tourne vers Jasmine en gesticulant tranquillement le mot « dé-co-ra-trice ». Annie les fusille pour la deuxième fois avec ses yeux d'éducatrice-à-la-petite-enfance-pas-contente-d'un-enfant-dans-son-groupe. Brandon termine ainsi son allocution :

— … donc, en espérant que pour toujours tu enjolives ma vie, que ce soit avec des tissus ou des draperies, l'important est que tu demeures à jamais ma couleur accent !

L'assistance, enthousiaste, s'enflamme une seconde fois.

— Sa couleur accent ? Voyons donc ! reprend Jasmine, qui dévisage Annie pour qu'elle approuve de bonne foi l'utilisation douteuse de la dernière métaphore.

À la fin de l'interminable embrassade des mariés, ceux-ci souhaitent une belle soirée à tous leurs convives et invitent l'orchestre à ouvrir le bal. Dans un synchronisme parfait, les invités se remettent vivement à discuter avec leurs partenaires de table.

Charles prend parole à la sienne :

— Les filles, je vous ai vues rire des poèmes des mariés. On vous en avait composé un pour ce soir, mais on ne va pas vous le lire, finalement !

— Pff ! répond Jasmine à son chum avec un demi-sourire sceptique.

— Bon, on va au bar, les *boys* ! Faut supporter Brandon qui s'est humilié devant tout le monde, lance Steve, qui feint un air complètement abattu.

Les quatre gars entretiennent cette relation d'amitié virile depuis l'époque du secondaire. Comme la durée de leur vie de couple actuelle est variable, les blondes se connaissent ; toutefois, elles ne se fréquentent que lors d'événements de ce genre ou encore lors de soupers occasionnels. À l'exception de Julie et Brandon, qui déclinent, depuis toujours, toute invitation aux diverses activités de couples proposées. Personne ne sait trop pour quelle raison…

Les filles restent à table à discuter.

— Je suis traumatisée ! Un petit couple salière-poivrière ! C'était de la marde, ça ! Eille ! Un plus un égale nous deux, pis l'autre avec ses jeux de mots de couleurs pis de draperies, se moque Stéphanie en prenant une gorgée de vin.

— Ouin… Un peu quétaine, je l'avoue, mais l'effort y était, souligne Annie, qui imagine facilement la difficulté liée à un tel exercice.

Déjà quelque peu sous l'effet de l'alcool, Jasmine s'adresse à son tour à ses amies sur un ton solennel :

— Je peux facilement prédire ce que mon chum aurait pu écrire pour moi. Probablement : « Entre deux patients en psychose et une prise de sang, je te trouve belle dans ton kit bleu d'hôpital sans dentelle… »

— Moi, j'ai tout sauf une job romantique. Je l'aurais bien vu faire des jeux de mots avec « réclamation d'assurance et envoi de fax en trois copies »… Et j'avoue que je n'aurais pas été très inspirée par les marteaux et les deux par quatre non plus ! ajoute Stéphanie en rigolant.

— Il y a des jobs qui portent à la poésie plus que d'autres, consent Jasmine.

Annie, qui réfléchit, se lance à son tour :

— Pour mon chum et moi, nos emplois auraient été parfaits ! « Tu m'impressionnes mon chéri quand tu prends ta fraise pour faire un traitement de canal ou pour réparer une carie… »

Les filles s'esclaffent à table pendant qu'Annie poursuit en levant son verre de vin :

— Pierre-Luc, lui, m'aurait plutôt dit : « Toi mon amour, quand tu changes une couche ou que tu ramasses du vomi, je suis séduit… »

Les filles, l'air écœuré, cognent leur verre contre celui d'Annie tout en regardant leur chum au loin faire de même avec le marié. Silence radio. Réflexion métaphysique.

— On ne les échangerait pas quand même, hein ? On les aime, ces petites bêtes-là ! affirme Jasmine en faisant un clin d'œil à Charles qui l'observe au loin.

Accoudés au bar devant un scotch, les quatre gars discutent également des discours des nouveaux mariés.

— Je suis content, c'est fait ! commente Brandon en levant à nouveau son petit verre vers ses amis.

— Simonaque, le gros ! Ton poème… commence Steve, interrogatif, en s'abstenant de formuler précisément un commentaire.

— Écoutez, dites-le pas à personne, mais c'est ma blonde qui l'a composé, marmonne-t-il en inclinant légèrement la tête en direction de ses amis avant de la redresser d'un seul coup afin de scruter les alentours.

— Pas vrai ? s'insurge Charles, abasourdi, un bras en l'air en signe de découragement.

— Chut ! Ben oui, elle ne me faisait pas trop confiance pour ça... marmonne-t-il tout sourire en regardant en direction de sa femme qui discute avec des invitées en exaltation devant sa bague.

— Me semblait que t'avais pas écrit une kétainerie de même ! lâche Steve, presque ravi.

— Les gars, ma blonde est la plus heureuse du monde aujourd'hui. Cette fille-là, je l'aime, puis juste de la voir si comblée, ça vaut le coup pour tout ça, ajoute-t-il en continuant de sourire à sa femme qui lui envoie un baiser soufflé amoureux.

— Et tu vas te taper toute une nuit de noces, le gros ! affirme Steve, peu sentimental, en analysant le sourire conquis de la mariée.

— Yep ! se réjouit Brandon en fantasmant, les dents toujours bien exposées.

— Cibole que je suis content que ma blonde ne veuille pas se marier ! poursuit Steve, qui fixe le bar en secouant la tête.

— Moi aussi ! ajoute Charles.

— Tuttutut... Erreur, les gars ! Toutes les filles veulent se marier dans le fond de leur cœur ! C'est un désir génétique, ancré, parasitaire, viscéral chez tous les êtres humains ne possédant pas le chromosome Y. N'oubliez jamais ça ! déclare Brandon en leur faisant front, un doigt en l'air, sérieux comme s'il leur révélait une information d'importance planétaire.

— Tu penses ? s'inquiète Pierre-Luc, bien silencieux depuis le début de la conversation.

Il dirige un regard suspicieux vers la table des filles. Les trois gars l'imitent sans commenter, réfléchissant avec scepticisme à la déclaration-choc de Brandon.

La discussion

Les filles, qui naviguent autour du même sujet, ne remarquent pas que les gars les observent, l'air penseur.

— J'ai hâte que mon chum me demande en mariage, avoue timidement Annie en se mordant d'envie la lèvre inférieure.

— En avez-vous déjà discuté ? s'informe Stéphanie, curieuse.

— Non, pas directement, mais il me connaît assez pour savoir que j'aimerais bien ça, explique-t-elle, confiante, en tournant le pied de son verre à vin sur la nappe pourpre.

— Prends-le pas mal Annie, mais ton chum va vraiment être du genre à vouloir acheter un super tracteur à pelouse, avec double lame rotative, avant de t'offrir un gâteau de mariage fraises et caramel, déclare Jasmine, directe, mais efficace.

— Il n'est pas si *cheap* que ça mon chum, rétorque Annie, un peu vexée.

— Il a voulu qu'on change de chalet pour les vacances du mois d'août parce qu'il y avait treize piastres de différence par couple, souligne Stéphanie en narguant Annie.

— Pff ! Pas juste pour ça. Il trouvait l'autre chalet vraiment plus pratique, rectifie Annie qui se flatte la nuque du bout des doigts en regardant dans la direction opposée à Stéphanie.

— En tout cas, à cause de lui, on se retrouve avec un chalet en gang au lieu de trois chalets séparés, rappelle Stéphanie pour conclure, visiblement agacée par ce dernier détail.

Long silence.

— Moi je voudrais me marier dans le Sud ! Il y aurait plein de fleurs exotiques partout et un grand chapiteau blanc sur la plage, rêvasse Jasmine en attrapant une rose rouge dans le centre de table coloré.

— Excuse-moi, je ne veux pas crever ta bulle, mais on s'entend que toi, t'es probablement celle qui risque le moins de se marier ici ! commente Stéphanie en se tournant vers Annie tout en riant, comme si celle-ci allait d'emblée approuver son commentaire.

Annie esquisse un léger mouvement de tête de côté, comme si elle n'acquiesçait qu'à moitié.

— Comment ça ? s'offusque Jasmine, qui laisse négligemment tomber sa fleur sur la table.

— Ben voyons ! Charles… rétorque Stéphanie, sans étoffer son sous-entendu.

— Quoi Charles ? l'imite Jasmine, d'un ton de voix faussement méprisant.

— Elle a un peu raison. Jamais il ne voudra se marier, ton chum. Déjà qu'il est en couple officiellement, c'est beau, renchérit Annie, en faisant allusion au passé quelque peu volage de Charles.

— On est très bien ensemble et vraiment amoureux, je vous signale, précise Jasmine, qui se retourne pour jeter un œil en direction de son compagnon.

Les filles pivotent la tête en même temps qu'elle.

Au même moment, sans se savoir observé, Charles sourit avec volupté à la demoiselle d'honneur qu'il a reluqué à l'église alors qu'elle passe de nouveau devant lui. Une fois de plus et sans aucune gêne, il lui lorgne allégrement le postérieur. La jolie fille porte justement une robe bleue poudre très ajustée au niveau du fessier.

— En tout cas… ajoute Annie, témoin autant que Jasmine de la convoitise de Charles.

— Sans vouloir vous contredire, selon moi, c'est plutôt Steve qui ne va jamais se marier, se venge mesquinement Jasmine en toisant Stéphanie, le regard provocateur.

— Steve est pas mal plus sensible qu'il le laisse paraître, soutient Stéphanie, l'air sûre d'elle.

Peu convaincues, les deux filles s'étonnent en lui signifiant du menton de regarder de nouveau les gars au bar. Steve, expressif, semble faire une blague à caractère sexuel à ses amis. Il mime explicitement une scène aux gars en feignant de tenir devant lui les hanches d'une femme invisible possiblement en position de levrette. Il exécute non subtilement des mouvements de va-et-vient avec le bassin.

Stéphanie, l'air très agacée, repose son regard sur la table en déclarant, faussement amusée :

— Il fait le comique devant ses amis ! Je serais prête à gager que je pourrais recevoir une demande en mariage de lui, et même assez vite.

— Bien voyons ! C'est ridicule ! s'amuse Jasmine, en prenant de nouveau une gorgée de vin rouge.

— Moi aussi je serais prête à gager que Pierre-Luc pourrait me faire la grande demande, défie Annie, en faisant tourner autour de son auriculaire gauche sa petite bague en or.

— Re-voyons ! ricane encore plus Jasmine, en posant son verre tout en réfléchissant.

Le malaise qui s'ensuit permet aux filles de s'intéresser à la progression de la soirée. On semble vouloir déplacer des tables qui sont au milieu de la piste de danse. Tenace, Jasmine revient sur le sujet :

— Gager quoi ?

— N'importe quoi ! la défie Stéphanie, qui soutient le regard de Jasmine pendant quelques secondes avant d'aller retrouver son compagnon.

Steve l'agrippe par la taille lorsqu'elle s'approche de lui. Annie se lève de table sans rien dire et rejoint un groupe de gens rassemblé à droite de la table d'honneur. Jasmine, seule, reste un moment assise à examiner au loin les invités qui ont délaissé leurs places puisque les serveurs repositionnent les tables de façon à créer un espace pour danser. Elle médite, un demi-sourire aux lèvres.

L'humiliation

Quelque peu froissées de la discussion houleuse qui vient d'avoir lieu, les trois filles ne s'adressent pas la parole pendant presque une heure. De toute façon, l'attention de tous les invités semble tournée vers le couple de mariés qui exécute à la chaîne les jeux matrimoniaux de la soirée, comme le veut la tradition. Les convives rient de voir Brandon aller chercher la jarretière avec sa bouche tout en batifolant sous la robe de Julie, qui est grimpée sur une chaise au milieu de la salle.

L'animateur de la soirée annonce alors que le lancer du bouquet aura lieu sous peu. Il précise les règles du jeu en encourageant les femmes non mariées à le rejoindre au centre afin de participer à l'activité. Pendant que les filles concernées se dirigent d'un pas décidé vers le milieu de la piste de danse, il invite la mère du marié à venir dire quelques mots au micro. Celle-ci s'avance la tête haute, les lèvres pincées.

— Bonjour mesdames, l'enjeu de cette tradition ne sera pas juste prémonitoire ce soir. Comme tout le monde le sait, je possède la prestigieuse agence de voyages Paradis Express, située au 102, Boulevard Premier, au centre-ville…

Jasmine, qui se tient au milieu du peloton près d'Annie, lui fait ce commentaire :

— Quoi ? Elle est venue faire la promotion de son agence de voyages ?

— Chut, grommelle Annie, en lui faisant signe de la main de se taire.

— … donc celle qui attrapera le bouquet gagnera aussi un crédit-voyage de 1 000 dollars dans mon agence Paradis Express afin de se payer le voyage de noces de ses rêves !

La trentaine de filles agglomérées au milieu de la salle s'animent bruyamment en tapant des mains.

Jasmine, la bouche ouverte de stupéfaction, se tourne vers Annie en sautillant sur place. La mariée s'approche avec le fameux bouquet dans les mains. Comme le veut le protocole, elle souhaite « merde » aux participantes avant de faire dos à la masse frétillante de femmes surexcitées. Stéphanie, qui se tient aux côtés d'Annie et de Jasmine, les défie chichement du regard, amusée par l'enjeu.

Julie lance alors le bouquet de fleurs bien haut dans les airs. Il amorce une montée verticale fulgurante avant de retomber sur le groupe. Jasmine, assez grande sur ses talons hauts, lève énergiquement les bras, mais accroche au passage deux filles moins grandes qui se tiennent près d'elle. Annie, plus à droite de la trajectoire que prend le bouquet, reçoit une poussée de la concurrente derrière elle. Pour maintenir son équilibre, elle agrippe sans le savoir l'épaule de Stéphanie. Sous le poids d'Annie, Stéphanie bascule sur Jasmine dont les pieds ont quitté le sol en effectuant son saut déterminé. Ainsi déstabilisée, Jasmine chute au sol, entraînant avec elle Stéphanie qui s'est retrouvée à son tour en perte d'équilibre. Annie, se trouvant ainsi sans appui, tombe sur ses deux amies dans un mouvement brusque, ce qui fait reculer rapidement les autres participantes. La gerbe de fleurs frappe au passage le dos d'une femme qui tente elle aussi de maintenir son équilibre. Le bouquet bifurque de sa trajectoire et atterrit entre Annie et Stéphanie. Celles-ci se retrouvent dans une position peu gracieuse au milieu de la salle, tout près de Jasmine, déjà étendue de tout son long sur le sol. En une fraction de seconde, les trois filles, restées tout de même centrées sur leur objectif premier, attrapent chacune vigoureusement une partie du bouquet, qui se brise sous la pression des trois mains.

Deux émotions complètement dissemblables planent alors dans la salle. Pour les spectateurs, la stupéfaction les amène à applaudir sur-le-champ la conclusion de cette scène ridicule. Cependant, pour les femmes qui se sont prêtées au jeu, la frustration semble plutôt au rendez-vous. La plupart replacent leur robe, insultées d'être presque tombées durant le branle-bas de combat engendré par les trois concurrentes voraces qui se sont retrouvées au plancher.

Les trois gagnantes se relèvent, gênées, en tenant fermement en main une poignée de fleurs brisées.

L'animateur de la soirée, qui tente de reprendre son sérieux, annonce tout bonnement au micro :

— Je crois que nous avons trois futures mariées !

Les trois trouble-fête s'affairent rapidement à épousseter leurs robes respectives afin de regagner tout au moins une crédibilité vestimentaire adéquate compte tenu des circonstances. Amères et honteuses, elles se fusillent du regard. La mère du marié, à mi-chemin entre la frustration et la pitié, toise les trois filles en déclarant :

— Je propose de faire tirer entre vous trois le crédit-voyage de mon agence Paradis Express…

Toute la salle applaudit à sa suggestion tout en jacassant bruyamment. L'animateur, ne sachant trop de quelle façon conclure l'événement désopilant, déclare tout simplement :

— Et maintenant, place à la danse !

Les trois filles se dirigent vers les toilettes la tête basse en passant droit devant leurs conjoints qui, restés au bar, s'esclaffent encore de ce moment si cocasse.

— Hé ! Les femmes ! Venez ici deux minutes, leur crie Steve en les voyant s'éloigner.

Le défi

En pénétrant dans les toilettes, les filles, offusquées, récapitulent la scène en s'accablant de reproches :

— Pourquoi tu m'as foncée dedans ? rugit Jasmine, un bras en l'air, en s'adressant à Stéphanie.

— C'est elle qui m'a retenue l'épaule ? se défend Stéphanie en pointant Annie.

— Eille ! La fille derrière moi m'a poussée vraiment fort, là. J'ai failli tomber à pleine face en me faisant un croque-en-jambe dans le talon, pleurniche Annie en guise d'explications.

— Ben on est tombées pareil ! Toutes les trois, au lieu de juste toi ! ajoute Stéphanie les bras croisés, austère, comme si le fait de bouder y changerait quelque chose.

Les filles se taisent pendant quelques minutes, occupées à améliorer l'allure délabrée de leurs mises en plis respectives. Sérieuse, chacune digère la déconfiture vécue devant tout le monde. Elles s'échangent alors quelques regards discrets dans le grand miroir avant de pouffer d'un rire bruyant.

— Ça n'a pas de bon sens ! s'esclaffe Annie en mettant sa main devant sa bouche.

— On était là, les trois folles hystériques, avec des fleurs écrasées dans les mains... se tord Jasmine.

— La robe montée jusqu'aux genoux... ajoute Stéphanie en pleurant de rire.

— Par terre au milieu de tout le monde ! lance Annie, qui rigole tellement qu'elle croit faire pipi dans sa petite culotte.

La mère du marié, qui entre dans les toilettes au même moment, découvre, presque outrée, les trois filles riant aux éclats.

— Bien heureuse de constater que vous n'êtes pas blessées, ronchonne-t-elle froidement, les lèvres toujours pincées.

— Non, non, la rassure Annie, qui se ressaisit un peu.

— Je pense que je n'aurais pas dû dévoiler le prix avant, hein ? affirme-t-elle sèchement, les yeux ronds chargés de reproches. En tout cas, voilà le chèque-cadeau. Organisez-vous.

Elle tend l'enveloppe à Jasmine avant de ressortir, le menton bien haut, sans rien ajouter de plus. Les filles, perplexes, fixent l'enveloppe dans la main de Jasmine. Elles éclatent de rire de plus belle.

— Elle semblait vraiment contente de nous le donner ! ironise Stéphanie.

— J'étais certaine qu'elle allait dire : « En tout cas, voilà le chèque-cadeau de mon agence Paradis Express sur la rue, et blablabla… » Avouez que ç'aurait été tordant : un autre *pitch* de vente *live* dans les toilettes ! imagine Jasmine, en imitant la femme d'une voix aiguë et d'un air coincé.

— Bon ! On fait un tirage ? propose Annie, en s'essuyant le coin de l'œil avec un bout de papier à main afin de corriger son maquillage.

— J'ai une meilleure idée ! déclare Jasmine, l'air mesquin, en brandissant l'enveloppe de gauche à droite dans les airs.

— Quoi ? demande Stéphanie avec appréhension.

— On a déblatéré après le souper et chacune semblait certaine que son homme pourrait éventuellement la demander en mariage. Vous m'avez dit toutes les deux que vous étiez prêtes à gager là-dessus...

— Tu veux qu'on gage le chèque de voyage ? l'interroge Annie.

— Pourquoi pas ? Il est à nous trois de toute façon, fait valoir Jasmine, qui hausse les épaules en semblant dire : « On n'a rien à perdre... ».

— Oui mais là, il doit y avoir une date là-dessus, présume Stéphanie en pointant l'enveloppe que Jasmine tient dans sa main.

Celle-ci l'ouvre pour constater que le certificat est en effet valable pour les six prochains mois.

— Six mois... réfléchit Annie.

— Moi, je propose que d'ici trois mois, donc au moment de nos vacances au chalet, la première qui a reçu une demande en mariage remporte le certificat ! lance Jasmine, toujours en agitant l'enveloppe de gauche à droite dans les airs.

Les filles rêvassent en fixant l'enveloppe. Stéphanie brise finalement le silence en proclamant :

— *Deal* !

— OK, j'embarque aussi, appuie Annie.

— Mais là, on s'entend : il est interdit de demander soi-même son chum en mariage, précise Jasmine.

— Bien non, sinon ça ne compte pas ! approuve Annie.

— Interdit aussi de faire intervenir un tiers, souligne Jasmine.

— Qu'est-ce que tu veux dire ? demande Stéphanie, pas certaine de bien saisir la signification de « tiers ».

— Par exemple, interdit pour toi de faire une alliance avec le frère de Steve pour que celui-ci le convainque de te demander en mariage, explique-t-elle clairement.

— OK, ouin ! On n'a le droit d'en parler à personne, en fait ! synthétise Stéphanie en guise de résumé.

— Mais on a tout de même le droit de parler de mariage avec son chum ! rectifie Annie, anxieuse.

— Oui, on a le droit d'en parler, mais la demande officielle doit venir du gars. Ça va être facile à prouver quand il va raconter comment ça s'est passé, mentionne Stéphanie, suspicieuse qu'une des filles ne tente le coup.

— Donc, trois mois top chrono ! conclut Jasmine en sautillant frénétiquement.

— On aura juste à mentir à nos chums et dire qu'on n'a pas eu le temps de faire tirer le certificat, propose Annie en pensant aux potentielles questions de Pierre-Luc.

— Super ! Bonne chance à toutes ! lance Stéphanie pour les narguer tout en se dirigeant vers la sortie, la tête bien haute.

— Oh que oui ! sourit Jasmine, qui regarde le certificat dans sa main en fantasmant de nouveau.

Les stratégies

Sur la chanson *Hallelujah*, reprise par Rufus Wainwright, Annie, amoureuse, dépose sa tête au creux de l'épaule de son compagnon, qui danse avec elle au milieu de tous les couples pour qui cette chanson a créé un désir de rapprochement.

— C'est quand même drôle que notre chanson passe ici, ce soir, fait remarquer Annie en levant doucement la tête pour regarder Pierre-Luc.

— Notre chanson ? répète celui-ci, surpris, le front plissé.

— Bien oui, mon poussin, la soirée où j'étais allée chez toi au début, on avait écouté *Shrek*... C'est aussi la nuit où on a fait l'amour pour la première fois, évoque Annie, convaincue que ce dernier détail devrait raviver la mémoire défaillante de son chum.

— Ah ben oui, je me rappelle... La chanson dans *Shrek* ! ment Pierre-Luc, qui ne se souvient pas du tout du film et encore moins de la chanson, mais qui se remémore très clairement leur premier rapprochement charnel.

— À quoi ça te fait penser, le mariage de Brandon ? l'interroge Annie, le regard langoureux, les bras autour de son cou.

— Euh... Que mon chum va être fauché pour les cinq prochaines années ! plaisante-t-il pour la faire rire.

— Aaaaah ! C'est pas juste une question d'argent... affirme Annie, déçue, en tournant la tête vers la gauche.

Bien que son gag soit tombé à plat au milieu de la piste de danse, Pierre-Luc reste tout de même concentré à analyser la situation financière de son ami.

— Non, mais vraiment, j'évalue depuis le début de la soirée le coût d'un tel mariage et j'estime tout ça à environ 15 000 dollars... Et encore plus, si elle a acheté la robe au lieu de la louer. Tu le sais, toi, si elle l'a achetée ou louée ? sonde-t-il, motivé à faire une évaluation exhaustive des coûts de cette journée.

— On s'en fout ! Me semblait que t'étais dentiste toi, pas comptable ! riposte Annie, encore plus désappointée, avant de reposer lâchement sa tête au creux de l'épaule de son conjoint.

Pierre-Luc, qui examine les lieux, poursuit son analyse technique sans discerner les intentions se cachant derrière le sujet amené par sa blonde.

— Je ne sais pas combien coûte la salle en location. Le service de bar doit être inclus, par contre.

Annie, de plus en plus agacée, se redresse de nouveau en disant froidement :

— Donc nous deux, on va jamais se marier parce que ça coûte trop cher ?

— Tu veux te marier, mon chaton ? s'étonne Pierre-Luc, qui semble tout à coup percevoir dans les commentaires de sa douce une pointe de déception.

— Comme toutes les filles, répond Annie en déposant encore plus rapidement sa tête sur l'épaule de son amoureux, consciente de la révélation-choc qu'elle vient de lui faire.

Abasourdi, Pierre-Luc tourne spontanément la tête vers Brandon, qui danse avec sa femme à quelques mètres d'eux. Il songe aux paroles que ce dernier a prophétisées tout à l'heure : « C'est un désir génétique, ancré, parasitaire, viscéral chez tous les êtres humains ne possédant pas le chromosome Y... N'oubliez jamais ça ! »

Annie, silencieuse, rumine avec regret : « Bon, la gageure vient d'être réalisée, il y a trois minutes ! J'aurais pu attendre un peu avant d'attaquer... »

Pierre-Luc, lui, ajoute finalement un commentaire très terre-à-terre.

— Tu ne m'avais jamais dit ça. Je croyais que nos projets étaient de s'acheter un duplex.

— Ça ne nous empêche pas de nous marier çaaaa, râle Annie d'une voix enfantine.

— Annie, je veux ouvrir mon propre cabinet de dentiste bientôt. On n'a pas d'argent pour faire TOUT ça en même temps.

— Et si on l'avait ? On pourrait faire quelque chose de simple, pas trop coûteux, suggère Annie en relevant la tête avec beaucoup trop d'enthousiasme.

En voyant le regard illuminé de sa blonde, Pierre-Luc lui lance sans réfléchir :

— Si on gagnait à la loterie mon chaton, je t'épouserais sans hésiter !

Plus ou moins satisfaite de sa réponse, Annie fixe le fond de la salle en spéculant : « Si on avait l'argent, ce serait un oui... » Un sourire en coin, elle repose de nouveau sa tête sur l'épaule de Pierre-Luc.

LA STRATÉGIE D'ANNIE : TROUVER DE L'ARGENT !

Le lendemain

Assise devant le téléviseur, dans l'appartement de son compagnon, Stéphanie, télécommande en main, change les chaînes de façon aléatoire, à la recherche d'une émission intéressante. Elle tombe par pur hasard sur un épisode de *Marions-nous.*

— Hé ! C'est de ça dont Brandon parlait au mariage ! s'exclame-t-elle, comme si elle n'avait jamais regardé la série auparavant.

— Je savais qu'il nous mettrait dans le trouble, le gros, en disant devant tout le monde qu'il avait écouté ça avec sa blonde ! s'exclame Steve, les deux bras en l'air, assis près de Stéphanie sur le canapé.

— Ben là, y a rien d'autre de toute façon. On l'écoute ! décrète-t-elle, motivée, tout en déposant la télécommande près d'elle pour signifier à son amoureux que le choix est sans équivoque.

— Je te laisse t'amuser ! Je vais prendre une douche, annonce Steve, qui lui donne un baiser éclair sur le front tout en se redressant rapidement.

Stéphanie agrippe doucement son t-shirt avant que celui-ci n'ait le temps de lever ses fesses du canapé. Elle lui miaule, en prenant une voix de gamine :

— Nooonnnn... Je veux que tu l'écoutes avec moooiiii...

Attendri par l'attitude coquine-charmeuse-infantile de sa blonde, Steve se rassied en disant :

— C'est ça le problème avec vos émissions poches, vous ne voulez jamais les écouter toutes seules !

Contente de le voir se réinstaller à ses côtés, Stéphanie lui donne un baiser sur la joue avant de se concentrer sur le déroulement à l'écran.

Après avoir présenté le jeune couple qui participe à l'émission, les scènes montrent en séquences rapides la cérémonie, suivie de la soirée, etc.

Steve ne peut s'empêcher de commenter, à la blague, tout ce qu'il voit : « Il a l'air gai, le marié... », « Elle a vraiment l'air d'une grosse patate dans sa robe... », « Me semble voir le gars mettre du gâteau dans la face de sa blonde... Hahaha... »

À chacune de ses stupidités, Stéphanie lui souffle des onomatopées pour désapprouver ses remarques : « Chutt... », « Ffff... », ou encore « Aaaahh ? ».

La scène finale présente la mariée qui raconte la demande en mariage faite par son homme. Le gars, à son tour, commente sa décision : « Ma blonde et moi, on partage tout. On fait tout ensemble et c'est la complicité totale. Le jour où un homme réalise ça, il n'a pas d'autre choix que de vouloir demander à cette femme-là d'être la sienne pour toujours... »

Le générique commence à défiler tranquillement devant le couple qui s'embrasse en gros plan. Stéphanie, attendrie, se tourne doucement vers Steve avec appréhension.

— Toi, veux-tu te marier un jour ?

Décelant un piège potentiel dans l'attitude désinvolte de sa blonde, Steve lance non sans ironie en se levant d'un bond :

— Si tu devenais parfaite comme elle, c'est sûr !

En riant, il se dirige vers la salle de bain et referme la porte derrière lui. Celui-ci n'a malheureusement pas conscience, à ce moment précis, de la portée de sa réponse dans le cœur de Stéphanie. Celle-ci, le sourire aux lèvres, fixe le déroulement du générique sans réellement le lire. Elle se figure la suite…

LA STRATÉGIE DE STÉPHANIE :
DEVENIR LA BLONDE IDÉALE !

Le même lendemain

Confortablement installés sur la terrasse de leur appartement, Charles et Jasmine se délectent d'un verre de vin rouge en bavardant, entre autres, de l'odeur qui se dégage du barbecue du voisin de droite.

— Hum ! Ça sent bon…

— Il fait cuire du steak tous les soirs, lui ! déclare Charles à voix basse, comme si l'acte en soi était un délit grave.

Jasmine réplique par un haussement d'épaules, avant d'entamer un sujet plus intéressant, selon elle.

— C'était un beau mariage dans l'ensemble, hein chéri ? Si, bien sûr, on ne parle pas des poèmes lus après le souper, dit-elle en regardant à gauche de la terrasse, afin de rendre le sujet de conversation anodin.

— Humhum... approuve vaguement Charles, qui semble peu intéressé par le sujet.

En tournant la tête vers lui, Jasmine constate en effet que Charles est encore captivé par le balcon du voisin.

— C'est des côtes levées, je pense, ajoute-t-il, le nez en l'air.

— Moi je pense que c'est possible de faire un mariage pas quétaine ! affirme Jasmine, en revenant à la charge.

— En ne se mariant pas, oui ! badine Charles, en ricanant de sa propre blague.

Jasmine lui envoie un regard atone, sans sourire. Elle poursuit son explication :

— Un mariage dans le Sud ! C'est pas quétaine, pas trop cher et tellement romantique...

Son compagnon la fixe sans commenter, surpris de sa déclaration.

— Moi, je le vois mon mariage : sur la plage... nous deux, intime, avec presque pas d'invités...

Charles foudroie Jasmine du regard en levant les sourcils, afin de lui témoigner volontairement sa stupéfaction. Il ne dit rien.

— Ne me regarde pas de même ! On dirait que je viens de t'annoncer que j'ai tué ta mère ! s'insurge Jasmine, en attrapant fermement son verre de vin qui trônait sur la table d'appoint posée entre leurs deux chaises.

— Non, mais c'est juste que tu ne m'as jamais parlé de ça avant, chérie, précise Charles, en reniflant de nouveau en direction du voisin.

— C'est vraiment mon rêve ! ajoute Jasmine, qui change drastiquement son attitude offusquée pour une attitude candide.

— Ton RÊVE ? répète Charles tranquillement, comme s'il jugeait le terme un peu trop exagéré.

— Ouais…

— Ah ben ! Mais je vais te dire la vérité : le mariage, je trouve ça dépassé ! La seule chose qui m'aurait forcé à t'épouser, c'est si tu avais réellement eu des valeurs familiales hypertraditionnelles, du genre : on ne peut pas coucher ensemble si on n'est pas mariés, explique Charles, qui rit encore une fois de sa blague en croyant ainsi détendre l'atmosphère.

— Tu sauras que chez nous, on a des valeurs pas mal plus traditionnelles que tu penses, lui lance Jasmine, en se surprenant elle-même de son exagération au moment où elle la profère.

— Hein ? De quoi tu parles ? T'es allée à l'église deux fois dans ta vie : à ton baptême et hier, au mariage de Brandon ! répond Charles pour contre-attaquer, surpris de la révélation de sa blonde, après trois ans de vie commune.

Jasmine réfléchit, silencieuse : « Non, je ne peux pas aller là. Trop exagéré ! Même si, pour un certificat de mille piastres… »

— La religion a une plus grande importance pour moi que tu sembles le croire, ajoute-t-elle en tournant la tête de nouveau à gauche pour éviter son regard.

— En tout cas, un mariage dans le Sud, ce n'est pas religieux ben ben, affirme Charles.

— Ah ! C'est dans la valeur de la chose que c'est important ! précise Jasmine, de plus en plus contrariée.

— Les valeurs ? T'es drôle, toi, aujourd'hui ! ajoute Charles avant d'adopter un silence qui semble calculé. Non ! Je l'ai ! C'est des filets de porc qu'il fait cuire, lui, aujourd'hui...

Jasmine soupire en secouant la tête. Tout d'abord à cause de son compagnon toujours aussi obsédé par le repas du voisin, et ensuite, à cause de la porte qu'elle vient d'ouvrir pour tenter d'arriver à ses fins. « Et puis quoi ? À l'entendre, c'est la seule raison qui puisse le motiver... » songe-t-elle en fixant stoïquement un barreau de la rampe du balcon.

LA STRATÉGIE DE JASMINE :
LA RELIGION, LES VALEURS...
BREF, N'IMPORTE QUOI !

SEMAINE 1

Lundi, terrain de balle dans l'arrondissement Laberge

— *Come on*, Rick ! Tu nous défonces un circuit, le gros ! vocifère Steve en tapant des mains, assis sur le banc d'une cabane de bois rustique perpendiculaire au marbre.

— Sti qu'il est rendu gras Rick, s'exclame Charles l'air découragé, avant d'applaudir énergiquement ledit joueur qui a, du premier coup, propulsé la balle dans la portion droite du champ en la faisant atterrir entre le joueur de mi-champ et le dernier joueur, au fond du terrain.

— Il mange trop de poutine, mais il cogne en simonaque ! souligne Steve en sifflant avec son pouce et son index afin d'encourager Rick, qui trottine de peine et de misère jusqu'au deuxième but.

Essoufflé, celui-ci arrête sa course. Posément, comme le veut le baseball, tout le monde semble attendre patiemment que le joueur suivant s'avance pour frapper.

— T'es content de la soirée ? demande Pierre-Luc en regardant Brandon assis à côté de lui.

— Ouais ! Et surtout, ma blonde était VRAI-MENT aux anges ! On a bien hâte au voyage de noces, dans deux jours. On va au Mexique, dévoile Brandon en restant concentré sur le terrain, où un joueur se dirige nonchalamment vers le marbre.

— En tout cas, ça a ébranlé ma Jasmine ce mariage-là ! Elle s'est mise à me parler de certaines de ses valeurs religieuses par rapport au mariage… Eille ! Je vous jure, c'est n'importe quoi ! déclare Charles, amusé.

— Pour vrai ? Chez nous aussi, on a eu une belle discussion là-dessus ! T'avais raison Brandon de dire que toutes les filles rêvent au mariage ! renchérit Steve en s'allongeant le cou afin de mieux voir le jeu.

Le joueur au bâton décoche un boulet de canon qui se rend presque à la limite du terrain de jeu. Toute l'équipe se lève pour encourager le joueur, qui gambade jusqu'au deuxième but, ainsi que Rick, qui touche finalement au marbre en marquant un point. Les gars se rasseyent, satisfaits.

— Mais attention, les *boys* : juste une petite minorité de femmes vont en faire un cas de force majeure. La plupart en rêvent, mais pas trop concrètement, vous comprenez ? Vos blondes vont en parler pendant un temps et ça va leur passer. Moi, je suis tombé sur un cas de force majeure, justement. Un genre d'obsession depuis notre troisième rencontre, imaginez ! D'où la raison pourquoi je l'ai fait ! Là, vos blondes ont vu une fille en robe blanche, pis ça a comme sonné plein de cloches *fuckées* en elles. Laissez la poussière retomber et la vie va reprendre son cours, élabore Brandon, convaincu de la justesse de sa théorie.

Les trois gars le considèrent, très attentivement, en faisant des signes affirmatifs de la tête, comme si Brandon devenait désormais la référence en matière de femmes et de mariage. En vérité, chacun des gars espère de tout cœur qu'il a raison…

— *Let's go* les *boys* ! encourage un autre joueur, avachi sur le banc non loin d'eux.

— J'ose croire que tu as raison ! Toi, Pierre-Luc ? Annie ne t'a rien dit, chanceux, suppose Charles, en donnant un petit coup sur l'épaule de Steve en riant.

— Non ! Non ! Inquiétez-vous pas ! J'ai eu droit au même traitement que vous autres. Mais moi, être riche, ça me dérangerait pas d'épouser Annie, avoue Pierre-Luc en haussant les épaules.

— C'est ça ! Toi, c'est parce que t'es *cheap* ! l'agace Brandon en lui assénant un léger coup de poing sur la cuisse.

— En passant, c'est à ton tour de payer la bière à soir ! lui rappelle Charles.

Pierre-Luc lui fait une moue sceptique en levant son menton en l'air et dirige ensuite son regard vers le terrain devant lui. Il rumine : « On dirait que c'est toujours à mon tour de payer la bière… »

— Au fait, est-ce que les filles ont fait tirer le chèque-cadeau ? enchaîne Brandon, curieux.

— Je ne le sais même pas ! J'avais complètement oublié ça ! déclare Steve en se remémorant la scène cocasse du lancer du bouquet.

— Moi aussi, j'avais oublié le prix, ajoute Pierre-Luc, amusé.

— Les *boys* ! Comment oublier ça ? Nos trois blondes effoirées par terre devant tout le monde ! Sti que c'était crampant ! se moque Charles avant de prendre le bâton pour s'avancer à son tour vers le marbre.

— Fais-nous un circuit, le gros! l'encourage Steve, en lui donnant une tape énergique sur le côté de la fesse au moment où il s'éloigne du banc.

Mardi, CPE Les petits trésors

Annie, en pause pour le dîner, tranche minutieusement un morceau de concombre, tout en écoutant d'une oreille les discussions autour d'elle. Depuis toujours, elle n'a jamais été celle qui mène les discussions. Durant son adolescence, sa mère lui rabâchait sans cesse : « Aie confiance en toi ! ». « Ah ! c'est vrai, je n'y avais pas pensé ! » se disait Annie, chaque fois que ce conseil vague lui était formulé. Heureusement, la trentaine lui avait fait accepter sa personnalité un peu timide et réservée ; le jour où elle avait cessé de se trouver « extraterrestre » dans sa façon d'être, la vie s'était révélée plus facile.

Une collègue l'interroge à propos de son week-end. Annie lui explique qu'elle a assisté à un mariage.

— Tellement beau… Vraiment! décrit-elle en saupoudrant soigneusement une pincée de sel et de poivre sur ses tranches de concombre.

— Une amie à toi ? s'intéresse une autre éducatrice.

— Non, un ami de Pierre-Luc. Je ne connaissais presque personne sauf les blondes de ses copains que je connais bien, mais que je vois juste de temps en temps. Mais c'était le fun ! explique-t-elle. En changeant de sujet, je pense que je vais tenter de me trouver un deuxième emploi…

— Ah oui ? Ton chum doit faire un bon salaire pourtant, se surprend une autre collègue.

— Oui, mais je fais juste 24 heures par semaine ici. Un peu d'argent vite fait nous permettrait de nous payer des petits luxes en amoureux, déclare Annie pour se justifier en songeant à son objectif secret.

— En tout cas, le meilleur emploi pour amasser de l'argent vite fait bien fait, c'est d'être *barmaid* ! Ma cousine travaille un soir par semaine dans un bar et elle se fait deux cents, parfois trois cents dollars par soirée, révèle sa collègue en regardant Annie.

— Ouin… Un bar ? Moi qui ne sors jamais ! raille timidement Annie.

— Mon chum et moi, on part en camping le week-end prochain ! annonce une autre collègue en changeant à son tour de sujet. Dans la région de Lanaudière, sur le bord d'un lac…

Annie n'écoute de nouveau que d'une oreille distraite. Elle regarde plutôt par la fenêtre en pensant dans sa tête : « Serveuse dans un bar… Hum… »

Comme la pause-repas est presque terminée, la patronne du CPE entre dans la pièce en s'adressant à Annie :

— La fille qui remplaçait dans ton groupe pour le dîner m'a dit que Thomas a fait pipi dans ses culottes, mais il n'a pas de vêtements de rechange dans son sac. Veux-tu aller voir ce qu'on a en bas dans les bacs ?

— J'y vais, répond docilement Annie en se levant avant de sourire à ses collègues qui semblent compatir avec elle.

Mardi, bureau des Assurances Paix d'Es-Prix

Stéphanie, assise à son bureau à la réception, navigue sur Internet lorsqu'un des courtiers la rejoint avec une pile de feuilles dans les mains.

— Hey Chica ! Veux-tu envoyer ça par fax, s'il te plaît ? Le nom du client et son numéro sont sur le papier, ici.

— Parfait ! acquiesce-t-elle en quittant sa chaise pour se diriger vers le télécopieur qui trône sur une grande table derrière elle.

Son collègue, curieux de nature, examine l'écran d'ordinateur de Stéphanie. On y voit le catalogue virtuel d'un magasin spécialisé en équipements de golf.

— Tu te mets au golf ? s'amuse-t-il. Tu vas te briser un ongle en jouant à ce sport...

— Merci de te soucier de moi à ce point, mais si tu permets, je suis assez grande pour gérer ma manucure ! lui lance-t-elle avec un demi-sourire, en effectuant la tâche demandée.

Depuis toujours, Stéphanie laisse présager être une fille superficielle bien assumée. Ses intérêts et ses loisirs tournent habituellement autour des soins de beauté divers et des vêtements dernier cri. Elle est jolie et fière. Tellement que, depuis l'âge du secondaire, son grand défi a été de combattre les préjugés qu'on entretenait à son égard ; on croyait d'elle qu'elle n'était qu'une « nunuche-possiblement-stupide ». Malheureusement, les études n'ont jamais été au cœur de ses priorités. Elle le regrette parfois, certains matins, lorsqu'elle rentre dans ce bureau, où elle a pour tâches de « servir » les agents d'assurance ; elle y détient donc peu de responsabilités, à part d'exécuter les tâches bureaucratiques demandées. Intérieurement, elle se rassure en se disant que son travail reste un moyen de s'assurer un revenu plus qu'une façon de s'épanouir personnellement. Sa répartie cinglante et son caractère fougueux lui ont permis de se faire respecter par l'ensemble des employés avec qui elle réussit tout de même à avoir du plaisir.

Son collègue s'éloigne en lui conseillant :

— N'achète pas ton sac de golf dans ce magasin-là. Va chez Golf Surplus, sur la rue Park. C'est vraiment moins cher. Comme ça, si après deux cents *swings* dans le beurre tu lances ton bâton dans le bois, ça te fera moins mal au cœur !

— Arrête ! Je vais être super bonne ! soutient Stéphanie, confiante, en retournant s'asseoir.

Il lui fait une grimace moqueuse avant de quitter la réception.

Mardi, Magasin Golf Surplus

À la fin de son quart de travail, Stéphanie saute dans sa voiture pour se rendre *rapido presto* au magasin afin d'acheter son équipement de golf. Lorsqu'elle pénètre dans le large entrepôt, un jeune employé se dirige promptement vers elle.

— Bonjour, je peux vous être utile ? C'est pour faire un cadeau à quelqu'un ? présume-t-il en pointant le doigt dans sa direction, fier de deviner son intention.

— Pourquoi ? J'ai pas l'air d'une golfeuse ? rétorque Stéphanie du tac au tac, les bras agités.

— Ha ! Ha ! Non, non, ce n'est pas ça, désolé. Vous cherchez quoi au juste ?

— Tout ce dont j'ai besoin pour jouer au golf ! Et le moins cher possible ! Donc, parle-moi pas de performance, de meilleure qualité ou de puissance maximale. Je veux ton stock de golf le plus abordable !

— Ah bon, une débutante motivée ! Parfait ! Suivez-moi…

Il l'amène au fond du magasin où sont entassés plusieurs sacs de golf, déjà remplis de tout ce qu'il faut. En passant devant un autre vendeur, il lui fait un clin d'œil discret que Stéphanie ne peut voir car elle scrute les alentours.

— Celui-là est assez complet. Seul le *putter* doit être acheté en surplus et le *sand wedge* si vous en voulez un, précise le vendeur en présentant un sac rudimentaire à sa cliente.

— Hein ? Le quoi ? répond Stéphanie, le visage interrogatif.

— *Sand wedge,* pour les fosses de sable… Peu importe ! Bon, commençons par l'essayer ! lui propose-t-il en se dirigeant vers un coin du magasin aménagé pour les clients qui veulent préalablement tester l'équipement.

Un tapis de gazon synthétique a été déroulé devant un mur de mousse de polystyrène fermé par un filet. Ainsi, les balles qui y sont projetées sont amorties et ne rebondissent pas vers le client. Il tend le fer numéro sept à Stéphanie et dépose une balle sur le tapis en lui précisant :

— Ne fais pas une *full swing* par contre…

— Une quoi ? demande Stéphanie pour une deuxième fois, complètement ignorante du jargon entourant ce sport.

Comme il y a peu de clients dans le magasin, deux autres jeunes vendeurs s'approchent discrètement d'eux ; ils veulent voir la jolie fille en tailleur s'essayer au golf, probablement pour la première fois.

Stéphanie élance son bâton très haut en arrière et, dans une descente rapide, elle passe maladroitement à quelques centimètres en haut de la balle. Le vendeur près d'elle jette un sourire aux deux autres postés derrière lui, sans émettre de commentaires.

— Ben voyons ! se plaint Stéphanie sans lever la tête.

Elle refait la même manœuvre, qui provoque sensiblement le même résultat. La balle ne bouge pas d'un millimètre.

— Ah ! Enlève tes talons hauts ! propose le vendeur, comme s'il n'y avait pas pensé avant.

Stéphanie lui fait un sourire forcé en s'exécutant rapidement. Elle reprend le bâton et tente de nouveau de frapper la balle. Comme elle se retrouve plus basse, le bout de son bâton percute le gazon synthétique quelques centimètres avant la balle. Les deux vendeurs derrière s'en amusent, la main devant la bouche.

— Qu'est-ce que je fais de pas correct ? Une petite ba-balle, un bâton… me semble que ce n'est pas sorcier ! s'énerve Stéphanie, un peu impatiente.

— Tu ne regardes pas ta balle, explique le vendeur.

— Ben oui, je la regarde ! lui répond-elle en se repositionnant pour la quatrième fois.

Encore une fois, le bâton qui descend rapidement ne touche pas la balle ; cette fois-ci, il passe à environ cinq centimètres à gauche de celle-ci.

— Ben là ! Je l'ai pas pantoute ! se décourage-t-elle.

Stéphanie, qui entend glousser derrière elle, se retourne brusquement : elle aperçoit les deux vendeurs qui ricanent de sa performance. Pour la distraire, celui qui est près d'elle pose sa main sur son bâton, en se plaçant assez proche derrière elle, et il lui propose :

— Regarde, je vais te montrer comment faire…

Rebutée par cette tentative de rapprochement non subtile et insultée de l'amusement des autres vendeurs l'épiant, Stéphanie enfile rapidement ses escarpins en déclarant sèchement :

— Laisse faire ! Laisse faire ! Je vais apprendre ça une autre fois !

Sans faire d'histoire, elle se dirige vers la caisse en laissant le soin au jeune homme d'y transporter son nouveau sac de golf.

Mardi, hôpital psychiatrique Saint-Azure

— Madame Potvin, il n'y a pas de micro dans votre chambre ! certifie patiemment Jasmine à sa patiente psychotique, qui semble présenter à nouveau des symptômes de délire de persécution.

— Personne ne me croit quand je dis que la mafia m'observe ! Le jour où vous allez découvrir que j'avais raison, il va être trop tard, riposte la patiente, insultée, en se blottissant dans son lit pour bouder.

Jasmine lui fait un sourire rassurant avant de quitter la chambre. Elle note la prise de médication de la patiente dans son dossier avant de le réinsérer dans le casier de plastique, près de la porte. Depuis toujours, Jasmine a le sentiment de bien comprendre la maladie mentale. Son choix de clientèle, après l'obtention de son diplôme collégial en sciences infirmières, n'avait pas été ardu à faire. Ayant elle-même une personnalité forte, voire « spéciale », elle se sentait parfois comme une extraterrestre dans la société, un peu comme Annie, mais pour des raisons différentes. Certaines obsessions contrôlées, une détermination de fer, ainsi qu'une bonne connaissance des maladies mentales l'avaient, selon elle, empêchée de devenir une patiente. Forte de caractère, Jasmine n'avait pas beaucoup d'amis. Éprise par un désir de plaire évident, voire maladif, elle avait souvent eu des querelles avec des amis à la suite de situations nébuleuses vécues avec les amis de cœur de celles-ci. En rencontrant Charles, qui avait été jadis très volage aussi, elle avait retrouvé une stabilité affective plus respectable pour son âge.

En croisant l'infirmière qui la succède après la fin de son quart de travail, Jasmine lui murmure :

— Ses délires de persécution sont revenus de plus belle. Je tenterai de voir le psychiatre demain matin. Bon chiffre !

Elle quitte l'hôpital en envoyant jovialement la main au garde de sécurité posté tout près de la porte principale.

Mardi, librairie Page par page

Dans son trajet la menant à son condo, Jasmine fait un arrêt à la librairie. En y entrant, elle interroge la première commis qu'elle croise :

— Je cherche des livres religieux.

— Des livres religieux ? Une religion en particulier ? sonde froidement la commis à l'allure intellectuelle-coincée, qui semble visiblement trouver l'intérêt de Jasmine un peu vague.

— Euh... La religion de Jésus, là... le catholique... les Jésuites..., tente Jasmine, ne sachant pas exactement le nom qu'elle doit utiliser.

— Sur le christianisme donc ? propose la vendeuse, qui paraît en connaître quelque peu le sujet.

— Oui, oui, c'est ça, affirme Jasmine en se disant : « Espèce de pognée avec tes lunettes passées de mode... », tout en fixant la vendeuse.

En se dirigeant vers la section en question, la commis demande, en remontant ses lunettes :

— C'est pour un travail scolaire, je suppose ?

— Non, non, c'est parce que je suis protestante, répond promptement Jasmine, l'air sûre d'elle.

— Pratiquante ? corrige-t-elle avec un demi-sourire, fière de déduire que c'est ce que Jasmine a probablement voulu dire.

— C'est ça, acquiesce Jasmine une main en l'air, comme si son erreur de terminologie s'avérait anodine.

— Voilà, vous trouverez d'ici à ici des ouvrages théoriques sur le fondement religieux. D'ici à là-bas, plutôt des biographies de gens influents du clergé, d'hier à aujourd'hui, et des ouvrages historiques de l'Ancien et du Nouveau Testament, comme ici « Les épîtres de Paul de Tarse », par exemple.

— Ah oui ! Paul de..., feint Jasmine en prenant le livre dans ses mains, comme si l'homme en question lui était familier.

Maintenant presque certaine que sa cliente n'y connaît rien du tout, la commis explique le reste du contenu de la section sur un ton monotone, voire désintéressé.

— Finalement, d'ici jusqu'au bout de la rangée, on retrouve plutôt les romans d'inspiration théologique. Malheureusement, peu d'ouvrages de ce genre sont publiés chaque année. Nous sommes donc un peu restreints dans le renouvellement de nos stocks. Si vous lisez beaucoup, vous avez probablement déjà feuilleté plusieurs des ouvrages qui se trouvent ici… tous des grands classiques.

Jasmine, un peu pantoise, examine le reste de la rangée, qui fait près de trois mètres de long, multipliée par six étages de haut. L'étagère semble remplie de livres aux couvertures toutes plus ennuyeuses les unes que les autres.

— Ça alors, je vais m'amuser ! s'exclame Jasmine, avec un air faussement enjoué très mal rendu.

— Bonne chance ! ajoute ironiquement la commis à lunettes avant de se retirer.

— Paul de « Tarte », oui ! murmure Jasmine qui roule des yeux avant de reposer le livre sur son rayon en soupirant bruyamment.

Après vingt minutes de lecture partielle de résumés de plusieurs quatrièmes de couverture, elle choisit finalement un livre sur l'explication des fondements du sacrement du mariage catholique ainsi qu'un autre résumant l'historique du christianisme. Elle prend soin de ne pas emprunter la rangée où la commis qui l'a conseillée semble occupée en ce moment, pour ne pas subir d'interrogatoire sur ses choix finaux. La caissière, qui insère les deux livres dans un sac de plastique, suppose à son tour :

— 48,25 dollars s'il vous plaît ! Vous avez un travail scolaire ennuyeux à faire ?

— Ouais, c'est ça ! approuve Jasmine qui ne veut que sortir au plus vite.

Elle tend sa carte de crédit à la caissière, avec un point d'interrogation : « Coudonc, j'ai vraiment l'air d'être aux études à ce point-là ? »

Dès qu'elle arrive chez elle, Jasmine retire l'étiquette sur lequel figure le prix ; elle dépose stratégiquement un livre sur la table du salon et un autre sur sa table de chevet, profitant de l'absence de Charles, qui n'est pas encore rentré du travail.

« C'est vraiment n'importe quoi ! Je ne réussirai jamais à lui faire avaler ça... » raisonne-t-elle en fixant le livre sur le meuble du salon.

Mercredi, appartement d'Annie et Pierre-Luc

— Oui, bonjour, j'appelle pour le poste de serveuse affiché dans le journal, explique timidement Annie à l'homme qui lui répond.

— Oui, justement, ça urge ! Vous avez de l'expérience ? demande-t-il, pressé.

— Euh... oui, fabule Annie, qui esquisse une mimique de regret, même si elle est seule dans sa chambre.

— Quel âge vous avez ?

— 33 ans...

— Pour me donner une idée, quelle taille et quel poids faites-vous ? C'est qu'on n'engage pas de grosses, ce n'est pas tellement mar-ke-ke-ting !

— Euh... 5 pieds 5, 115 livres, je ne suis pas grosse, rétorque Annie en trouvant la question un peu indiscrète.

— Bon, de toute façon, je n'ai personne pour demain, on va t'essayer ! Arrive au club autour de 19 heures. Tammy te montrera la job ! Je paie 40 piastres par chiffre en dessous de la table, et vous vous divisez les pourboires à deux. C'est sûr que la clientèle est jeune, ça *tipe* moins, mais bon, mes filles font de la belle argent pareil...

— C'est correct pour moi !

L'homme inscrit ses coordonnées avant de raccrocher. « Bon, ce n'était pas compliqué... », se réjouit Annie, assise sur son lit, le journal local dans les mains. Pierre-Luc entre dans la chambre.

— Qu'est-ce que tu fais mon chaton ? Ça fait trois fois que je crie ton nom !

— J'étais au téléphone...

— Avec qui ? Ta mère ?

— Oui, c'est ça ! ment Annie en suivant son chum dans la cuisine.

— Qu'est-ce qu'on mange pour le souper ? demande Pierre-Luc en regardant sa blonde.

— Euh... On est mercredi, c'est donc du macaroni ! affirme Annie en consultant le grand calendrier placardé sur le frigo.

Le menu pour le mois en cours y est toujours inscrit diligemment. Une belle déformation professionnelle maladive.

— Ah oui, le mercredi… c'est le macaroni, se souvient Pierre-Luc.

Mercredi, terrain de golf Détente

Stéphanie, qui a quitté le bureau un peu plus tôt, trépigne d'excitation au volant de sa voiture. Elle s'en va rejoindre son chum au Club de golf, pour y jouer son premier neuf-trous à vie. Sur la route qui la mène au terrain, elle se convainc, enthousiaste : « La blonde parfaite… il ne croira pas à ça ! »

Stéphanie s'affaire à troquer ses talons hauts contre des chaussures de sport lorsque son amoureux arrive dans le parc de stationnement. De peine et de misère, elle sort du coffre arrière son nouveau sac de golf ; elle s'est bien gardée de lui en parler pour lui réserver la surprise. Lorsqu'il descend de sa voiture, qu'il a garée près de la sienne, Stéphanie se redresse fièrement à côté de son sac.

— Oh ! Madame la cachottière a décidé de se mettre au golf sérieusement ! Je pensais que tu voulais juste venir frapper des balles pour le fun ! s'amuse Steve en trouvant sa blonde mignonne, tout sourire, près de son équipement. Il te manque juste un petit top au nombril et une minijupe au ras des fesses, comme dans les annonces de bière !

— Franchement… On joue un neuf-trous ?

— Sérieuse ? Je croyais que tu voulais juste frapper des balles. Tu m'avais dit ne jamais avoir joué et « être certaine de détester ça » ! lui rappelle-t-il avec un accent aigu exagéré pour imiter sa blonde.

— Premièrement, je n'ai jamais eu cette voix débile de toute ma vie et, deuxièmement, je veux passer plus de temps avec tooooi, miaule Stéphanie en s'approchant de son amoureux pour l'embrasser.

— Bon, va te changer, si on veut avoir le temps de jouer les neuf trous ! ordonne-t-il en sortant son propre sac du coffre de sa voiture.

— Me changer ? s'inquiète Stéphanie en regardant attentivement ses vêtements. J'ai mis mes espadrilles…

— Ben non bébé, tu ne peux pas jouer en jeans. S'ils sont sévères, tu ne pourras pas accéder au terrain avec ce chandail-là non plus, explique Steve qui est vêtu d'un pantalon et d'un polo de golf conformes à l'étiquette de ce sport.

— Moi, je pensais que vous portiez ça parce que vous aimiez ça. Je ne croyais pas que c'était obligé. Je n'ai rien d'autre…

— Viens, on va aller voir en dedans.

— Je vais paraître sûre de moi. Ils ne diront rien, le rassure Stéphanie.

Lorsqu'elle arrive près du comptoir pour s'inscrire et s'acquitter de leur droit de jeu, Stéphanie, déterminée, dit :

— Je vais acheter deux neuf-trous !

— Vous seriez mieux de faire une fois le dix-huit dans ce cas-là ! badine l'homme en riant à outrance de sa blague.

— Euh… Pour deux personnes, je veux dire.

— Parfait ! Mais avant, vous allez vous changer en bas ? lui demande-t-il afin de s'assurer des intentions de sa cliente.

— Ah ouais ? réplique innocemment Stéphanie en se retournant vers Steve, qui fouine dans un bac de vêtements en solde.

— Vous n'avez rien d'autre que les habits que vous portez en ce moment ? déduit l'homme, perspicace. Exceptionnellement, je peux vous laisser accéder au terrain d'entraînement, mais pour le neuf-trous, je ne peux pas. Désolé !

Steve s'approche du comptoir :

— Parfait, on prendra un gros panier de balles alors. Ma femme commence le golf ! explique-t-il en riant.

Lorsqu'ils sortent du club avec leur gros panier de balles pour s'exercer, il rassure Stéphanie en souriant :

— Pas grave bébé, on reviendra ce week-end. De toute façon, je vais en profiter pour te montrer un peu la technique.

— Ta femme ? reprend-elle en l'écoutant à peine.

— De quoi ?

— T'as dit « ma femme » au gars en dedans…

— Ma blonde ! Ma femme ! C'est la même chose ! Allez, viens-t'en !

Mercredi, appartement de Jasmine et Charles

— Dans les fondements d'origine du mariage, on explique que l'homme devait quitter son père et sa mère pour former une seule chair avec son épouse pour ensuite en venir à créer la vie, enseigne Jasmine à son chum, qui regarde attentivement le téléviseur posé sur le meuble devant leur lit, dans lequel ils sont tous les deux étendus.

— Sti chérie, qu'est-ce que tu lis là ? s'étonne Charles, qui réagit en soulevant la couverture de son livre.

— Un bouquin que j'avais là…

— T'es bizarre, toi ! lance Charles, qui change rapidement les postes du téléviseur comme s'il cherchait une émission précise.

— Quoi ? demande Jasmine, l'air surprise et agacée à la fois.

— Non, non, tu lis ce que tu veux chérie, c'est correct.

Elle replonge les yeux dans son ouvrage en faisant semblant de le lire. Silencieusement, elle se dit : « Il ne me croira pas avec de simples lectures, il faudrait que je sois plus convaincante, plus proactive... Mais comment ? »

Mercredi, appartement d'Annie et Pierre-Luc

Annie referme son magazine éducatif *Enfance et famille* et se tourne vers Pierre-Luc pour lui annoncer, avec hésitation :

— Demain en soirée, je vais prendre une bière avec les filles de la garderie.

— Ah oui ? Nous aussi on voulait aller prendre un verre après la partie de balle. Vous allez où ?

— Euh… On ne sait pas encore et ce n'est pas moi qui décide, bluffe Annie, un peu prise au dépourvu par la curiosité de Pierre-Luc.

— En tout cas, si on n'est pas loin, on devrait y aller tous ensemble, propose-t-il gaiement.

— Bien, je pense que les filles n'amènent pas leurs chums. On y va juste nous autres, le dupe Annie, qui pose sa revue sur la table de chevet afin d'éviter de croiser le regard de son amoureux.

Annie, qui est une mauvaise mythomane, croit que les gens peuvent déceler la vérité ou le mensonge chez elle uniquement en la regardant dans les yeux. C'est la raison pour laquelle, habituellement, elle ne ment jamais.

— Ah, OK ! Vous fêtez quelque chose ? s'intéresse Pierre-Luc pour faire la conversation.

— Non, non, on va jaser entre filles, mentionne Annie, qui tente de couper court à la discussion pour qu'il ne démasque pas son imposture.

— Aaaah ! Parler de vos chums, tu veux dire ! bouffonne Pierre-Luc, fier de sa blague.

Annie arbore un sourire fugitif, sans donner suite au commentaire de son compagnon, avant d'éteindre sa lampe de chevet.

— Bonne nuit, mon poussin !

— Toi aussi.

Elle se blottit dos à son chum, honteuse de lui mentir de la sorte. Elle se répète en boucle : « C'est pour lui faire une surprise que je fais ça… Pour nous deux… »

Jeudi, bar La débauche

Nerveuse de son immersion en tant que *barmaid*, Annie sort de son véhicule et examine l'extérieur du bar aux allures un peu louches. L'immeuble décrépit, presque sans fenêtres, laisse présager qu'il fut sans doute construit plusieurs décennies auparavant. Ses deux grandes portes principales sont placardées de différentes affiches. On y annonce des spectacles musicaux à venir et les promotions de la semaine en matière d'alcool. « Les jeudis : *Fuck the world* ! Quatre pour un sur la vodka », lit-elle sur un grand panneau. « Bon, c'est ce soir, ça... », déduit-elle en tirant la porte pour entrer.

— Bonsoir. Je m'appelle Annie, je viens pour l'emploi, dit-elle en guise de présentation au portier, qui s'affaire à préparer la soirée.

Le colosse de plus de six pieds se retourne et lui lance un regard stupéfait en l'étudiant de haut en bas. Annie, qui se tient droite devant lui, lui sourit afin de l'encourager non verbalement à formuler une réponse. Il lui pointe le bar central derrière lui, et décrète sans la saluer :

— Tu peux aller voir Tammy...

— Merci beaucoup monsieur, lui répond poliment Annie, en passant près de lui.

Elle s'avance doucement et effectue un balayage visuel de la vaste pièce. Il y fait sombre. L'immense piste de danse à gauche est cerclée de tables bistro entourées de bancs noirs défraîchis. Un imposant système d'éclairage intermittent illumine cet espace qui occupe la plus grande superficie de la discothèque. Une fois tout près du bar central, Annie observe la serveuse qui s'active derrière le comptoir. La femme, d'environ quarante ans, porte une robe noire courte et très moulante, dont le décolleté vertigineux expose un peu plus de la moitié de ses seins. Lesdits seins, bien rebondis, semblent tous deux généreusement gonflés de silicone. Annie se dirige vers elle, hésitante.

— Allo, c'est moi Annie…

— Hein ? s'exclame spontanément la serveuse à la voix rauque, en descendant les deux marches qui donnent accès au bar.

Les deux femmes se dévisagent en silence. Annie baisse les yeux sous le regard indéniablement déçu de la serveuse. Elle regrette alors sa démarche.

— Je comprends, je n'ai pas le profil du tout. Je m'en vais…, déclare Annie en tournant les talons sans affronter Tammy.

— Attends !

Annie s'immobilise, puis se retourne.

— T'as déjà travaillé où, toé ? s'informe Tammy, curieuse.

— Nulle part ailleurs que dans un dépanneur durant mon secondaire et dans un centre de la petite enfance depuis dix ans. J'ai menti pour avoir l'emploi.

Tammy plisse le front, surprise de cette révélation, puis elle s'avance de quelques pas vers Annie.

— Pourquoi t'es là ? demande-t-elle, soupçonnant l'existence d'une motivation sous-jacente chez la jeune femme.

— J'ai besoin d'argent… pour me marier…, confesse Annie sans scrupule, comme si son sentiment d'indignité était à ce point élevé que rien ne pouvait l'humilier davantage.

— Pour te marier ? s'intéresse Tammy, soudainement amusée.

Sans savoir pourquoi, Annie lui raconte toute l'histoire à propos des filles, la gageure, le chèque-cadeau en jeu et son chum un peu grippe-sou…

— Trois mois ? Vous êtes des malades ! se tord Tammy, divertie à souhait par toute cette saga.

Annie la regarde, l'air piteux, hésitant entre partir ou rester.

— Tu sais quoi ? Je ne sais pas pourquoi, mais je t'aime ben toé. Grouille tes fesses ! On a une heure devant nous pour que je te montre le travail. Mais premièrement, tes vêtements, ça ne va pas du tout !

— Ah non ? s'étonne Annie en s'examinant.

— T'as l'air d'une bonne sœur ma noire !

Annie porte un jeans trois quarts, avec un chemisier pâle aux manches courtes, tissé de fines rayures bleu marine, et des souliers simples, plats et bruns.

Tammy recule pour l'analyser.

— Tes jeans, y t'ont coûté cher ?

— Bien… Je les ai payés vingt dollars en solde, mais je les aime beaucoup.

— Parfait ! On va les sacrifier pour ce soir. De toute façon, tu feras environ deux cent cinquante dollars à soir, donc tu pourras t'en acheter d'autres à vingt piastres.

— Tu vas faire quoi ? s'inquiète Annie.

— Viens avec moi ! Faut pas que mon *boss* te voie de même. Il va penser que tu espionnes pour Revenu Canada ! exagère Tammy avant d'empoigner une paire de ciseaux derrière le comptoir.

Elle saisit Annie par le bras et l'attire vers les toilettes, à droite du bar. Une fois dans la pièce, Tammy prend vite les mensurations de la cuisse d'Annie et lui demande d'enlever son pantalon. Annie s'exécute docilement et tire un peu sur son chemisier pour cacher ses petites culottes.

— Allez ! Allez ! Dépêche ! On a du pain sur la planche !

Dépassée par les événements, Annie sourit, fascinée par cette fille extravertie et, surtout, par ce qu'elle est en train d'oser faire. Tammy coupe grossièrement son jeans afin d'en faire un short assez court et *sexy*. Annie renfile la pièce de vêtement métamorphosée tout en scrutant son reflet dans le miroir.

— Super cul, poupée ! confirme Tammy en jetant les restants de denim dans la poubelle. Bon, ta chemise maintenant.

— On ne la coupe pas, elle aussi ! s'inquiète Annie en croisant les bras sur sa poitrine en guise d'opposition.

— Non ! Non !

Tammy détache les trois derniers boutons du chemisier d'Annie et en fait ensuite un nœud sur le devant. Elle déboutonne également les deux du haut, révélant ainsi un bout de la bretelle du soutien-gorge beige d'Annie.

— Mon dieu ! C'est *sexy*, lance Annie, peu à l'aise.

— C'est ça qu'on veut, ma noire ! Faut que tu acceptes d'être un morceau de viande appétissant, mais inaccessible, tu comprends ? T'acceptes pas qu'on touche ton cul, mais tu le montres bien ! Attends-moi icitte, je vais chercher quelque chose dans mon char.

— OK…

Annie inspecte de nouveau son reflet dans le miroir. Elle s'examine de tous les côtés en attendant le retour de Tammy. « Dieu du ciel ! Qu'est-ce que je fais là ? » rumine-t-elle en voyant son postérieur vêtu de si peu de tissu. De retour, Tammy lance sur le comptoir une pochette de maquillage avant de mettre sur la tête d'Annie un chapeau de cow-boy noir.

— T'es la *cowgirl sexy* à soir ! Laisse-moi te maquiller en vitesse !

Après cette transformation beauté express, Annie retourne au bar, presque méconnaissable. Elles croisent le propriétaire en sortant des toilettes.

— Ah, vous êtes là ! Je vous cherchais ! lance-t-il en reluquant Annie avec attention.

— Ouais… On faisait connaissance. On retourne au bar maintenant, lui confirme Tammy en mâchant grossièrement sa gomme.

— Ti-gidou ! approuve-t-il en toisant toujours Annie.

Après que Tammy lui a brièvement montré l'emplacement des choses, la façon de préparer les cocktails et le fonctionnement de la caisse, Annie paraît visiblement de plus en plus anxieuse.

— Je ne vais jamais retenir tout ça…

— Ben oui ! Ben oui ! Ce soir, c'est soit vodka-canneberge, vodka-jus d'orange ou vodka-sprite, tu comprends ? Les jeunes vont prendre juste de la vodka étant donné que c'est quatre pour un.

— OK.

— Et laisse-moi changer les bouteilles d'alcool à côté du doseur automatique, car on en utilise des spéciales le jeudi. Le *boss* met un peu d'eau dedans pour en vendre plus…

Annie la dévisage, surprise de cette manigance frauduleuse.

— Ben oui ! Comme ça, les gens sont moins soûls, donc ils boivent plus.

— Eh bien ! réplique Annie, en n'en faisant pas de cas.

— Et si les clients te paient des verres, prends cette bouteille-là. C'est juste de l'eau, c'est pour nous. Pour pas qu'on soit défoncées à la fin de la soirée ! T'es prête ? Ça va bien aller, ma noire !

Annie lui fait un signe affirmatif de la tête, sceptique.

— *HELLO* GANG ! crie Tammy en voyant entrer les premiers clients.

***

En revenant d'une urgence vomissure dans les toilettes des filles, Annie observe avec horreur un des portiers sortir brutalement du bar un jeune homme agressif et visiblement très soûl. Tammy s'approche d'elle en lui prenant le bras.

— Fais-toé-z-en pas, il lui fera pas trop mal. Comme le gars est soûl-mort et qu'il veut se battre, il faut qu'il le sorte, tu comprends ? C'est sa job !

Annie s'assoit sur un tabouret, exténuée, pendant que Tammy compte les recettes de la soirée.

— Je m'en suis pas si mal sortie ? Outre les trois verres cassés bien sûr… demande-t-elle en regardant sa collègue.

Tammy la rejoint, sérieuse.

— Ouais… sauf pour une chose : il ne faut pas que tu tentes de convaincre le monde d'arrêter de boire parce qu'ils sont trop paquetés, Annie. Je t'ai entendue discuter avec des jeunes…

Un peu honteuse, Annie rougit en se souvenant très bien d'avoir essayé de persuader au moins trois clients de rentrer chez eux avant qu'ils soient trop ivres. Pour l'un d'eux, c'était parce qu'il lui avait confié avoir un examen de mathématique de fin de session au cégep le lendemain matin…

— Oui mais, soûls à ce point, ils devaient tous aller se coucher ! se défend Annie, maternelle.

— On n'est pas dans ton CPE icitte, ma noire ! T'es pas leur maman ! Plus ils consomment, plus on fait du gros *cash* ! Comprends-tu ? C'est leur problème s'ils boivent autant.

— OK, excuse-moi…

— Tu vas apprendre ! Voilà ta part, lance Tammy en lui remettant une liasse de vingt dollars.

Annie compte rapidement les billets, et le total monte à un peu plus de deux cents dollars.

— Et ça, c'est les quarante piastres de base, ajoute Tammy, en lui redonnant deux billets de vingt dollars supplémentaires.

Les yeux ronds, Annie l'observe en souriant, abasourdie d'avoir gagné autant d'argent en si peu de temps.

— Tu vois pourquoi on veut qu'ils se soûlent à mort ! Bon, je vais t'attendre jeudi prochain. Le *boss* m'a dit que tu faisais l'affaire. Et si je peux te donner un conseil…

— Quoi ? demande Annie, réceptive, ravie d'être officiellement engagée.

— Jeudi prochain, mets-toi un kit *sexy* dès le départ !

— OK.

— Et en passant, tu sais ce que je fais en plus de travailler ici pour avoir plus d'argent dans ma vie ?

— Non…

— Les lignes cochonnes, tu connais ça ?

— Non… euh… oui, je sais c'est quoi, mais… hésite Annie, incrédule.

Tammy lui en explique rapidement le fonctionnement. D'abord, elle doit fournir des disponibilités précises pour que la compagnie effectue un renvoie d'appel via un cellulaire ; ensuite, elle invente des « cochonneries » captivantes aux clients afin de les maintenir le plus longtemps possible en ligne. Chaque semaine, elle reçoit un montant fixe pour le nombre de minutes passées avec eux.

— Des lignes érotiques... réfléchit Annie.

— C'est facile ! Tu leur dis : « Ah oui, chéri, je me masturbe en ce moment... Ah oui, j'aimerais que tu me touches partout. Ah oui... » Et je fais parfois plus de 300 dollars par semaine !

Mi-dégoûtée, mi-admirative, Annie reste bouche bée en dévisageant Tammy.

— En tout cas, penses-y ! Tu m'en reparleras jeudi prochain si ça t'intéresse. Le *boss* cherche du monde tout le temps !

Annie salue poliment le reste du personnel avant de quitter le bar, escortée du portier pour se rendre à sa voiture. Sur le chemin du retour, elle est hantée par deux pensées : comment expliquer à Pierre-Luc sa tenue vestimentaire plutôt extravagante, ainsi que l'heure tardive à laquelle elle rentre. Il est plus de quatre heures du matin...

En pénétrant dans l'appartement, elle essaie de ne pas faire de bruit. Pour ce faire, elle se change dans la salle de bain en prenant soin de cacher ses vêtements dans la sécheuse. Après s'être sommairement démaquillée, elle s'introduit dans leur chambre sur la pointe des pieds tout en espérant ne pas réveiller son chum. Heureusement, celui-ci ronfle doucement. Elle se blottit dans le lit en s'assurant de ne pas le toucher. Épuisée, elle s'endort rapidement, très satisfaite des recettes de sa première soirée.

Samedi, appartement d'Annie et Pierre-Luc

— Apporte les fromages en même temps, chaton ! suggère Pierre-Luc à Annie puisqu'elle entre dans la maison pour aller chercher une autre bouteille de vin.

— Parfait ! répond-elle de bonne humeur.

— Chaton toé ! le taquine Steve en répétant le mot doux de Pierre-Luc.

Celui-ci réplique en balayant l'air d'un geste de la main. La splendide journée d'été permet aux trois couples de prendre l'apéritif sur la grande terrasse de Pierre-Luc et Annie. Stéphanie propose, en se dirigeant vers la porte-fenêtre :

— Je te donne un coup de main, Annie !

Jasmine les suit également sans offrir ses services. Les trois filles se retrouvent dans la cuisine à parler du beau temps et de leurs semaines de travail respectives, jusqu'à ce que Jasmine demande, curieuse :

— Vous les filles, ça va ?

— Ben oui ça va ! répond Stéphanie, comme si la question était absurde étant donné qu'ils sont là depuis plus d'une heure déjà.

— Non, mais je veux dire « vos démarches »… précise-t-elle, en faisant allusion à la gageure.

— Ah ! Moi je ne parle pas des développements croustillants avec vous ! Vous verrez en temps et lieu, fabule Stéphanie, en feignant un air bien trop sûre d'elle.

Les deux autres filles la fixent, un peu déstabilisées par son assurance excessive.

Jasmine, silencieuse, prémédite : « Elle bluffe sûrement... Elle n'habite même pas avec son chum. Imagine pour la demande en mariage ! En si peu de temps en plus, impossible… »

Pensive, Annie se dit tout en coupant le fromage : « Hein ? Elle a donc bien l'air certaine de son coup ! Zut, je vais perdre, c'est sûr… »

Les deux filles n'émettent aucun commentaire et Annie demande à Stéphanie :

— Peux-tu apporter l'assiette, je vais prendre la bouteille de rosé et le seau de glace ?

Celle-ci s'exécute, un sourire triomphant au visage, consciente de l'impact que sa révélation a eu sur ses rivales.

Jusqu'au moment du repas, tout le monde bavarde dehors en racontant diverses anecdotes et histoires, en parlant de tout et de rien. Dès que Stéphanie aperçoit Steve se diriger vers l'intérieur pour aller aux toilettes, elle le rejoint subtilement. Steve, qui la croise en sortant de la salle de bain, l'embrasse doucement sur la joue. Stéphanie lui murmure :

— Tu sais bébé, je ne veux pas que tu dises aux autres que je me suis mise au golf. S'il te plaît…

— OK, mais pourquoi ?

— Parce que ça ne concerne personne ; je veux voir si je vais vraiment aimer ce sport avant d'en parler, tu comprends ? Je n'ai même pas été capable de frapper une balle comme il faut cette semaine…

Steve la regarde, penaud, ne saisissant pas la nature des inquiétudes de Stéphanie. Il acquiesce tout de même à sa demande :

— C'est bon, dit-il en l'embrassant de nouveau avant de retourner sur la terrasse.

Durant le repas, les gars discutent de certains joueurs de balle que les filles ne connaissent pas. Voyant que les filles sont exclues de leur discussion, Charles tente de les y inclure :

— Vous les filles, quoi de neuf ?

Stéphanie prend la main de son amoureux et proclame, parfaitement solennelle :

— Nous deux, il y a du nouveau, mais on ne veut pas en parler tout de suite… Hein mon bébé ?

Croyant qu'elle fait allusion à son nouvel intérêt pour le golf, Steve la dévisage. Il ne semble pas très bien comprendre pourquoi sa blonde aborde ce sujet. Ne lui a-t-elle pas demandé plus tôt d'être discret là-dessus ? Sous son regard insistant, il répond :

— Eh oui ! C'est ultrasecret !

Annie et Jasmine échangent un regard inquiet, suivi d'un malaise, qui semble être décodé par les deux autres gars.

— Bien tant mieux ! Vous nous raconterez ça en temps et lieu, se réjouit Charles, incapable de nommer la raison de leur drôle d'attitude.

— En changeant de sujet, avez-vous fait tirer le chèque-cadeau que vous avez gagné au mariage de Brandon ?

Annie, livide, lance de nouveau un regard anxieux à Jasmine, qui le renvoie à Stéphanie, avant de déclarer :

— Non, on n'a pas eu le temps encore, on va le faire bientôt...

— Vous devriez le faire ce soir ! On va mettre vos noms dans un chapeau ! propose Pierre-Luc, fier de son idée.

— Ouais ! Mais avant, vous devriez nous reproduire la scène de la chute dans le gazon là-bas. Tout s'est tellement passé vite, j'en ai comme manqué des bouts, se moque Steve en donnant un coup de coude à Charles, assis à sa droite.

Stéphanie roule des yeux en regardant son conjoint. Charles appuie la proposition de son ami :

— Bonne idée ! Exécutez-nous une prise deux de votre « spectacle », ça nous intéresse de revoir ça.

— Eille, les trois filles par terre, sur le dos ! s'esclaffe Pierre-Luc, le visage surplombant son assiette.

— OK, là ! On peut en revenir de cette histoire-là ! rouspète Jasmine, en déposant bruyamment ses ustensiles dans son assiette.

Saisis par son geste brusque, les trois gars cessent de rire d'un seul coup avant de pouffer de nouveau, la tête en direction de leur nourriture. Ils ressemblent à trois gamins ayant peur de se faire punir de trop rire à table.

— Sti que c'était trop drôle, se remémore Steve.

SEMAINE 2

Lundi, terrain de balle dans l'arrondissement Laberge

— Hey Charles, je viens de croiser Jasmine en auto ! rapporte Steve en sortant de sa voiture, qui est garée dans le parc de stationnement.

— Ah ouin ? répond Charles en regardant par terre.

« Elle a dû aller faire une emplette… », se dit-il.

— Les filles sont tellement curieuses ! Samedi, quand vous êtes partis, ma blonde n'a pas arrêté de me demander si je savais ce qu'il y avait de nouveau dans la vie de Steph et toi, avoue Pierre-Luc à Steve.

— Hey ! Moi aussi ma blonde a comme accroché là-dessus ! J'en ai entendu parler tout le reste du week-end, se confie Charles à son tour.

— Et le pire, c'est que c'est tellement rien ! Ma blonde a des idées de cachotteries des fois, je ne comprends pas trop, explique Steve en se grattant la nuque.

Silence éloquent. Appuyés sur le véhicule de Steve, les deux gars le fixent avec des yeux interrogatifs, semblant dire : « À nous, tu vas le dire… ».

— Y a pas juste vos blondes qui sont curieuses ! s'amuse Steve, en faisant allusion à ses deux amis suspendus à ses lèvres.

— Ben là, un projet se-cret ? On se pose la question, oui, atteste Charles en détachant les deux syllabes du mot « secret ».

— Vous allez trouver ça tellement con ! Ma blonde a commencé à jouer au golf et elle ne veut le dire à personne…

— Hein ? Pourquoi ?

— Je ne sais pas, elle m'a dit ça chez vous : « … je ne veux pas que personne le sache… », pour ne pas faire rire d'elle, je pense, explique Steve d'une petite voix, toujours incertain quant à la raison de ce secret pour Stéphanie.

— Les filles se compliquent tellement la vie ! analyse simplement Pierre-Luc. Tu joues au golf, tu joues au golf, un point c'est tout !

— Mais dites-le pas à vos blondes… Même si on ne comprend pas pourquoi, ça semblait d'une importance planétaire pour la mienne !

— Pas de problème, le gros !

— Bon, on embarque sur le terrain, annonce Steve qui aperçoit les joueurs de la partie précédente ramasser leur équipement.

Lundi, église chrétienne de l'arrondissement Laberge

Jasmine pénètre dans l'église quelque peu après le début de la messe de dix-neuf heures. Discrètement, elle prend place au fond de la majestueuse salle. En écoutant l'orgue qui accompagne le curé dans une de ses lectures bibliques, elle scrute l'assistance, puis compte mentalement les fidèles : « Sept, huit, neuf... Et le gars qui dort là-bas, est-ce que je le compte ? Avec lui, ça fait dix... Plus moi, on est onze. Wow ! Qu'est-ce que je fais ici ? C'est ridicule ! »

La musique caverneuse, qui sonne faux, cesse tout à coup. Le curé lève les bras au ciel en scandant :

— Fils et filles de Dieu ici présents, notre Père vous accueille dans son Esprit saint, sans jugement et sans différence. Il aime ses enfants de façon égale et s'attend à ce que vous fassiez de même entre vous durant votre séjour sur terre. La différence fait peur et c'est pourquoi nous réagissons parfois de façon négative à celle-ci. Dieu vous propose d'apprivoiser cette différence, et vous arriverez peu à peu à ne plus la voir...

Attentive, Jasmine se surprend à être tout de même intéressée par l'homélie du prêtre sur la différence et l'acceptation. Elle l'écoute avec attention. Il récite ensuite deux passages de la bible relatant les écrits de deux apôtres, en lien avec le sujet du jour. Elle considère cette partie plus monotone. Distraite, elle contemple l'impressionnant plafond, qui est orné de dessins religieux aux reliefs artistiques. « C'est vraiment beau, et le temps qu'on a dû y mettre pour réaliser tout ça... », se dit-elle, ébahie. Le curé enchaîne avec les prières habituelles précédant l'offrande de l'hostie aux paroissiens. Ayant un vague souvenir du déroulement de l'Eucharistie, Jasmine se lève et se dirige vers l'avant, tout comme le font les neuf autres personnes. L'homme qui dormait est toujours assoupi sur son banc. Malgré son incertitude, Jasmine tend sa main droite au curé, qui y dépose finalement le cercle blanc. Elle porte à sa bouche la mince crêpe blanche et se rassied plus près, au milieu de l'église. S'ensuit un long recueillement. Elle s'inquiète : «Je me demande combien il reste de temps ? Mon émission commence dans quinze minutes... »

Pressée, elle quitte l'église aussitôt le mot de la fin prononcé. En mettant le pied dans l'appartement, elle se rue sur la télécommande pour allumer le téléviseur. Malheureusement, elle a manqué dix minutes de son émission préférée...

Charles revient beaucoup plus tard dans la soirée.

— Allo ! dit-elle en songeant à une manière subtile de lui dévoiler son activité de la soirée.

Curieux, Charles essaie de présumer :

— T'es sortie faire des commissions chérie ? Steve t'a croisée en auto en arrivant au terrain de balle.

« Bingo ! » se réjouit-elle intérieurement.

— Ah non, j'étais à l'église pas très loin du terrain, dévoile-t-elle, sans scrupule, en continuant de fixer avec attention les annonces publicitaires à la télévision.

— À l'église ? Comme à la messe, là ? s'étonne Charles en déposant son équipement près de la porte.

— Et oui ! La messe de sept heures, répond Jasmine sans se retourner, sur un ton désinvolte, comme si c'était un incontournable de sa routine quotidienne.

Charles reste là un instant, fixant la nuque de sa blonde, assommé. Sans rien ajouter, il se dirige vers la salle de bain pour se doucher. Le sourire aux lèvres, Jasmine l'entend s'éloigner.

***

Charles ne reparle pas de cette révélation du reste de la soirée. Jasmine, quant à elle, juge bon de rediscuter d'un sujet qui la tracasse beaucoup depuis le retour de son chum.

— Steve vous a révélé leur projet secret ? s'informe-t-elle en déposant son livre de mariage sur la table de chevet.

— Non…

— Je suis sûre que oui ! l'obstine-t-elle en se tournant vers lui, insistante.

— Écoute, ma belle ! Vous autres les filles, quand vous vous retrouvez en gang, vous faites juste ça parler des hommes, hein ? Ben les gars, on n'est pas de même ! On fait du sport pour relaxer, pas pour placoter de nos blondes.

— Vous ne parlez jamais de filles ?

— Jamais ! ment Charles en éteignant la lumière de sa table de chevet pour dormir, mais surtout pour clore le sujet.

Jasmine reste pensive dans son lit, mi-sceptique, mi-admirative.

Mardi, appartement de Stéphanie

— Je retournerai frapper des balles de golf demain après le travail, comme ça on pourra aller jouer pour vrai ce week-end ! affirme Stéphanie, ravie.

— Bébé, c'est long d'apprendre le golf, déclare doucement Steve, en craignant que celle-ci ne mette la barre un peu trop haut.

— Ben là, encourage-moi donc à la place ! maugrée-t-elle, assise sur une chaise dans la cuisine.

— C'est pas ça, mais tu voudrais être bonne hier ! C'est difficile le golf, je ne veux pas que tu te décourages. Moi, je suis vraiment super content que tu t'y mettes, mais donne-toi du temps !

Stéphanie se redresse pour s'installer sur les genoux de son chum, et lui babille d'une petite voix :

— Mooooiii, je veux être avec tooooiii ce week-end…

— Hum… Je viens de me souvenir de quelque chose : mon oncle m'a demandé de restaurer le mur de son cabanon qui a été endommagé par la chute d'une branche. J'avais oublié de te le dire. Je ferai ça samedi et, si je n'ai pas terminé, dimanche matin aussi. Je voulais que ton cousin me donne un coup de main.

— Un coup de main pour faire quoi ? s'intéresse Stéphanie.

— Pour me donner les outils, abattre le mur, prendre des mesures, rien de trop compliqué, explique Steve.

— Peut-être que moi je pourrais le faire ? s'offre Stéphanie, de nouveau enjouée.

— Bébé ! Clouer des clous et assembler des planches… reprend Steve, dubitatif, voyant mal sa blonde effectuer ces tâches avec lui.

— Quoi ? Tu penses que je ne suis pas capable ? rétorque-t-elle en se braquant.

— Non, je pense surtout que ça ne te tente pas de faire ça, précise Steve, pour désamorcer tout malentendu, en lui tapotant le côté des fesses.

— C'est réglé ! Je vais avec toi ! déclare Stéphanie en le serrant dans ses bras.

Steve répond à son accolade en riant jaune, ambivalent quant à la proposition de sa conjointe.

— Mais sois consciente que tu dois vraiment m'aider. Je ne peux pas le faire tout seul…

— Inquiète-toi pas !

Mercredi, terrain de golf Détente

En terminant son quart de travail, Stéphanie se rend au club de golf afin de pratiquer son nouveau sport. Motivée, elle demande un gros panier de balles avant de se diriger fièrement dans le champ d'entraînement. Ne sachant pas trop par quoi commencer, elle observe autour d'elle et aperçoit un homme qui arrive justement avec son équipement. Elle s'installe en l'espionnant du coin de l'œil. Il dépose son sac sur un socle en bois prévu à cet effet avant de prendre un bâton, puis il fait quelques exercices d'étirement avec les bras. Stéphanie l'imite discrètement. Elle l'épie ensuite lorsqu'il effectue quelques *swings* sans balle avec un fer. Elle fait de même, toujours en surveillant chacun de ses gestes, afin de voir comment il s'y prend. Steve lui a enseigné les rudiments, mais elle n'a retenu que peu de choses.

L'homme commence officiellement à frapper des balles. Stéphanie, à quelques mètres derrière lui, tente de s'y mettre à son tour.

Elle passe à côté à droite, à gauche, sur le dessus... Heureusement, étant les seuls dans l'aire d'entraînement, aucun spectateur n'assiste à sa piètre performance.

Sans grande surprise, Stéphanie sent une agressivité l'envahir progressivement puisque, depuis quinze minutes, elle ne fait que cumuler les coups manqués.

— Bienvenue au club de golf « Détente », je ne t'ai jamais vue ici, l'aborde un gars qui arrive par-derrière sans faire de bruit.

— Détente ! Détente ! C'est tout sauf relaxant ce maudit sport là ! rugit Stéphanie en s'éloignant de sa balle en colère.

L'homme, qui porte de la tête aux pieds la griffe Nike Golf, ressemble à un fils à papa qui se rend à un brunch dans la famille royale. Âgé d'à peine trente ans, il est assez grand, et ses minces cheveux sont coiffés en brosse à l'aide de gel. Coupe un peu dépassée, mais s'agençant bien avec son look de fils de riches. Il sourit généreusement, de ses belles dents blanches, en s'approchant de Stéphanie :

— Est-ce que t'as déjà suivi un cours ?

— Non !

— C'est pas un sport qu'on apprend en jouant une fois ou deux. Je suis le prof du club ici. Je t'observais de la fenêtre de la boutique depuis tantôt et tes bras m'ont semblé mal placés.

— Ah ouais ? s'intéresse Stéphanie en se tournant vers lui désespérée, mais plus calme.

— Je vais te montrer, lui propose-t-il en venant près d'elle.

Généreux, celui-ci prend plusieurs minutes pour lui expliquer certaines règles de base. Celles concernant entre autres le positionnement, le maniement du bâton, le transfert de poids... Tu ne dois pas faire ceci, tu dois penser à cela, réfère-toi à cette limite pour effectuer ceci...

— Si je pense à tout ça en même temps chaque fois que je frappe, ça me prendra cinq minutes à chaque coup ! Merde, quand on regarde les golfeurs professionnels à la télé, ils s'avancent, ils frappent et c'est tout. On les voit pas penser technique !

— Pourtant, crois-moi, ils le font ! Essaie tout d'abord en levant moins ton bâton derrière. Ton impact sera plus précis.

Stéphanie s'élance en respectant le conseil du prof. Le fer émet effectivement un bon contact avec la balle et celle-ci se déplace vers l'avant sur une quinzaine de mètres.

— Voilà ! se réjouit le gars, fier de son élève.

Stéphanie sourit chaleureusement en lui tendant la main :

— Moi, c'est Stéphanie.

— Martin ! Si tu veux, je suis tout le temps ici, je te montrerai des trucs quand je ne suis pas en cours...

— Super, c'est gentil ! apprécie-t-elle en se replaçant pour frapper de nouveau.

Jeudi, terrain de balle dans l'arrondissement Laberge

— On soupe ensemble ce week-end ? demande Pierre-Luc en déposant son équipement sur le banc.

— Moi, je ne peux pas. Je fais un petit contrat de rénovation, décline Steve.

Il explique grossièrement aux gars les travaux qu'il doit effectuer et termine en disant :

— Ma blonde va être mon assistante !

— Bien voyons ! Steph va pas être capable de t'aider ! Me semble que c'est pas vraiment son genre d'activité, s'étonne Charles.

— Je le sais, mais elle y tenait mordicus ! précise Steve avec de gros yeux.

— Ta blonde tente vraiment des rapprochements avec toi depuis ces derniers temps, hein ? analyse Pierre-Luc.

— Ouin… Je sais pas trop pourquoi. Je pense qu'elle s'ennuie.

— Si elle s'emmerde, conseille-lui d'aller à l'église avec la mienne ! propose Charles en souriant, sans expliquer le contexte de sa suggestion.

— De quoi tu parles ? réplique Steve, complètement perdu.

— Imaginez-vous que ma blonde a des valeurs religieuses qu'elle m'avait cachées jusqu'à ce jour. Quand tu l'as croisée en auto lundi, elle s'en allait à la messe, précise Charles.

— Tu déconnes ? Jasmine n'a rien d'une religieuse, fait remarquer Pierre-Luc, amusé.

— Je le sais, mais elle ne niaise pas, le gros ! Elle semble très sérieuse dans ses propos, confirme Charles en haussant les épaules.

— Coudonc ! Ta blonde qui se met à la construction et Jasmine qui sert la messe ! On aura tout vu ! Moi, ma petite Annie est ben tranquille, se vante Pierre-Luc.

— Chaton est tranquille ? le taquine Steve.

— Fff ! Arrête donc ! réplique Pierre-Luc, en basculant la tête vers l'arrière.

— Bon, cette *game*-là, on la gagne, les *boys* !

— *Yes sir* ! s'époumone un autre joueur assis près d'eux.

Jeudi, bar La débauche

— Bon, voilà qui est déjà mieux ! approuve Tammy en voyant Annie arriver près du bar.

Celle-ci porte une jupe assez courte, qu'elle ne semble pas assumer tout à fait, et une camisole blanche à petites bretelles qu'elle a pris soin de superposer à une autre noire afin de dissimuler son soutien-gorge couleur crème.

— Tiens ! Remets ça, ma noire ! Tu vas garder ton titre de super *cowgirl sexy* ! propose Tammy, en lui tendant le chapeau de ratine qu'elle avait gardé sous le comptoir pour elle.

Annie grimpe derrière le bar pour aider sa collègue à couper oranges et citrons. Dès qu'elle s'affaire à la tâche, Tammy lui donne encore plusieurs conseils afin d'augmenter le rendement de sa serveuse novice. Elle lui conseille de ne pas prendre plus de trois commandes en même temps, de faire un signe aux gens qu'elle a vus mais qu'elle ne peut pas servir tout de suite, et blablabla, jusqu'à ce que les premiers clients pénètrent dans le bar.

La soirée, très mouvementée, se déroule plus rondement que la dernière fois. Annie, de plus en plus en confiance, sert la clientèle et commence même à s'amuser avec certains jeunes habitués. Vers la fin de son quart de travail, deux gars soûls comme des grives lui proposent à tour de rôle de la « raccompagner » en fin de soirée. Bien sûr, elle décline les deux offres, les joues rougies, sous le regard diverti de Tammy qui la zieute à l'occasion. En faisant l'inventaire, une fois le bar vide, les deux serveuses en rient :

— Le gars avec la casquette bleue était raide dingue de toi ! confirme Tammy, amusée.

— Il avait à peine vingt ans, souligne Annie, un peu timide.

— Bah ! Je suis certaine que c'est un bon coup ! prophétise Tammy en levant un sourcil en l'air.

— Je te rappelle que je suis prise…

— Oui, c'est vrai, et tu veux des sous pour te marier ! répète Tammy, comme si elle ne s'en souvenait pas.

— Ouais, justement, parlant de ça…, débute Annie, hésitante.

— Quoi ?

— L'autre travail que tu fais…

— Les lignes cochonnes ? claironne assez fort Tammy de sorte qu'une autre serveuse se retourne, intriguée.

— Chut ! implore Annie en s'approchant de Tammy. Est-ce que c'est compliqué ?

— Ben non, je te l'ai dit ! Tu dis n'importe quoi, les gars se branlent en entendant ta voix et ça ne dure pas très longtemps d'habitude. Tu veux essayer, hein ?

— Peut-être…

— Je te donne le numéro de Jocelyn, c'est lui qui gère le réseau. Il va t'expliquer comment ça marche.

— OK, approuve Annie, encore loin d'assumer moralement sa démarche.

— Si t'es pas certaine de la façon de t'y prendre, écoute des films de cul et répète tout ce que les filles racontent là-dedans.

— Ah ! OK ! acquiesce de nouveau Annie, comme si le conseil lui semblait simple.

* * *

En montant dans sa voiture, elle réfléchit : « Ouin… Des films de fesses… » Elle tente de se rappeler avec difficulté le contenu du seul et unique film pornographique qu'elle ait déjà visionné avec des copines du secondaire : *Québécoises en chaleur.* Une de ses jeunes amies de l'époque l'avait « emprunté » à son père. Annie se souvient y avoir trouvé les scènes vraiment vulgaires et insignifiantes. « Je vais m'en sortir sans ça… », conclut-elle en lorgnant le siège du passager sur lequel gît un bout de papier affichant le numéro de téléphone de Jocelyn.

Annie s'impose les mêmes précautions que la semaine dernière lorsqu'elle s'introduit chez elle à pas de loup. Sur la table de la cuisine, elle aperçoit le mot qu'elle a écrit à son chum ; elle lui explique qu'elle sortait encore avec les filles du travail. Après avoir caché ses vêtements dans la sécheuse, elle se blottit discrètement dans le lit, sans prendre de douche. Le souffle lent et profond de Pierre-Luc lui confirme que celui-ci dort encore profondément. Soulagée, elle somnole, sans trop de remords.

Vendredi, appartement de Pierre-Luc et Annie

Lorsqu'elle se lève le lendemain, Annie lave en vitesse les vêtements qu'elle a portés la veille. Elle réfléchit à cette histoire de ligne érotique sans pouvoir statuer si elle fait un bon choix ou non en profitant de cette opportunité lucrative. Anxieuse, elle tente de se convaincre : « L'important n'est pas la façon par laquelle j'obtiendrai cet argent, mais bien de l'avoir dans mes poches à la fin. J'avouerai à mon chum que j'ai travaillé dans un bar et il croira que j'ai fait tous ces sous avec ce travail. »

Dans un élan de confiance en sa démarche, elle compose le numéro de Jocelyn. Elle lui fait part de son intérêt pour répondre aux appels sur les lignes cochonnes, après lui avoir expliqué sa rencontre avec Tammy ainsi que le fait qu'elle travaille au bar avec elle. Curieusement, celui-ci la complimente :

— J'ai toujours besoin de monde et tu as une belle voix. Voyons voir ce que tu sais faire. Simulons un appel.

— Euh… OK, balbutie Annie, prise de court par cette mise en situation improvisée.

— Vas-y, réponds.

— Allllooo, prononce langoureusement Annie en utilisant une voix de quelques octaves plus graves que son timbre normal.

— Salut, qu'est-ce que tu faisais ? lance Jocelyn, qui a conservé sa voix.

Un peu saisie par la question précipitée, Annie pense aux révélations de Tammy lors de sa première soirée au bar. Elle répond sensuellement en soupirant :

— Je me masturbaaais... Toi ?

— OK ! Je vois que tu as déjà fait ça ! déduit à tort Jocelyn en délaissant son personnage.

— Hum... Disons que je consomme beaucoup de films pornographiques ! ment allégrement Annie, maintenant rouge écarlate.

— Écoute, ça va faire l'affaire. Je dois raccrocher, j'ai quelqu'un qui tente de me rejoindre en ce moment et je dois absolument prendre l'appel. Viens me retrouver au Café Central du centre-ville, à 16 heures. Je te donnerai ton téléphone et je noterai tes plages horaires. Je porterai une casquette rouge et un jacket de cuir noir. Ça te va ?

— Oui, j'y serai.

— Bye.

Annie raccroche, surprise encore une fois de la facilité de son embauche : « J'ai vraiment une bonne étoile... » Elle réfléchit ensuite : « Je consomme beaucoup de pornos... Franchement ! C'est n'importe quoi ! Je suis vraiment rendue une menteuse pathologique. »

* * *

Durant une partie de la journée, elle organise une activité de bricolages en rouleaux de papier hygiénique pour son groupe de la garderie. Au moment où elle se prépare pour rencontrer son nouveau patron, Pierre-Luc revient du bureau.

— Tiens, ma blonde rebelle !

— Pourquoi tu dis ça ? réagit Annie, sur la défensive.

— Hé, calme-toi chaton ! C'est juste que ça fait cinq ans qu'on est ensemble et tu n'es jamais sortie dans les bars ; là, tu sors prendre un verre tous les jeudis soir, c'est tout.

— Bien… Heu… Les filles, on travaille avec des enfants toute la journée et on s'est dit : aussi bien en profiter pendant qu'on n'a pas encore les nôtres…

Elle se retourne en pensant : « C'est quoi cette raison-là… ? Je mens encore… »

— Ah ! c'est correct. Je ne t'ai jamais empêchée de faire ce que tu voulais dans la vie. Tu le sais…

Encore plus mal à l'aise de voir son chum si compréhensif, Annie agrippe son sac à main avant de se diriger vers la porte.

— Tu vas où ? demande Pierre-Luc.

— Faire des commissions… T'en as des questions, toi ! dit Annie sur un ton entre le reproche et l'humour.

— Tu veux que je t'accompagne ?

— NON ! Pas besoin… À tantôt.

Annie se sent troublée en montant dans son auto. Agacée, en fait, que son conjoint lui pose des questions, mais elle comprend aussi très bien sa réaction. Et ce cyclone de mensonges qui tournoie autour d'elle…

— Bon, Annie, focalise sur ton objectif ! Tu ne fais rien de mal sauf te débrouiller pour trouver des sous, se convainc-t-elle à haute voix en démarrant sa voiture.

Vendredi, café central

En mettant les pieds au café indiqué par Jocelyn, Annie repère rapidement la casquette rouge et la veste de cuir de son futur patron. Elle s'avance en faisant un signe de tête à l'homme qui est âgé d'une quarantaine d'années et qui discute, le cellulaire collé à l'oreille. Celui-ci lui répond par un demi-sourire un peu forcé. Il fronce quelque peu les sourcils en la lorgnant sans gêne de haut en bas. Il termine son appel et lui balance sans scrupule :

— C'est drôle, je ne t'imaginais pas comme ça.

— Tout se passe au téléphone ! Ils m'imagineront bien comme ils le veulent, lui répond Annie sans trop réfléchir, surprise elle-même par sa répartie amusante.

— Ha ! Ha ! Tu as bien raison. Tu veux un café ?

— Bien, je n'ai pas beaucoup de temps en fait, décline poliment Annie.

— D'accord, je t'explique en vitesse comment je marche.

Jocelyn lui mentionne que les appels sont dirigés vers les filles disponibles par une centrale. Chaque minute coûte 4,99 dollars au client et la fille empoche 1 dollar de ce montant.

— Tu veux faire quels jours ? lui demande-t-il en sortant un papier et un crayon de la poche de son blouson.

— Le lundi, de 18 heures à 22 heures, répond Annie.

— C'est tout ? Ce n'est pas assez, déclare Jocelyn en levant les yeux vers elle.

— Euh…, hésite Annie, qui ne voit pas réellement d'autres plages horaires où Pierre-Luc ne sera assurément pas à la maison.

— Donne-moi au moins une autre soirée.

Elle réfléchit…

— Le jeudi, de 18 heures à 21 heures alors, affirme-t-elle, en estimant que son chum est toujours au baseball à cette heure-là et que son quart de travail au bar ne commence qu'à 21 h 30.

— Bah, c'est pas beaucoup, mais c'est un début.

Il l'informe qu'elle ne peut en aucun cas utiliser le téléphone de la compagnie pour faire des appels personnels, car ceux-ci lui seront automatiquement facturés.

— Je paie une fois par semaine en argent. De quelle façon veux-tu fonctionner ?

— Je ne sais pas…

— Pour Tammy, je vais lui porter son dû chez elle. Elle reste tout près de chez moi. Tu habites où ?

— Non ! Non ! Pas chez moi. Donne-le à Tammy chaque semaine. Je la vois au bar tous les jeudi soir, de toute façon.

— Parfait ! Et j'oubliais : si tu ne réponds pas à un appel durant tes plages horaires, tu as une pénalité de vingt dollars. Les pervers ne veulent pas attendre pour se branler !

— D'accord.

— Éventuellement, les gars vont peut-être demander à te parler à toi personnellement. Tu dois te trouver un nom de salope.

— Un nom ?

— Oui, quelque chose de *sexy*... Tu fais quoi dans la vie ?

— Euh..., hésite de nouveau Annie avant de répondre. Je garde des enfants...

— Ah, c'est bon ça ! Ton nom, ça va être « Baby Sitter » !

— OK, approuve Annie, pas convaincue.

— Si tu as des questions, appelle-moi. Ah oui ! Dernière règle : tu n'as pas le droit de rencontrer les clients pour faire de la *business on the side,* si tu vois ce que veux dire...

— Jamais ! s'offusque Annie, insultée par cette dernière mise en garde.

— Bah, tu vas voir, tu vas y prendre goût et, surtout, les clients vont te le demander...

Annie saisit le cellulaire et le fil pour le recharger, avant de le saluer et de quitter le café en songeant : « Rencontrer les clients... Tu vas y prendre goût... Franchement ! »

Samedi, église chrétienne de l'arrondissement Laberge

En pénétrant dans l'église de son quartier pour la quatrième fois de sa vie, Jasmine se sent déjà plus à son aise ; elle se dirige d'un pas résolu vers les bancs du devant. Seule au monde dans le lieu saint, elle vérifie sa montre : « Il n'y a personne ? Il est pourtant 9 h 30... », puis elle s'assoit en scrutant les alentours. Le curé, qui surgit tout près de l'autel, l'aperçoit. Il s'avance doucement en direction des escaliers menant aux bancs, en présumant :

— Vous venez vous recueillir dans la maison de Dieu, chère dame…

— Non, je viens à la messe, rectifie Jasmine, perplexe d'être la seule paroissienne au rendez-vous.

Le curé retourne vers l'autel pour y attraper un dépliant paroissial et descend de nouveau la rejoindre. Il prend place près d'elle sur le banc. Stoïque, Jasmine épie l'homme d'une soixantaine d'années sans rien dire.

— Regardez, la messe de 9 h 30 est le dimanche. Le samedi, il n'y en a qu'une à 16 h.

— Ha ! Ha ! prononce Jasmine mal à l'aise avant d'articuler, hésitante : j'ai l'air folle, hein, père ? Euh… mon père…

Elle tente de lui faire comprendre par une mimique faciale qu'elle ne sait pas vraiment de quelle façon elle doit s'adresser à lui.

— Une simple distraction ! Je m'appelle Georges.

— Parfait ! Père Georges, dit-elle, toujours hésitante, se demandant si elle devait ajouter « Georges » après « père ».

— Juste Georges peut faire l'affaire, madame.

— Ah bon ! Je m'appelle Jasmine.

— Oui, je vous ai vue la semaine dernière à la messe de mardi, je crois. Vous venez de déménager dans le coin ?

— Non, non…

— C'est que je ne vous avais jamais vue avant cette semaine.

— La vérité est que je veux redécouvrir mes valeurs religieuses, car je vais bientôt me marier !

— Quelle belle nouvelle ! L'engagement dans le sacrement du mariage est si beau... Vous allez venir me voir pour convenir d'une date bientôt ? C'est pour cet été ? L'été prochain ?

— Euh... En fait, on ne sait pas encore où l'on va se marier. Je rêve de plage, vous comprenez...

— Tout à fait. Mais ce que les gens font dans ces cas-là, ils vont à l'étranger vivre la célébration par un tiers, et ensuite, ils font une deuxième petite célébration ici, dans la maison de Dieu, avec seulement leur famille immédiate et leurs amis proches.

— Ah ! OK, c'est comme ça que ça fonctionne...

Le curé lui explique la façon de procéder pour le mariage dit religieux, en insistant sur l'importance des cours préparatoires au mariage, qui se donnent dans le sous-sol de l'église plusieurs fois par année. Jasmine l'écoute, attentive. Il se lève ensuite en lui tendant la main, content d'avoir fait sa connaissance. En s'en allant vers la sacristie, il se retourne pour lui demander :

— Si vous voulez renouer avec certaines de vos valeurs religieuses, je donne des séminaires gratuits de ressourcement religieux pour quatre semaines à partir de la semaine prochaine.

— Ah oui ! C'est quand ?

— Tous les mercredis de 19 heures à 21 heures, au sous-sol, ici. Vous n'avez qu'à apporter pour la prochaine rencontre un texte de l'Ancien ou du Nouveau Testament qui est significatif pour vous, afin de réaliser un exercice de partage en table ronde.

— Je vais être là ! affirme Jasmine avec un peu trop d'entrain, la main dans les airs.

— Au revoir.

Elle songe, en quittant l'église : « Dans le mille ! Avec mon implication à des cours de testaments, Charles devrait vraiment croire que mes valeurs religieuses sont bien réelles… Je suis géniale ! À moi le Sud ! »

Samedi, cour arrière de la maison de l'oncle de Steve

— Ça me fait drôle de te voir habillée comme ça bébé, remarque Steve en lorgnant sa blonde.

Stéphanie porte un vieux t-shirt défraîchi et taché de peinture qui lui a servi lors de son déménagement, il y a deux ans. Elle a également revêtu le jeans qu'elle a porté à la même occasion. Elle chausse de vieilles bottes brunes un peu trop massive pour elle. Cependant, fidèle à elle-même, elle est maquillée et minutieusement manucurée.

— Bon, on commence par quoi ? demande-t-elle, motivée.

Elle jette un coup d'œil au cabanon, dont un des pans est visiblement endommagé. L'immense branche d'arbre qui l'a transpercé s'y trouve encore.

— Il aurait pu l'enlever au moins. Tiens, mets des gants, lui conseille Steve en évaluant les dégâts.

— Pas besoin ! Je suis capable de travailler avec mes mains quand même ! affirme-t-elle en déclinant l'offre, désireuse d'être à la hauteur de la tâche.

— Non, j'insiste bébé, mets des gants, réitère Steve.

Stéphanie ne l'écoute pas et s'approche pour empoigner fermement l'extrémité de la grosse branche. Son chum saisit l'autre côté. Ils tentent de la déplacer mais sans grand résultat, car ils se dirigent dans des directions opposées.

— Ben voyons ! On ne l'apporte pas par là ! dit Stéphanie.

— Oui, là-bas, on n'a pas le choix. On doit libérer l'espace ici pour travailler…

Elle reprend son bout, puis soulève la lourde branche en s'en allant vers le fond du terrain, endroit désigné par Steve. Lorsqu'ils atteignent l'arrière du jardin, celui-ci, plus fort que Stéphanie, tire trop brusquement sur la branche de sorte qu'elle glisse des mains de sa blonde.

— Aille ! crie-t-elle en lâchant la prise d'un seul coup pour examiner ses doigts.

— Tu ne la tenais pas ? demande Steve, surpris.

— Tu as tiré dessus bien trop fort ! J'ai plein d'échardes, pleurniche-t-elle en tentant de les enlever sur-le-champ.

Steve la regarde, immobile, avant de dire :

— Fais juste la relever doucement, on va la pousser encore un peu.

En grommelant, Stéphanie la redresse en ne se servant que d'une seule main à cause de ses doigts blessés. En déposant la branche au sol dans un ultime effort, elle se coince le petit doigt dans une lanière d'écorce en relief et un de ses ongles rouge sang se brise.

— Ah non ! Je me suis cassé un ongle ! hurle de nouveau Stéphanie, en scrutant son autre main pendant un moment.

— Bébé, je t'avais conseillé de mettre des gants, lui rappelle Steve, l'air quelque peu exaspéré de son début de journée.

— Bon, t'es fier de me dire que tu avais raison ?

— Écoute ! TU voulais venir ici avec moi. Je t'avais dit que j'avais concrètement besoin d'aide.

Se rappelant sa motivation de départ, Stéphanie se recentre davantage sur son objectif : « J'irai chez mon esthéticienne pour mon ongle. Concentration, je suis la blonde idéale… »

— C'est pas grave ! Bon, on fait quoi maintenant ? déclare-t-elle en tentant d'être de nouveau enthousiaste.

Steve lui jette un regard sceptique et retourne vers le cabanon. Il lui tend un marteau et en prend un aussi.

— On enlève toutes les planches que je dois remplacer. Mets ça ! suggère-t-il de nouveau en lui présentant les gants.

Elle les enfile docilement. Il lui explique comment se servir du marteau comme levier. Stéphanie tente le coup, mais ne manie pas l'outil avec assez de vigueur. Résultat : la planche bouge à peine. Les gants, trop grands, l'empêchent d'effectuer des gestes précis.

— Ça va mal travailler avec ça ! constate-t-elle en enlevant les gants, contente d'avoir raison au bout du compte.

Elle s'efforce de bien manier le marteau en y mettant plus d'énergie. Sous le contrepoids de son mouvement brusque, la planche libérée de ses clous se détache d'un coup. Malheureusement, un autre de ses ongles percute la planche du dessus pour se casser à son tour.

— Voilà ! T'es bonne ! l'encourage Steve en la regardant, amusé.

Elle ne lui mentionne pas qu'elle s'est brisé un deuxième ongle, mais elle peste dans sa tête : « Je n'en aurai plus un à la fin de cette maudite journée ! »

— Pense à quelque chose qui te fait suer. Tu verras, ça défoule ! lui conseille-t-il.

« Être ici à faire ce travail... », songe-t-elle en maniant agressivement son marteau qui détache une autre planche d'un seul coup.

— Oh *boy* ! J'espère que ce n'est pas à moi que tu pensais ! la taquine Steve.

Elle ne sourit pas et continue pendant que son chum s'installe pour couper les nouvelles planches.

— La dernière, on la laisse là, elle n'est presque pas endommagée, décide Stéphanie, visiblement fatiguée de la tâche difficile qu'elle effectue depuis déjà trop longtemps.

— Non bébé, on doit tout enlever pour que le travail final soit le plus esthétique possible...

— Pourquoi, pas besoin, on peut vraiment la laisser là. T'as juste à poser l'autre en haut, l'obstine encore Stéphanie.

— Bébé, est-ce que tu veux me laisser gérer la façon de faire les travaux et te contenter de me donner un coup de main, s'il te plaît ?

— C'est ça, ferme ta gueule et ne donne pas ton opinion ! lui lance Stéphanie, offusquée à outrance pour rien.

— T'as une opinion en menuiserie toi ? Laisse faire, je vais le faire ! ajoute Steve en enlevant la planche violemment.

— C'est ça ! T'es pas assez bonne toi, Steph ! rage celle-ci, un peu soupe au lait.

— Voyons ! J'ai jamais dit ça ! Tu déformes toujours ce que je dis à mon désavantage ! Steve le trou de cul ! s'impatiente-t-il à son tour.

— Je vais chercher à dîner, mamonne Stéphanie en regardant sa montre.

— C'est ça, approuve Steve avant de faire démarrer sa bruyante scie à onglet.

Une fois à la voiture, Stéphanie se rend compte qu'elle est impatiente, de mauvaise foi et qu'elle cherche constamment la confrontation, car accomplir cette besogne la rend malheureuse : « Construction de marde », se dit-elle.

Lorsqu'elle revient avec deux sandwichs dans les mains, Steve discute au téléphone. En raccrochant, il lui annonce :

— Ton cousin s'en vient dans une heure. On a pris beaucoup trop de retard…

Elle s'approche de lui, repentante :

— Excuse-moi bébé…

— Pas grave. Mais je ne comprends toujours pas pourquoi tu voulais faire ça.

— Pour être avec toiiii…, roucoule-t-elle d'une voix mielleuse.

— On est ensemble en effet, mais ce n'est pas vraiment l'ambiance du siècle, hein ? déclare-t-il en croquant avidement dans son sandwich.

— Je resterai quand même, au cas où vous auriez besoin de moi !

— Comme tu veux !

« Tentative ratée, je crois », angoisse mentalement Stéphanie.

SEMAINE 3

Lundi, terrain de balle dans l'arrondissement Laberge

— Gros week-end ? s'informe Pierre-Luc, en s'approchant de Steve qui sort énergiquement son équipement du coffre de son véhicule.

— Bof… J'ai travaillé sur le cabanon jusqu'à 18 heures dimanche. J'aurais pu finir en après-midi, mais j'avais pris du retard à cause de ma première assistante.

— Oui, c'est vrai, Steph qui fait de la construction ! se rappelle Charles en riant.

— Elle voulait tellement m'aider… Mais après deux ongles cassés et deux échardes dans le doigt, elle n'était plus très efficace. Disons qu'on s'obstinait plus qu'on ne clouait ! Son cousin a terminé la job avec moi.

— Le golf, la construction, il se passe quoi avec ta blonde ?

— Je vous le dis, je ne sais pas trop…

— Parlant du loup, ajoute discrètement Pierre-Luc en désignant le fond du stationnement de la tête.

Steve se retourne et aperçoit Stéphanie qui se dirige vers eux d'un pas décidé. Elle sourit et marche rapidement, comme si quelque chose l'excitait. Steve croit deviner qu'elle avait une commission à faire dans le coin ou bien qu'elle avait une question à lui poser. Il se ravise : « Elle aurait pu simplement m'envoyer un message texte… » En arrivant près d'eux, Stéphanie s'immobilise et observe les alentours, tout sourire. Comme elle vient de couper court à leur conversation, justement à son sujet, les gars, silencieux, la saluent poliment.

— Ne vous dérangez pas pour moi ! rectifie tout bonnement Stéphanie en restant près d'eux sans rien dire.

Après avoir cherché ses mots pour éviter d'avoir l'air bête, Steve lui lance tout simplement :

— Qu'est-ce que tu fais ?

— Je viens voir la partie, mon bébé ! déclare-t-elle, énervée.

— Ah ! On pensait que tu t'en venais jouer, plaisante Charles en la regardant de haut en bas.

Stéphanie porte une casquette de baseball ainsi qu'un short avec des bas montés jusqu'aux genoux, imitant ainsi le look des joueurs qui pratiquent ce sport. Steve reluque sa blonde. Même s'il la trouve jolie dans son habillement inspiré, il paraît très agacé de cette intrusion dans sa vie-de-gars-du-lundi-soir. En mâchant énergiquement sa gomme, il détourne la tête pour regarder au loin, pas certain de l'attitude adéquate à adopter. Saisissant le malaise ambiant, les autres gars se dirigent vers le terrain pour les laisser seuls.

— Je croyais qu'on devait se voir juste mercredi. Tsé Steph, y a pas vraiment de spectateurs qui viennent assister à nos *games*. C'est une ligue de garage pour avoir du fun, c'est tout, précise-t-il sur un ton neutre.

— Oui, mais je veux vous encourager ! Inquiète-toi pas, je retournerai chez moi tout de suite après la partie pour vous laisser entre gars, le rassure-t-elle, convaincue d'être ainsi respectueuse de son intimité.

— C'est gentil, reconnaît Steve en empoignant son équipement avant de rejoindre le reste de l'équipe.

— *Let's go* mon bébé ! crie Stéphanie en tapant dans ses mains, fière de sa surprise.

Elle s'assoit sur le premier banc, dans l'estrade qui surplombe la cabane de l'équipe de son compagnon. Lorsque la partie commence, elle peut facilement entrevoir les gars qui se trouvent juste sous ses pieds par un toit aux planches espacées, comme une pergola. Elle envoie un signe de la main à Steve, enthousiaste. Pierre-Luc voit bien que ce dernier semble offusqué de la situation ; il lui susurre à l'oreille :

— C'est pas si grave dans le fond, Steve…

— Je le sais. Mais il y a des limites à s'impliquer dans les activités de ma vie, s'insurge-t-il en prenant brusquement le bâton.

Venant des estrades qui ne contiennent pas plus de douze personnes, il entend : « Vas-y Steve ! » d'une petite voix féminine aiguë qu'il adore habituellement, mais qui irrite ses oreilles ce soir.

Lundi, appartement de Pierre-Luc et Annie

Assise à la table de cuisine, Annie fixe avec appréhension le cellulaire que Jocelyn lui a prêté. N'étant plus certaine de vouloir faire ce genre de travail, elle se répète : « Ne sonne pas… Ne sonne pas… » Elle pianote nerveusement des doigts, incapable de quitter des yeux l'appareil posé à plat sur la table.

Après vingt minutes d'angoisse, elle se lève d'un bon pour se servir à boire, comme si elle se disait : « Bon, c'est assez ! Je ne vais pas rester là à ne rien faire de toute la soirée… » La main sur la poignée du frigo, elle sursaute en entendant retentir la sonnerie.

— Zut ! s'étonne-t-elle à haute voix.

Elle prend l'appareil avec une grande hésitation, comme s'il contenait un détonateur de bombe nucléaire. Après trois coups, elle se remémore la mise en garde de Jocelyn : « Si tu ne réponds pas, tu as une pénalité de vingt dollars… » Résignée, elle s'assoit et appuie doucement sur le bouton *talk*.

— Alllooo, prononce-t-elle sensuellement, peu convaincue du timbre de voix qu'elle a choisi.

— Salut ! Ça va bien ? demande l'homme au bout du fil.

— Ouuuii, toi aussi ? balbutie-t-elle, en ne sachant pas trop jusqu'où elle doit se rendre dans les formules de politesse dans un appel de ce genre.

— Comment tu t'appelles ?

— Euh… Baby Sitter, dit-elle, toujours pas certaine de la crédibilité de ce nom ridicule.

— Baby Sitter ? répète l'homme, surpris en effet de ce nom.

Annie reste silencieuse et attend la suite.

— Comment t'es habillée, Baby Sitter ?

— Je suis habillée... euh... toute nue..., hésite-t-elle en tournant mal sa phrase, nerveuse et trop concentrée à modifier sa voix pour la mettre en valeur.

— T'es habillée ou t'es toute nue ? tente de savoir l'homme, de nouveau perplexe.

— Ben... Toute nue, là. Il fait chhhaud... Toi... euh...

— Marc, se nomme-t-il. Je suis encore habillé.

— Ah bon, commente-t-elle sans plus d'ardeur.

Silence assourdissant.

— Qu'est-ce que tu fais, là ? s'informe l'homme, pressé en quelque sorte d'en arriver au fait saillant.

— Je te parle, Marc, répond-elle encore avec sa voix grave et lente.

— Je le sais, mais en même temps que tu me parles, réplique-t-il, un peu impatient.

— Je me masturbe... invente-t-elle en s'inspirant de la discussion qu'elle a eue avec Tammy et de la simulation avec Jocelyn.

— Explique-moi comment tu fais et je vais me masturber aussi, lui propose Marc un peu plus enthousiaste, dont le 4,99 dollars la minute commence à être rentable.

« Ouache... Explique-moi quoi ? » se demande Annie, un peu affolée à l'idée de manquer d'inspiration pour la suite.

— Euh, je me touche avec les mains, affirme-t-elle, peu explicite.

— Je sais… Mais est-ce que tu aimes ça ? Je ne t'entends pas gémir…

« Gémir ? Il faut que je gémisse en plus ? » s'inquiète-t-elle, prise de court.

Annie pousse un soupir exagéré, qui ne ressemble en rien à une femme se donnant du plaisir. Elle semble plutôt imiter une tante âgée, qui affecte la surprise en recevant un cadeau qu'elle possède déjà.

— Bon, je dois raccrocher. Au revoir, annonce rapidement son interlocuteur, pressé de couper la conversation.

En entendant le déclic qui l'assure que l'homme a bel et bien raccroché, Annie, à la fois soulagée et déçue, angoisse : « Merde, je suis vraiment nulle… » Elle reste à table, prostrée devant l'appareil, regrettant sans équivoque d'avoir choisi ce travail. Le téléphone sonne à nouveau.

— Déjà ?

Paniquée, Annie se lève. Elle ne répond pas. Le téléphone se tait. « Vingt dollars en dessous ! Je commence bien ma carrière ! » Il retentit pour la troisième fois, quelques minutes après la deuxième sonnerie.

— Voyons, ça marche donc bien ces lignes de fous-là !

Motivée par la menace de perdre de nouveau vingt dollars, elle se décide à répondre :

— Allllo, gémit-elle en reprenant sa voix de « Baby Sitter ».

Personne ne parle à l'autre bout du fil. Elle répète :

— Alllo ?

Elle entend finalement un rire nerveux avant que la personne ne raccroche. « Probablement des enfants qui font des idioties », conclut-elle. La sonnerie retentit de nouveau. Elle ne répond pas pour une seconde fois.

« Bon, du calme ! Qu'est-ce que je peux faire concrètement pour m'aider ? » Elle regarde du coin de l'œil l'ordinateur de son chum posé sur le divan. Hésitante, elle se souvient d'un autre conseil de Tammy : « Écoute des films cochons et répète tout ce que les actrices disent… »

Elle se dirige vers le canapé et fixe le portable comme si celui-ci pouvait émettre un jugement quant à sa démarche. Elle le prend et l'apporte sur la table. En l'ouvrant, elle se dit : « Je ne sais même pas comment on trouve ça sur le Web… » Elle consulte d'abord sa boîte de courriels avant de naviguer sur Facebook.

Comme l'obscurité s'installe au-dehors, Annie se reconcentre sur son objectif principal. Elle se dirige vers un site de recherche général et hésite avant de taper : « Couple faire l'amour », puis elle appuie sur « Chercher ». Apparaissent des sites de sexologie, des articles sur le bonheur sexuel en couple, des défis sexuels pour raviver la flamme, des positions du kamasutra et, « Ah tiens donc ! », elle lit : « Couple surpris en faisant l'amour ». Annie clique sur le lien. La vidéo amateur présente un couple sur le toit d'un édifice, qui se croit seul au monde. Un témoin, d'une chambre d'hôtel adjacent à l'immeuble, filme le tout avec son cellulaire. Annie, intriguée, regarde la scène floue captée de très loin, en marmonnant : « Mon dieu, sur un toit, en plein jour… ils sont malades ! »

Se sentant tout à coup perverse d'épier ce couple téméraire, elle tape plutôt : « Film porno ». « Appelons un chat un chat... », se dit-elle. De grands titres défilent à l'écran. Elle lit : *Soft porn in a shower, Free Hard porn, Threesome in Los Angeles, Sadomaso movie, Snow White Bitch and the Seven hard Dwarfs...* La plupart des suggestions semblent être en anglais. « Trouvons un site en français au moins... » *Film sensuel gratuit*, propose la dernière référence en bas de la page. « Bon, déjà moins vulgaire comme titre », se réjouit-elle. En cliquant sur le lien, elle atterrit sur une page qui expose des photos ; celles-ci peuvent se mettre en action si l'on clique sur un triangle rouge, en plein centre.

Elle étudie les différentes scènes suggérées, un peu outrée. « Visiblement, il n'y a pas l'étape des préliminaires dans ces films-là », conclut-elle en voyant des gens déjà nus dans les différents rectangles.

Elle clique au hasard sur un triangle et l'image se met en action. Une infirmière, qui mime des orgasmes en rafale en se trémoussant sur la table, fait un signe du doigt, comme si elle invitait un homme se trouvant hors du champ de la caméra. Elle continue de se masturber d'une main, en se prenant un sein de l'autre. Annie, hypnotisée par cette scène vulgaire, appréhende la suite. Contre toute attente, pas un, mais deux gars s'approchent de la table, le pénis bien agrippé à leur main. Ils discutent en anglais avec l'infirmière, qui gémit maintenant à en fendre l'âme. « Franchement ! Elle en met beaucoup trop », s'indigne Annie en analysant la scène. Même si le jargon anglais ne l'aide pas dans sa recherche de vocabulaire pornographique en français, Annie reste quand même fixée sur cette scène érotique. Assise devant son ordinateur, elle ressent une certaine excitation dans le bas-ventre. Surprise par cette sensation inattendue, elle ferme rapidement la fenêtre du film, en commentant à haute voix :

— Bon, encore en anglais, ça ne m'aide pas beaucoup ! comme si elle voulait convaincre quelqu'un dans la pièce qu'elle n'avait pas eu cette excitation.

Finalement, elle tape directement dans sa fenêtre de recherche : « film porno en français ». Le même type de page apparaît. Elle clique sur le premier carré qui lui offre une vidéo gratuite. Une femme allongée sur un lit appelle un homme, qui se trouve encore une fois hors du champ de la caméra. « Dis, tu viens, grosse verge ? » gémit-elle d'une voix chaude. La femme possède un accent français européen, mais au moins elle discute en français. Après avoir fait une fellation à l'homme, ce dernier commence à la sodomiser une fois qu'elle s'est retournée.

— Aïe ! Merde ! réagit Annie, son visage se décomposant en pensant à l'acte en soi.

Ces jeux sexuels lui étant inconnus, Annie fixe de nouveau la scène avec curiosité en oubliant presque de focaliser son attention sur le dialecte des acteurs. Elle ne songe même plus au téléphone qui, par chance, ne sonne pas. La femme hurle maintenant de plaisir pendant que son partenaire continue son va-et-vient.

— Coudonc, elle aime donc bien ça ! dit-elle encore à haute voix.

Absorbée par cette vidéo, Annie n'entend pas son chum arriver. Il entre par la porte d'entrée et lui annonce, en posant son sac de sport par terre :

— Allo chaton ! Tu ne sais pas ce que la blonde de Steve a fait ce soir…

Pierre-Luc s'immobilise en apercevant Annie assise devant son ordinateur ; les images projetées ainsi que les voix susurrantes sont tout aussi explicites les unes que les autres. Prise de panique, Annie rabat l'écran du portable, mais ne l'éteint pas. Le film continue donc de jouer sans qu'on en voie l'image. Pierre-Luc et elle s'observent, l'air grave, sur un bruit de fond de coïts extrêmes ininterrompus. Tout se bouscule dans la tête d'Annie, elle cherche des yeux le cellulaire, qui est caché par l'ordinateur. Elle regarde l'heure sur l'horloge de la cuisine : 21 h 52. « Ne sonne pas, ne sonne pas ! » souhaite-t-elle, en se rappelant sa plage horaire, qui se termine à 22 heures.

« T'aimes ça hein, salope ! » vocifère l'homme dans la porno, dont le déroulement n'a toujours pas été entrecoupé. Honteuse, Annie redresse l'écran et clique sur le X dans le coin de la page, mettant ainsi fin à ce bruit de fond incongru. Elle ferme aussi sa page de recherche, avant de mettre discrètement la main sur le cellulaire en disant :

— Pas de commentaire s'il te plaît... Ce n'est pas ce que tu crois...

Pierre-Luc, toujours debout dans l'entrée, l'examine, stoïque, en faisant un signe de tête affirmatif, mal à l'aise d'avoir surpris sa conjointe en train de s'intéresser à la pornographie. Lorsqu'elle se lève pour aller à la salle de bain, il lui fait un demi-sourire, prenant conscience de ce qui vient de se passer. Il se dirige vers le frigo et mijote : « Ma blonde écoute de la porno en cachette... On aura tout vu ! »

Pendant ce temps, Annie, assise sur le bord de la baignoire, réfléchit à une explication valable à propos de l'absurdité de la situation. « Il va croire que je suis une obsédée... », se torture-t-elle.

Après une interminable douche, comme si elle se sentait terriblement sale, Annie retrouve son compagnon dans la chambre. Elle lui annonce d'un ton sévère et sans équivoque :

— Je ne veux pas qu'on reparle de ça, OK ? Je voulais voir quelque chose sur Internet et cette page est apparue comme ça, ment-elle rouge écarlate, en esquissant un rictus nerveux.

— Je sais, ça arrive tout le temps sur le Net, désamorce-t-il sans trop la regarder, pour éviter de la mettre encore plus mal à l'aise.

— Bon…, conclut-elle, assise de son côté du lit en attachant ses cheveux. Puis, elle enlève le débardeur qui recouvre sa nuisette d'été aux motifs de Mickey Mouse.

Elle éteint la lumière et songe à sa soirée haute en émotion. Pierre-Luc, couché les bras croisés derrière la tête, réfléchit : « Si elle écoute ça, peut-être qu'elle a envie de… » Sans hésiter, il se colle contre elle et lui flatte les cuisses. Il lui demande, en essayant de l'embrasser :

— Est-ce que t'as envie de…

Annie, un peu agacée, lui répond :

— Je suis vraiment fatiguée, mon poussin…

Il cesse ses tentatives de rapprochement et repose sa tête sur l'oreiller en laissant son bras enlacé autour d'elle. « Un gars s'essaie… », se dit-il en fermant les yeux.

Mercredi, CPE Les petits trésors

Assise dans la salle de repos, Annie attend patiemment que son spaghetti réchauffe dans le four à micro-ondes.

— Le spaghetti du mercredi ! commente une collègue, en faisant un clin d'œil à Annie pour la taquiner.

— Eh oui, rigole celle-ci en regardant de nouveau en direction du micro-ondes.

Les collègues d'Annie connaissent bien ses habitudes alimentaires redondantes, associant toujours les mets à des journées précises de la semaine. Minutieuse dans sa planification des repas, elle apporte la plupart du temps les mêmes aliments, les mêmes jours. Une routine qui lui plaît, mais qui inspire parfois certaines plaisanteries amicales desdits collègues.

— T'es tellement ordonnée dans la vie toi Annie, affirme une fille qui l'admire, tout en la regardant sortir méticuleusement de son sac à lunch deux petits plats de plastique. Le premier contenant du fromage parmesan, et l'autre une pincée de piments broyés.

« Si vous saviez... », pense Annie, qui parsème méticuleusement son spaghetti des deux ingrédients complémentaires. Un bruit sourd de sonnerie de téléphone cellulaire se fait alors entendre. Annie, concentrée à rouler ses pâtes dans une cuillère, ne s'en préoccupe pas.

Une des femmes assises à table demande au groupe :

— C'est un cellulaire qui sonne ?

Annie constate soudainement qu'il s'agit sans doute du portable qu'on lui a prêté pour exercer son nouveau métier. Troublée, elle se lève pour l'empoigner et se dirige vers les toilettes. L'appareil cesse de vibrer. « Je ne suis pas censée recevoir d'appels maintenant... », s'affole-t-elle en le fixant. Il sonne de nouveau. « Merde ! Je dirai que c'est un faux numéro. »

— Allo ? répond-elle en gardant sa voix normale.

— Allo Annie ? C'est Jocelyn.

— Oui, répond-elle, soulagée, mais tout de même surprise.

— Annie, tu as manqué deux appels lundi…

Prise de court, celle-ci réplique rapidement :

— Bien c'est que j'ai reçu un appel de gens qui rigolaient au bout du fil… Je croyais que des enfants s'amusaient au téléphone.

— Pas grave, Annie. Tu dois répondre quand même. Ça arrive souvent que des gens appellent par curiosité ou pour faire des blagues, mais on leur charge quand même les minutes, tu comprends ? C'est pour ça que tu dois absolument répondre. Je vais être obligé de soustraire quarante dollars de frais à ton salaire. On a perdu de l'argent, nous autres !

— Ah bon… d'accord. Mais pour les lundis, je vais modifier ma plage horaire. Elle se terminera à 21 h 30 au lieu de 22 heures, d'accord ?

— Comme tu veux, je vais le noter. Et pour les quarante dollars, si tu as des appels jeudi, je vais les déduire de ce montant…

— OK, bye.

— Bye.

Annie sort de la salle d'eau en songeant à cet emploi qui lui coûte pour le moment plus qu'il ne lui rapporte. Dans le corridor, elle croise deux enfants d'un autre groupe qui semblent se disputer. Elle s'approche d'eux. Le petit garçon d'à peine quatre ans la regarde, triste, en geignant :

— Léa m'a traité de pénis !

Annie se penche et examine Léa, l'air sévère :

— Léa ! On ne dit pas des mots comme ça aux amis ! Retournez dans votre local pour la sieste.

Annie retrouve son spaghetti tiède et réfléchit au paradoxe titanesque sévissant entre ses deux emplois temporaires et son métier d'éducatrice.

Mercredi, terrain de golf Détente

Stéphanie, habillée en mode golf-prêt-à-porter-de-l'année, avance en tirant son sac posé sur un porteur à roulettes. Elle le gare avant de pénétrer dans le club de golf. Martin, posté derrière le comptoir avec un autre employé, se dirige prestement vers la caisse pour lui vendre un panier de balles en arborant un sourire franc.

— Je te rejoins tout à l'heure, si tu veux. Je n'ai pas de cours avant 18 h 30, lui propose-t-il gentiment.

— Super ! s'exclame-t-elle, contente.

Stéphanie sourit de bon cœur à son tour, en se dirigeant vers le terrain d'entraînement. Elle éprouve de la motivation et de la fierté aujourd'hui. Elle avait un peu perdu espoir la semaine dernière. L'atmosphère avait été plutôt tendue entre Steve et elle lorsqu'ils avaient réparé le cabanon, mais depuis, elle se sent de nouveau en pleine confiance. « J'ai gagné des points en allant au match lundi ! » se dit-elle, tout en s'étirant rapidement avec ses bâtons.

En se positionnant pour frapper sa première balle, elle essaie de se remémorer tout ce que Martin lui a conseillé la dernière fois. « Le transfert de poids, le balancement des hanches, le placement des doigts, la balle sur le *tee*, voilà ! Qu'est-ce que j'oublie ? » analyse-t-elle. Elle s'élance et passe malheureusement une première fois à côté de la balle. Elle tente le coup une deuxième fois et refait la même manœuvre.

— Voyons ! peste-t-elle bruyamment.

Un homme à quelques mètres devant elle se retourne, ennuyé par ses réactions verbales explicites.

— Excusez-moi, se repent-elle, tout en se rendant compte qu'il n'est peut-être pas convenable de manifester ainsi son insatisfaction.

Martin se dirige vers elle presque au même moment. Elle l'accueille en faisant valser ses bras de haut en bas comme si elle l'idolâtrait.

— T'es mon sauveur ! On dirait que je ne suis plus bonne ! lance Stéphanie, expressive.

— Te souviens-tu des éléments à retenir ? demande Martin en bon pédagogue.

— Les mains, les pieds, le transfert de poids, les hanches qui tournent et la balle sur le *tee* ! énumère-t-elle mécaniquement comme si elle répétait sa table de multiplication pour son contrôle de mathématiques.

— Il manque une chose, s'amuse Martin, les yeux à mi-chemin entre la séduction et la simple coquinerie amicale.

Il l'observe en train de chercher naïvement autour de son équipement à la recherche d'indices.

— Qu'est-ce qui me manque ? réfléchit-elle à haute voix, concentrée.

Martin la trouve si belle, si spontanée et tellement divertissante ! Depuis qu'elle est venue la dernière fois, il espère chaque soir la voir arriver au club pour pratiquer ce sport. Un sport si nouveau pour elle, mais si passionnant pour lui.

— L'indice n'est pas en lien avec ton équipement, mais bien en lien avec toi…, s'amuse-t-il à ses dépens.

— Hein ? demande-t-elle en s'examinant.

— Dans ton visage, plus précisément…

Elle performe une autre mimique éloquente en retroussant exagérément le nez, pour lui signifier qu'elle ne saisit vraiment pas. Il s'approche légèrement d'elle :

— Tes yeux… ils sont si beaux ! Il faut que tu t'en serves…

— Ah ! « Regarde ta balle » en bon français ! s'exclame Stéphanie, qui vient de comprendre son allusion.

Elle sourit et se remet en place pour faire un autre essai. Avant de s'élancer, elle se tourne vers lui, le regard coquin :

— Je regarde toujours ma balle, tu sauras…

— Bien oui, c'est ça, rit Martin.

Mercredi, appartement de Steve

Après plus d'une heure trente d'entraînement avec son professeur privé, Stéphanie rejoint son amoureux chez lui. En entrant, elle le regarde excitée tout en lui racontant sa fin d'après-midi.

— Tu sais, il y a un prof qui m'aide à m'exercer au golf, et là, je m'en viens pas mal bonne ! Tu vas voir, je réussis à frapper la balle six ou sept fois de suite maintenant ! Et elle va pas mal loin en plus !

Steve, l'air préoccupé et peu attentif, lui coupe la parole un peu abruptement.

— Steph, je veux te parler de quelque chose.

Elle s'arrête sec en décelant chez son chum une certaine froideur.

— Qu'est-ce qui est arrivé ?

— Non ! Non ! Rien, je veux qu'on discute toi et moi.

Curieuse, mais inquiète, elle s'assoit devant lui à la table de la cuisine en ne disant rien. Il débute sans plus attendre.

— Tu sais, je vois bien que, depuis un certain temps, tu t'intéresses à mes loisirs, à ce que je fais, mais quand tu es venue me voir à la balle l'autre soir…

Elle l'interrompt et lui demande en souriant :

— C'était une belle surprise, hein ?

— Euh… non, pas vraiment, poursuit-il, peu délicat.

Le sourire confiant de Stéphanie disparaît au même moment où Steve prononce le « ment » de « pas vraiment ». Elle le dévisage, confuse.

— Ça me fait plaisir que tu t'intéresses à moi, mais la balle, c'est entre gars, tu comprends ? C'est mon moment à MOI avec mes chums.

Steve constate que sa blonde semble très déconcertée, juste à observer son mutisme et son air piteux ; il poursuit tout de même, mais un peu plus délicatement :

— Si un jour vous voulez venir toutes les filles ensemble pour nous voir jouer, c'est cool, mais je ne veux pas que tu viennes là tous les lundis et jeudis, sous prétexte de me faire plaisir.

« Moi qui croyais avoir gagné des points, je régresse dans ma stratégie pas à peu près ! » se rend compte Stéphanie, honteuse d'avoir si mal perçu l'état véritable de la situation. Ne sachant que dire, celle-ci se lève et se pose sur le divan, sans rien dire.

— Bon, tu boudes ? commente Steve en analysant avec justesse sa réaction.

— Je te tape sur les nerfs. Donc je m'assois et je ne dis rien ! réplique Stéphanie, orgueilleuse.

— Ah… Ce n'est pas ça que j'ai dit, précise Steve.

Silence hurlant.

Déduisant que quelques minutes de solitude pourraient leur être bénéfiques pour passer une belle soirée, il annonce :

— Il me manque quelques trucs pour le souper. Je vais à l'épicerie et je reviens.

Stéphanie ne répond pas, les bras croisés sur le divan devant le téléviseur… éteint.

Mercredi, sous-sol de l'église chrétienne de l'arrondissement Laberge

— Bienvenue à tous ! prononce le curé en faisant un geste de la main, invitant les personnes présentes à prendre place sur une chaise.

La pièce, très grande, vieille et décorée avec mauvais goût, a des airs de sous-sol de construction médiévale avec ses colonnes imposantes et ses murs de béton. Des chaises en bois, de différents modèles, sont disposées en rond au milieu de la pièce. Durant quelques secondes, Jasmine associe ce premier coup d'œil à une scène déjà vue dans un film d'horreur, dans lequel les gens faisaient des incantations mystiques dans le sous-sol d'un château délabré.

Huit personnes, en plus du curé, se trouvent dans la pièce. De tous les âges et de tous les genres. Jasmine analyse discrètement les individus tout en tirant une chaise. « Merde, quelle galère ! On focalise : mariage au Mexique, mariage au Mexique, mariage au Mexique… », se répète-t-elle en boucle dans sa tête, en souriant à un drôle de jeune homme qui l'observe de façon insistante. Le prêtre prend la parole en souhaitant la bienvenue à tout le monde. Il précise l'objectif des quatre semaines à venir, soit solidifier la place de Dieu dans le cœur de chacun au moyen de l'apprentissage et du partage du sens profond des saintes paroles…

En l'écoutant, Jasmine continue sa visualisation mentale : « Ouache ! Le Mexique, les plages, la robe, les palmiers, la téquila… »

— On va faire un tour de table pour se présenter, propose Georges en souriant.

Le premier à s'exécuter est le jeune homme qui fixait Jasmine précédemment. Assis fièrement à droite du curé, celui-ci débute après avoir échangé avec lui un sourire complice. Jérémy explique qu'il étudie en théologie à l'université pour devenir prêtre et pour aider les gens. « Ça existe encore ce cours-là ? Médecine ou droit, ça ne te tentait pas ? » raisonne Jasmine dans son for intérieur. Le jeune homme confie que s'il est ici, c'est pour partager son savoir et pour se ressourcer de l'énergie chrétienne des autres…

— Parfait ! Suivant. Monsieur…, incite le curé en désignant de la main l'homme assis à côté de Jérémy.

— Salut, je m'appelle Jack. Pas comme dans Jack Daniels, mais comme dans Jack Sparow ! commence-t-il en rigolant de sa blague faisant allusion au film *Pirates des Caraïbes*.

L'homme, qui a des airs de motard accompli, confirme son apparence de « délinquant-pas-fiable » lorsqu'il avoue sortir tout juste de prison.

— J'ai rien fait, j'étais innocent ! Une erreur judiciaire, ajoute-t-il, persuasif, comme s'il se trouvait devant le Comité national des libérations conditionnelles.

L'auditoire approuve d'un signe de tête nerveux, mu par un mécanisme instinctif de survie. Cet homme, d'une quarantaine d'années, explique ensuite avec maladresse qu'il participe au groupe pour donner son « savoir et pour écouter l'énergie "christienne" des autres… », répétant presque mot pour mot ceux de Jérémy, à quelques erreurs de vocabulaire près. Jasmine a envie de rire en pensant : « Hourra ! J'ai un ami-imposteur dans le groupe ! »

Cependant, Jack se met à expliquer, convaincant, que Jésus le motive dans sa vie depuis toujours. « Bah ! Mets-en pas trop, l'ami ! » le juge Jasmine, qui reste tout de même très attentive à ses propos. Il change subitement de discours, sans raison, et raconte les épisodes marquants de son enfance en mentionnant, avec agressivité, que son père n'a pas été présent pour lui. Son visage, crispé de colère, paralyse tout le groupe. Georges intervient pour tenter de le calmer.

— Dieu met des épreuves difficiles sur chaque chemin de vie…

Jack, qui se radoucit, termine sa présentation en disant :

— Et j'ai une surprise pour vous !

Il se tourne alors vers le curé et, aussitôt, il enlève son t-shirt noir.

— Je me suis fait tatouer ça, hier…

Après avoir pris soin de retirer une pellicule transparente maculée de sang, Jack, fier comme un paon, montre au groupe son flanc gauche. Un immense tatouage, qui ressemble plutôt à une plaie béante, semble représenter Jésus sur la croix lors de son crucifiement. Tout le groupe, mi-traumatisé, mi-curieux, l'observe, la bouche ouverte. Il commente en pointant avec son index :

— En bas, ici, c'est écrit en latin : « Jésus coule dans mes veines pour toujours ».

« Il est complètement malade ! » se dit Jasmine en observant latéralement le stoïcisme du groupe. Jérémy, plus ou moins intéressé à écouter Jack, fixe Jasmine en lui faisant de nouveau un grand sourire. « Il a donc bien l'air bizarre ce gars-là ! » songe-t-elle.

— J'aime le criss…, commente Jack en prononçant clairement le mot « criss », fier que, pour la première fois de sa vie, un juron soit approprié, voire indispensable.

— Bon ! Merci Jack ! Suivante, propose le prêtre en regardant la femme assise à côté de Jack qui bouge nerveusement la tête, blanche comme un drap.

— Je m'appelle Suzie, commence cette dernière en balançant toujours spasmodiquement la tête.

« Elle a des tics ou quoi ? » se demande Jasmine en observant sa voisine.

— J'ai le syndrome de GILLES de la Tourette, poursuit-elle, en accentuant fortement le mot « Gilles », comme une impulsion.

« Bon diagnostic Jasmine ! Tu ne travailles pas en santé mentale pour rien ! » se satisfait-elle, en continuant ses réflexions mentales. La femme continue en prononçant parfois certains mots beaucoup plus forts que d'autres à cause des tics verbaux causés par sa maladie. Elle déclare venir d'une famille religieuse et avoir récemment déménagé dans le quartier. Lorsqu'elle dit « merci » en terminant, son bras droit fait un mouvement brusque vers le haut, en direction de Jasmine. Celle-ci, alerte, évite de recevoir la main de Suzie en plein visage en se reculant légèrement. Jérémy, qui la fixe toujours avec autant d'intensité, sourit de nouveau.

— EXCUSE-MOI ! hurle presque la fille, dans une impulsion tout aussi intense que plus tôt.

— Ça va, la rassure doucement Jasmine.

— On poursuit avec vous mademoiselle, propose le curé en regardant Jasmine, désolé.

Celle-ci réfléchit avant de prendre la parole : « Compte tenu de ce que j'entends jusqu'à présent, ça ne serait pas vraiment grave si je leur disais : je suis une menteuse, manipulatrice et je veux faire croire à mon chum que j'ai des valeurs religieuses afin d'obtenir une demande en mariage pour gagner un chèque-cadeau de 1 000 dollars... Je suis bien confiante que ça fonctionne ! Voilà ! »

Elle affirme plutôt :

— Comme je me marierai bientôt, je veux renouer avec ma foi. Découvrir mes valeurs voyageuses... heu... religieuses, voyons ! dit-elle en se reprenant rapidement, l'air de rien.

Jérémy agite doucement la tête de haut en bas en guise d'approbation soutenue.

— Je m'appelle Jasmine et je suis bien contente d'être là, termine-t-elle tout bonnement, sans rien ajouter de plus.

Georges, surpris de sa très brève présentation, pointe finalement la personne suivante, à droite de Jasmine. Une femme d'environ soixante-quinze ans se tient fièrement sur sa chaise, les mains à plat sur les cuisses.

— Je m'appelle Rose, j'habite la résidence en face et je voulais rencontrer des gens dans une activité religieuse, tout simplement...

« Alléluia ! Une personne équilibrée ! » spécule mentalement Jasmine en lui souriant.

Elle explique que son mari est décédé récemment et qu'elle s'ennuie. Compatissante, Jasmine lui touche le bras en guise de réconfort. La septuagénaire pose sa main sur la sienne en lui souriant aussi. Le curé continue le tour de présentation :

— Bienvenue Rose, suivant !

L'homme assis à côté de Rose semble quant à lui extrêmement nerveux de devoir prendre la parole. Il se présente en se nommant rapidement.

— Denis.

Il prend trois grandes respirations, comme s'il manquait d'air.

— Je suis en dépression majeure depuis dix ans et j'ai un problème de consommation. Dieu m'aide à être abstinent. Je le suis depuis maintenant un mois, annonce-t-il fièrement en regardant par terre.

Les participants échangent quelques regards hésitants avant de se mettre à applaudir. « Bordel, comme dans les alcooliques anonymes… », pense Jasmine en tapant aussi des mains.

— Tu prenais quoi ? s'intéresse Jack, l'ex-détenu.

« Bon, il veut se recruter une clientèle pour vendre de la drogue, lui ! » soupçonne Jasmine, méfiante.

— N'importe quoi, mais surtout du crack, répond Denis en fixant toujours le sol.

— *Man*, moi aussi j'ai déjà pris de ça ! Mélangé à de l'ecstasy, c'est tout un trip ! confie Jack, semblant fier de son cocktail de stupéfiants.

Le prêtre coupe court à leur conversation et ramène Jack à l'ordre :

— Bon ! Bon ! Bon ! Revenons à ce qui nous intéresse : Denis, pourquoi es-tu ici ?

— Je l'ai dit, répond du tac au tac celui-ci.

Georges fronce les sourcils, interloqué de sa réponse expéditive :

— Ah oui ? Peux-tu me le répéter ?

— Dieu m'aide à ne pas consommer, prononce machinalement Denis, agacé de devoir parler une deuxième fois.

— Consommer de la drogue, c'est mal ! Mais Dieu est bon ! Il t'aidera ! lui répond Jérémy, presque en criant, en effectuant un signe de croix, puis il ferme les yeux quelques secondes.

— OUI ! hurle Suzie dans un spasme accompagné d'un mouvement brusque du genou droit.

Du coin de l'œil, Jasmine épie les réactions de Georges. Elle remarque un brin de désespoir chez le curé, qui semble analyser mentalement son groupe avec découragement.

— Bon, le dernier participant, prononce-t-il, presque suspicieux, en lorgnant le vieux monsieur resté silencieux depuis le début de la rencontre.

— Bonjour, je m'appelle Émile. J'ai déménagé à la résidence rue Clark, il y a deux mois. Mes enfants m'ont obligé à quitter ma maison. Mon épouse est décédée il y a cinq ans. Je veux me réconcilier avec Dieu, car je lui en veux de me faire vivre tout ça. Je ne suis pas heureux sur la rue Clark... je ne connais personne.

— Je vous comprends, déclare Rose tendrement.

Les deux vieillards échangent un regard magnanime.

« Un veuf et une veuve ! Il faut les *matcher…* », mijote Jasmine.

Jack intervient avec agressivité.

— Ils ont pas le droit de faire ça, tes flots !

Georges lui fait un signe de la main pour lui signifier de se calmer ; Émile continue en expliquant la tristesse qu'il ressent. En assistant aux séances, il veut pardonner à Dieu.

— Dieu pardonne, lui ! Tu dois lui pardonner ! s'anime Jérémy, toujours aussi moralisateur.

— À chaque pardon ses étapes préliminaires, philosophe Georges, un peu plus nuancé que son jeune apprenti.

— Ses étapes quoi ? demande Jack, confus.

— Préliminaires, répète Georges avant de clore rapidement : Merci Émile ! Faisons une pause !

Rose, qui a perçu de la confusion chez Jack, s'approche de lui pour lui expliquer la signification du mot « préliminaires ». Elle en profite pour se déplacer vers la machine à café. Jasmine balaie du regard les alentours en se demandant si elle doit se diriger vers le dépressif-toxicomane, qui fixe toujours le sol, ou vers le futur curé qui profite de la pause pour feuilleter la bible. Finalement, Émile s'avance d'un pas lent vers elle.

— Félicitations pour votre futur mariage, jeune fille. Ma petite-fille doit avoir autour de votre âge…

— Merci, vous êtes gentil ! Venez, on va prendre un bon café avec les autres, propose Jasmine, en prenant bien soin de se placer entre le motard criminel et la femme atteinte de la maladie de Gilles de la Tourette pour que les deux veufs soient côte à côte…

Jeudi, terrain de balle dans l'arrondissement Laberge

— Ta blonde n'est pas là aujourd'hui ? constate Charles en regardant Steve près de sa voiture.

Celui-ci se contente de rouler des yeux. Il termine d'enfiler ses espadrilles à crampons.

— Ça ne va pas ? demande Charles, mal à l'aise de voir sa blague tomber ainsi à plat.

— Bof, je ne comprends plus ma blonde ces temps-ci. On n'est pas sur la même longueur d'onde pantoute, confie Steve, un peu triste.

— T'es pas tout seul…, révèle Pierre-Luc à son tour.

— Quoi, toi aussi ? s'enquiert Steve, préoccupé.

— Si je vous fais une confidence, vous gardez ça pour vous, hein ? débute Pierre-Luc, craintif de s'ouvrir à ses amis.

— Voyons, le gros ! Vas-y ! l'encourage Charles.

— J'ai surpris ma blonde cette semaine… Elle euh… écoutait un film porno sur le Net en cachette, avoue Pierre-Luc, l'air dépassé et amusé à la fois.

— Pouha ! pouffe de rire Charles, diverti à souhait par cette révélation croustillante.

— Non ! Pas chaton ? lance Steve, sceptique.

Brandon, qui les rejoint, les interroge sur la raison de cette hilarité générale. Pierre-Luc lui répète ce qu'il vient de divulguer à ses amis.

— Annie « brocoli », alias chaton, écoute de la *porn*, reformule Steve en regardant Brandon.

— Appelle-la pas comme ça ! s'objecte Pierre-Luc, agacé.

— Hein ? Annie c'est une cochonne ? décrète Brandon, surpris, en riant lui aussi.

Pierre-Luc fixe le sol en ne sachant trop que répondre. En entendant leurs vives réactions, il regrette presque d'avoir révélé ce secret à ses amis.

— C'est pas ça le point essentiel ! Mais… de la porno ? Je ne comprends pas. Mais laissez faire, si vous faites juste déconner…, ajoute Pierre-Luc, réticent à poursuivre la conversation.

— Annie veut expérimenter du renouveau ! T'es chanceux *men* ! analyse Brandon pour se montrer compréhensif.

— Tu crois ?

— C'était quoi la scène de cul, précisément ? As-tu eu le temps de voir ? demande Brandon, intéressé, comme si c'était réellement pertinent.

— Vous ne me croirez pas ! Une scène assez éloquente de sodomie, si j'ai bien vu…

— Ha ! Ha ! s'esclaffe encore Steve.

— Donc Annie est vraiment une cochonne ! conclut Charles, comme si ce dernier détail donnait à lui seul la clé de l'énigme.

— Alléluia, mec ! C'est ce que je dis, ta blonde veut tenter le coup ! s'excite Brandon les bras en l'air.

— Hein ? Tu penses qu'elle veut que je visite la cour arrière ? réplique Pierre-Luc pour faire une représentation imagée, tout en souriant.

— Eh oui ! Elle veut que tu explores le troisième œil ! renchérit Brandon, presque envieux.

— Elle n'a jamais voulu avant, dit Pierre-Luc en réfléchissant.

— Bien voilà ta chance ! proclame Brandon.

— Ouais ! ajoute Pierre-Luc, songeur et enthousiaste, maintenant convaincu de la déduction de son ami.

Lorsque Pierre-Luc revient de la partie de balle, il rentre chez lui rempli d'appréhension mais aussi avec l'espoir d'y trouver sa blonde. À la place, il tombe sur un petit mot laissé sur la table de cuisine, sur lequel Annie lui explique qu'elle est « encore » partie prendre un verre avec des collègues de travail.

— Oui, « encore » ! lit-il à haute voix, déçu.

Jeudi, bar La débauche

Assise au comptoir, Annie raconte à Tammy ses échecs téléphoniques pendant que celle-ci peaufine son maquillage devant un petit miroir de poche.

— Tu vas pogner le tour, ma noire ! l'encourage Tammy.

Comme Annie est encore en disponibilité au moment de la discussion, le cellulaire sonne.

— Merde ! C'est la ligne justement ! angoisse Annie.

— Hein ? Tu es sur un quart de travail maintenant ?

— Oui ! Il me reste quinze minutes…

— Prends-le ! Je vais t'aider, propose Tammy, qui tire Annie vers les toilettes en saisissant un bloc-notes et un crayon.

— Allllo, répond Annie.

Pendant les cinq premières minutes de l'appel, Tammy écoute et écrit des phrases sur son calepin afin d'orienter Annie dans la conversation :

habillée avec une nuisette de dentelle noire

tu te déshabilles tranquillement

tu as chaud, tu es excitée

tu es toute seule depuis longtemps

tu t'ennuyais, tu es contente qu'il appelle

tes sous-vêtements glissent sur le plancher

décris-les encore plus, dentelle, etc.

t'as envie de te toucher

Les indications de Tammy lui facilitent beaucoup le travail et elle le trouve, du coup, moins rébarbatif. Elle entend l'homme gémir au bout du fil. Tammy rédige sur son bloc-notes en levant un pouce en l'air :

tu vas l'avoir ☺

Quelques minutes plus tard, l'homme, toujours en ligne, ne semble pas encore « prêt » à raccrocher. Tammy regarde sa montre et constate qu'elles doivent retourner au bar, sinon elles risquent d'éveiller des soupçons. Tammy songe à une idée. Elle écrit sur le papier :

Ton amie arrive chez toi

Annie la dévisage, confuse, et ne comprend pas où elle veut en venir. Tammy donne trois petits coups sur le comptoir avec ses jointures, comme lorsqu'on frappe à la porte d'une maison.

— Allllo ma chérie ! s'exclame Tammy, comme si elle entrait dans l'appartement de « Baby Sitter ».

Annie comprend que le client aura droit à deux filles pour le prix d'une.

— Ma copine vient d'arriver…

— Hein ? Vous êtes deux ? Embrassez-vous ! ordonne l'homme, qui semble excité comme tout par ce dernier détail.

Les deux filles, entre deux fous rires silencieux, simulent des bruits d'embrassades près du téléphone. Tammy y va de quelques grossièretés bien envoyées. Pendant un instant, le client ne dit plus un mot. Après un gémissement éloquent, il raccroche en disant :

— Bon, je vous laisse. Les filles, vous êtes géniales !

Annie ferme le combiné en constatant que l'appel a duré vingt-deux minutes.

— On lui a payé la totale, lui ! commente Annie, tout de même un peu gênée.

— Je savais qu'avec deux filles, ça se terminerait vite ! Bon, on doit retourner au bar avant que les premiers clients arrivent.

— Merci ! dit Annie.

— Je te dis ! Tu vas devenir vraiment bonne, ma noire ! la complimente Tammy en lui souriant.

Vendredi, appartement de Jasmine et Charles

Entrant dans l'appartement à la fin de sa journée de travail, Charles carillonne d'une voix forte :

— C'est vendredi ! C'est vendredi !

Il retrouve sa blonde assise à la table de la cuisine, en train de noter des informations en fouillant dans un livre.

— Tu délires pas encore avec tes livres religieux ? s'offusque Charles, découragé.

— Eille ! Dis pas ça ! s'indigne Jasmine.

— T'es ridicule, Jas ! Voyons ! Tu ne m'as jamais parlé de ça de ta vie et, tout d'un coup, c'est la frénésie ! Tu deviens une bonne sœur !

Prise de court par les révélations lucides de son chum, Jasmine l'affronte, l'air déçu :

— Tu ne respectes pas mes croyances... Ce groupe m'apporte tellement de réponses…

— Des réponses ? répète-t-il.

Il plisse le front, et sans rien ajouter, il se dirige à la salle de bain pour prendre une douche.

« Coudonc, c'est quoi ce groupe-là exactement ? s'interroge-t-il sans demander de précisions à sa blonde. Assise sur le divan, Jasmine réfléchit aussi : « Ma stratégie sera plus efficace si on ne se querelle pas à ce sujet. » Elle patiente et se rend à la salle de bain au moment où son compagnon sort de la douche. Elle s'approche, langoureuse, en disant :

— Chéri ! C'est mes choses à moi. Tu ne partages pas mes croyances, mais laisse-moi faire.

Il répond par un haussement d'épaules en guise d'approbation.

— Je te jure, ce groupe de ressourcement me fait vraiment du bien.

— Ah oui ? C'est important à ce point pour toi ?

— Oui ! ment-elle sans scrupule.

— Eh bien ! Qui l'eût cru ? Excuse-moi, je tenterai de respecter ça. Est-ce que ta secte te permet de te faire inviter au resto par un gars *sexy* le vendredi soir ? l'interroge-t-il pour la taquiner, en se dandinant la serviette de bain ouverte.

— Bien sûr ! Je me change ! s'enthousiasme-t-elle, excitée, en courant jusqu'à leur chambre.

« Petit Jésus, j'ai tout de même le droit de m'amuser un peu ! » marmonne-t-elle tout en cherchant une robe dans sa garde-robe.

Samedi, appartement de Pierre-Luc et Annie

Annie et Pierre-Luc reviennent d'une soirée en amoureux. Il est plutôt tard. Pierre-Luc a mis le paquet pour épater sa douce puisqu'il s'est senti loin d'elle ces derniers temps. Son plan a été coûteux, mais efficace : restaurant chic (apportez votre vin au moins), bouteille de vin à dix-huit dollars (de la pure folie) et table d'hôte avec menu dégustation pour deux (la plus chère de la carte) ! À table, il a même osé lui susurrer : « J'ai le goût de te faire l'amour… » Annie a rougi de cette invitation prononcée dans un lieu public, mais elle s'est sentie belle et désirable.

Sur le chemin du retour, Annie, heureuse de sa soirée, se rend compte elle aussi qu'elle a négligé sa vie de couple ces temps-ci. En entrant dans l'appartement, Pierre-Luc prend sa blonde par la taille avec fougue et passion. Il l'attire contre lui afin de l'embrasser. L'air coquin, elle répond langoureusement à son étreinte tout en lui proposant :

— On va dans la chambre, mon poussin…

Pierre-Luc tente alors un coup plus osé :

— Non mon chaton, on reste au salon.

— Hein ? réplique Annie, surprise.

Résolue à vouloir plaire à son homme, elle se rend vers l'interrupteur et éteint la lumière du plafonnier central ; ensuite, elle allume la petite ampoule de la hotte de la cuisinière et la met à sa plus faible intensité. Elle vérifie que les stores sont bien descendus et fermés avant de tirer énergiquement les rideaux, qui laissent toutefois passer une mince lueur de la rue. Elle revient timidement vers son amoureux, plus à l'aise maintenant que la pièce est assombrie. Le couple s'enlace longuement sur le divan deux-places. Pendant que Pierre-Luc l'embrasse dans le cou, Annie guette avec nervosité une des fenêtres de l'appartement. Une légère clarté pénètre par la petite ouverture de la fenêtre qui donne sur la rue. La lumière d'un lampadaire filtre par le rideau qu'elle avait pourtant tenté de bien fermer. Elle craint qu'un individu marchant dans la rue puisse percevoir des ombres au travers de la brèche.

— Tu crois que des gens pourraient nous voir ?

— Bien non chaton, détends-toi, l'encourage-t-il en défaisant doucement les boutons de son chemisier.

Visiblement déconcentrée par sa crainte d'être vue de l'extérieur, Annie réplique :

— Non ! On va dans la chambre ! J'y serai plus à l'aise.

Pierre-Luc, enivré par la suite des choses, acquiesce sans broncher, de peur que sa blonde ne change d'idée. En passant devant la salle de bain, il ouvre la lumière et laisse la porte entrebâillée pour que le faisceau lumineux de la pièce projette un mince reflet jusqu'à leur chambre. Plus à l'aise dans le confort de leur nid habituel, Annie se détend un peu plus. Après plusieurs minutes de baisers doux et sensuels, Pierre-Luc risque timidement cette proposition :

— J'ai le goût de te faire l'amour par-derrière, chérie…

— Mmm, tu sais que je n'aime pas ça me sentir comme un petit chien…

Pierre-Luc réfléchit aux suppositions de ses amis : « Annie a besoin de renouveau… Si elle a regardé cette vidéo, c'est qu'elle veut tenter le coup… »

— Non, je voulais plutôt dire comme dans la vidéo que tu écoutais, précise-t-il, hésitant quant à la réceptivité de sa blonde.

Annie, qui comprend son allusion, se redresse d'un bond, très offusquée.

— Quoi ? Qu'est-ce que tu veux dire ?

— Bien… La vidéo cochonne que tu regardais… Il le faisait par en arrière, non ?

— Tu sauras que la vidéo cochonne, comme tu dis, est apparue par hasard, et non, je ne veux pas faire comme eux ! Je pensais que tu m'avais crue. Tu me prends pour qui ? hurle-t-elle en quittant le lit pour se rendre à la salle de bain où elle se terre en claquant la porte derrière elle.

Étonné de sa réaction impulsive, Pierre-Luc tente de ramener les choses :

— Ben non ! Chaton, reviens ! Je m'excuse ! Je ne veux pas vraiment faire ça ! On va faire l'amour en missionnaire comme on aime. Reviens, s'il te plaît !

Il cogne doucement. La porte de la salle de bain reste résolument fermée.

SEMAINE 4

Lundi, terrain de balle dans l'arrondissement Laberge

— Et puis, le gros ? Tu t'es tapé un week-end de sexe avec ta nouvelle blonde cochonne ? commence Brandon, curieux, en rejoignant ses acolytes sur le banc des joueurs.

— T'es malade ! Tes conseils, c'était n'importe quoi ! J'ai insulté ma blonde et elle m'a boudé jusqu'au dimanche soir.

— Comment ça ? Qu'est-ce que t'as fait ? s'enquiert Brandon.

— Je lui ai tout simplement demandé de le faire par en arrière, déclare Pierre-Luc, l'air d'en vouloir un peu à ses amis.

— Ben non ! Ben non ! Ben non ! Tu ne devais pas le lui dire avec des mots, mais avec des gestes. En le lui proposant verbalement, tu lui demandes directement de t'avouer qu'elle est une « cochonne », vu qu'elle doit acquiescer officiellement à ta demande. Tu devais faire passer le truc comme si tout avait coulé naturellement pour en arriver là. Tu poses un geste, tu observes ses réactions, tu y vas doucement… Tu comprends ?

— Tu ne m'avais pas expliqué ça comme ça, lui reproche Pierre-Luc un bras en l'air.

— Ta blonde a dû être insultée en te criant qu'elle n'était pas une salope ?

— Exactement…

— C'est certain ! Les filles ont toutes un petit côté *wild*, mais souvent, elles ne veulent pas le laisser paraître par peur du jugement de l'autre.

Pierre-Luc hausse les épaules en guise de réponse et pour clore le sujet. Il se sent honteux de ne pas comprendre les femmes autant que son ami. S'ensuit un silence embarrassé.

— Eille, le gars expert-en-gent-féminine, as-tu une explication face à ma blonde qui devient une religieuse tout d'un coup ? le défie Charles en lui assénant un coup de poing amical sur l'épaule.

— Oui ! La folie !

— De quoi, la folie ? répète Charles, pas sûr de bien saisir l'allusion de Brandon.

— J'ai toujours dit que Jasmine était un peu fêlée. Tu commences à avoir des indices concrets !

— Pff ! lâche Charles, conscient que son ami plaisante.

Probablement une farce avec un petit fond de vérité… Les trois gars restent là, silencieux, à fixer le terrain de baseball, réfléchissant tous.

Lundi, appartement d'Annie et Pierre-Luc

— T'es un gros cochon ! J'aime ça t'entendre… Aaahhh oui ! gémit Annie en sortant ses muffins du four.

Pour vérifier la cuisson, elle en choisit un au hasard dans lequel elle enfonce un cure-dent en bois afin de voir si la mixture y adhère.

— Je suis étendue sur mon lit, et toi ? poursuit langoureusement Annie en ouvrant délicatement la porte du four ; son test de cure-dent a révélé un léger manque de cuisson.

L'homme au téléphone lui paraît bien jeune. « Il s'agit peut-être de son premier appel… C'est moins gênant pour moi ! » spécule-t-elle. Le fait de s'imaginer parler à un novice la met encore plus en confiance. De plus, lorsque son chum est parti pour jouer au baseball avec ses amis, elle a réécouté quelques scènes érotiques sur le Net. Elle a bien sûr pris soin de fermer les fenêtres, de tirer les rideaux, de verrouiller la porte et d'en rabattre le loquet. Juste au cas où ! À son grand bonheur, elle a réussi à dénicher quelques films pornos québécois. Elle a grossièrement noté sur une feuille blanche les expressions tendance, et « T'es un gros cochon » en fait partie. Elle l'utilise donc généreusement depuis le début de l'appel.

— Toi ? Tu es dans ton lit aussi, gros cochon ? répète-elle, puisque le client n'a pas répondu.

— Non, sur le divan, précise-t-il en respirant de plus en plus fort.

— Moi, pour me masturber, j'aime mieux mon lit, explique Baby Sitter en soupirant de nouveau.

— Tu te…, halète le gars sans finir sa phrase, puis il émet un long soupir éloquent. Annie déduit que l'homme a terminé la « tâche » à laquelle il s'adonnait depuis un petit moment déjà.

— Je raccroche. Merci, Baby Sitter ! T'es super ! dit-il avant de mettre un terme à leur entretien.

En posant le cellulaire sur la table, Annie constate qu'il y a des ressemblances frappantes entre tous les appels qu'elle a eus. Elle peut utiliser une formule de base pour la plupart d'entre eux. « Moins compliqué que je ne l'imaginais au départ, finalement… », se réjouit-elle avant de vérifier une fois de plus la cuisson de ses muffins.

Le téléphone sonne de nouveau. Elle en est presque contente.

— Allo mon gros cochon ! Qu'est-ce que Baby Sitter peut faire pour toi ce soir ? répond-elle, confiante.

Mardi, chantier de construction industriel, rue Boston

Stéphanie gare son véhicule entre deux remorques remplies de madriers et de planches de formats divers. Son conjoint lui a indiqué qu'il travaillait sur la rue Boston toute la semaine. Comme ce n'est pas loin de son bureau, elle a décidé d'y faire un saut durant son heure de pause afin de lui faire une surprise. En fait, elle se sent contrite car elle a exagérément boudé le week-end précédent, après que son chum lui a confessé qu'il voulait conserver « ses moments » entre gars ; après coup, elle comprend mieux son besoin.

Dans une revue consacrée exclusivement aux filles, qu'elle a feuilletée au bureau le lundi matin, elle est tombée sur cet article : « Dix façons de faire plaisir à son homme autrement que par le sexe ! » Après avoir analysé ce texte percutant, elle a décidé de mettre en pratique le conseil numéro 5, qui se lit comme suit :

« En surprise, apportez le lunch à votre mec au travail. » Quelle idée géniale !

Stéphanie a donc concocté chez elle un repas pour son homme. Sachant que Steve n'y investit pas beaucoup de temps (ni d'argent) – il se fait souvent juste un sandwich à la saucisse bolognaise –, elle lui a prévu un lunch plus raffiné, composé d'un sandwich au poulet accompagné d'une salade de pâtes, de morceaux de fromage et d'un carré au chocolat.

Près de l'entrée du chantier, elle croise un travailleur qui semble gérer le trafic routier.

— Bonjour, je cherche Steve Miller. Il est charpentier-menuisier ici. Je viens lui porter quelque chose.

— Le grand costaud, là ? Je sais qui il est ! Les gars du « secteur A » vont terminer sous peu. Il dîne habituellement près de la roulotte, là-bas. Vous pouvez l'attendre à la table, près de la caravane, sans vous promener aux alentours. Et vous devez porter un casque pour circuler ici, madame. La norme l'oblige. Garez votre voiture là-bas.

— Ah… d'accord, consent Stéphanie en se désolant à l'avance pour sa mise en plis, qui a nécessité trente-cinq minutes d'efforts acharnés.

— Attendez-moi un instant ! la prie l'homme en pénétrant dans une autre roulotte à quelques mètres de là.

Il en ressort aussitôt avec un immense casque jaune, qu'il tend à Stéphanie. Celle-ci le prend, un peu découragée, avant de le poser docilement sur sa tête.

— Vous avez juste à le laisser sur la table ici en partant, s'il vous plaît.

— Parfait, assure-t-elle avant de se diriger vers l'endroit indiqué.

Elle s'assoit sur la table en attendant patiemment l'arrivée de Steve.

***

Les travailleurs du « secteur A », qui reviennent pour le dîner, aperçoivent une fille toutes fesses posées sur leur table de pique-nique. Un des hommes commente :

— Hé ! Y a une *chick* assise à notre table !

— C'est peut-être la jeune ingénieure *sexy* que j'ai croisée l'autre jour et dont je vous ai parlé, fantasme un autre gars.

Steve reconnaît tout de suite sa compagne.

— Non, c'est ma blonde ça ?

En arrivant à la roulotte, les hommes vont y chercher leur lunch ; Steve, pour sa part, rejoint Stéphanie près de la table.

— Salut bébé ! Je t'ai apporté un lunch.

Il la regarde un moment sans émettre de commentaire. Il sourit finalement en s'approchant d'elle.

— Beau petit casque, bébé ! lui lance-t-il pour la complimenter tout en l'embrassant sur la joue. Donc tu m'as fait un lunch, répète-t-il en ouvrant le sac. Mmm…

— Tu devais avoir un sandwich plate dans ta boîte à lunch, de toute façon ! présume Stéphanie en lui envoyant un clin d'œil.

— Oui ! Je vais le vendre au gros Dubé ! Il mange toujours les restes de tout le monde, rigole Steve en faisant allusion à un de ses partenaires de travail.

Les collègues de Steve ressortent de la roulotte et s'avancent résolument vers la table. Stéphanie, debout, leur cède quelque peu la place et observe son homme déballer son casse-croûte, fière de son coup. Elle se demande à cet instant si elle doit rester ou partir. Les gars se mettent à discuter de tout et de rien. Steve regarde sa blonde, incertain de ses intentions. Celle-ci finit par annoncer :

— Bon, je vais vous laisser manger entre gars, en faisant de nouveau un clin d'œil à son amoureux, qui lui renvoie la pareille.

— Ta blonde est juste venue te porter un lunch ? Téteux ! commente son voisin de table.

— Ma blonde est parfaite, les gars ! se vante Steve en lui renvoyant une œillade craquante.

Stéphanie quitte les lieux et dépose son casque à l'endroit que l'homme lui avait désigné. Elle arbore un édifiant sourire aux lèvres, très satisfaite de son coup.

Mercredi, terrain de golf Détente

Après son quart de travail, Stéphanie se rend au terrain de golf. À son arrivée, elle se dirige droit vers l'intérieur du club pour voir Martin. Dès qu'il entend la voix douce de Stéphanie qui s'adresse à un autre employé, celui-ci se retourne immédiatement.

— Allo Martin ! Tu es en cours ? s'informe-t-elle en s'approchant de lui.

— Euh... J'avais deux ou trois trucs à faire, mais pour la plus charmante des golfeuses, je vais remettre ça à plus tard, répond-il en affichant un large sourire.

— Super ! se réjouit Stéphanie.

Martin reste là à la fixer sans rien dire, comme s'il attendait qu'elle lui raconte quelque chose. Stéphanie, silencieuse et intimidée par le regard perçant de celui-ci, reste stoïque elle aussi pendant un instant. Témoin de la scène, un des employés, pour faire diversion, attrape un panier de balles sur le comptoir et le tend à Martin. Il lui assène ensuite une tape amicale sur l'épaule, pour lui signifier « Dégèle, mec ! »

— Bien oui, ça nous prend des balles, hein ? approuve-t-il en agrippant l'anse du panier, l'air un peu niais.

— Et oui ! répète Stéphanie, un peu embarrassée à son tour d'avoir soutenu longuement et sans mot dire le regard de Martin.

Il sort du club en transportant son sac et celui de Stéphanie. L'ayant précédé, celle-ci se dit : « Il a quelque chose de craquant ce gars... » Mais elle chasse tout de suite cette pensée, se sentant coupable de trahir Steve.

Ils passent environ deux heures ensemble à discuter et à pratiquer ledit sport. Le temps s'écoule vite, trop vite. Martin semble du genre charmeur-charmant-galant et, surtout, il paraît toujours tellement attentionné à ce tout qu'elle dit ! Tout le contraire de son chum, qui est plutôt macho-viril-autosuffisant. Mais Stéphanie apprécie le côté protecteur et rassurant de Steve. Elle se surprend toutefois d'aimer à ce point l'attitude douce de Martin.

Depuis toujours, ses choix en matière d'hommes s'arrêtent inévitablement sur des types de la trempe de Steve. Au secondaire, elle flirtait beaucoup plus avec les rebelles-anarchiques qui séchaient leurs cours pour fumer du *pot* qu'avec les premiers de classe à lunettes qui peaufinaient leurs devoirs de chimie à la bibliothèque.

— Déjà 19 heures ! s'exclame Martin, étonné. Je dois terminer mes horaires de cours pour le reste de la semaine.

— Et moi, je dois aller manger, ajoute Stéphanie.

— Ton chum doit t'attendre à votre appart…, spécule Martin d'un ton interrogatif peu assumé.

— Non, j'habite toute seule, l'informe-t-elle avec empressement, sans trop savoir pourquoi. Je te dois combien pour les balles ?

— La maison te l'offre. En échange de ta charmante présence ici, ce n'est rien…

— C'est gentil. Merci et bonne soirée.

— Bye.

Lorsqu'elle est presque rendue à son véhicule, Stéphanie jette un dernier regard en direction du pavillon-club. Debout sur la terrasse, Martin se retourne en même temps qu'elle. À cet instant précis, ils ressentent le même malaise, conscients que l'un et l'autre regardaient dans la même direction au même moment. Martin pénètre à l'intérieur, préoccupé : « Elle a un petit ami ou pas ? » En démarrant sa voiture, Stéphanie culpabilise : « Pourquoi je lui ai juste dit que j'habitais toute seule ? »

Mercredi, sous-sol de l'église chrétienne de l'arrondissement Laberge

En pénétrant à l'heure précise dans le sous-sol, Jasmine constate que tout le monde est déjà assis en rond. Elle esquisse un bref sourire au groupe avant de s'apercevoir que la seule chaise libre se trouve à côté de Jérémy, l'apprenti-curé.

— Je t'ai gardé une place, lui susurre-t-il lorsqu'elle s'assoit.

— Merci, répond poliment Jasmine avant de sourire tendrement à Rose, la veuve, assise devant elle.

— Comme je vous l'avais mentionné la semaine dernière, nous abordons aujourd'hui le pardon. Qui veut lire son passage biblique en premier ? demande Georges en faisant un rapide tour visuel des participants à la recherche d'un volontaire.

— Je suis abstinent depuis un mois et une semaine, déclare fièrement Denis, l'ex-toxicomane, complètement hors-sujet.

Encore une fois, tout le monde applaudit pour le soutenir moralement dans sa démarche.

— Moé, je vas commencer, annonce Jack, l'ex-bandit, en ouvrant son manuel à la page marquée par une étiquette provenant d'une bouteille de bière bon marché.

Il effectue une lecture littérale de la scène où Jésus se fait crucifier sur la croix. « Voyons, lui, avec son obsession de Jésus sur la croix ! » pense Jasmine en l'écoutant réciter machinalement son passage. En terminant, il précise, émotif :

— Il est tellement fort dans sa tête qu'il a même pas saigné lorsqu'ils lui ont transpercé le flanc avec un couteau. Il s'est dit : « Vous autres, mes *géritoles*, vous me ferez pas saigner. »

Jack marque une pause, visiblement ému par la scène. Il répète, ébahi :

— Imaginez, il a pas saigné ! Et croyez-moé, je sais que ça pisse le sang en temps normal à c'te place-là. Je l'ai déjà vu en prison quand les gros bras à Bigras avaient poignardé un gars qui lui devait de l'argent, ajoute-t-il lugubrement.

Encore une fois, les membres du groupe restent muets devant cette tranche de vie sanglante et surtout hors-propos.

— Quel lien fais-tu avec le pardon, Jack ? demande le prêtre, ne saisissant pas très bien la pertinence de son passage biblique.

— Faut que Jésus pardonne ça, là... Mais le gars de la prison a pas pu pardonner au gros Bigras parce qu'il est mort ! ajoute-t-il avec amusement.

— Même dans la mort, le pardon reste essentiel, énonce Jérémy à voix basse, le regard fixé sur le sol pour ne pas l'affronter des yeux.

— MORT ! répète Suzie, celle atteinte de la maladie de Gilles de la Tourette, en levant mécaniquement un bras en l'air.

Émile, le veuf, lance un regard embarrassé à Rose. Le curé, qui constate un certain traumatisme général, décide de changer précipitamment de participant.

— Merci Jack ! Bon ! Poursuivons avec quelqu'un d'autre.

Émile présente un passage adéquat de Marie-Madeleine la pécheresse, et Rose le succède en relatant la scène bien connue de Judas lorsqu'il a trahi Jésus.

— J'ai choisi la même scène que Rose, explique Jasmine, qui ne relit pas l'extrait sélectionné, mais le commente tout simplement.

Vient ensuite le tour de Denis, qui lit le texte sur la multiplication des pains et de l'eau changée en vin. Il semble fantasmer sur l'alcool offert à volonté, en souriant béatement. Il improvise ensuite un lien douteux avec la consommation excessive d'alcool et le fait qu'il faut pardonner aux gens qui commettent des abus. Sentant la confusion régner de nouveau dans la pièce, le prêtre juge bon de ne pas donner suite à son intervention.

— Merci beaucoup. Suivant !

Jérémy se lève solennellement pour réciter son passage par cœur. On y fait l'éloge de Dieu le Père qui conseille à Jésus de pardonner à quiconque commet une trahison. Il commente, la main sur la poitrine :

— Vous voyez, mes chers fidèles…

« C'est nous ça, SES fidèles ? » s'amuse Jasmine, silencieuse.

— … Dieu vous ORDONNE de pardonner !

— Non, Dieu encourage le pardon, rectifie Georges pour nuancer encore une fois, en lui faisant discrètement signe de se rasseoir.

Il ne reste que Suzie. Tremblante, elle prend son livre. À cause de ses tics, elle a de la difficulté à le tenir et bafouille en lisant son passage biblique ; ses spasmes verbaux ont l'heur de faire sursauter le groupe à tous les trois mots qu'elle prononce. Jasmine lui propose gentiment :

— Tu veux que je le lise pour toi ?

Soulagée, Suzie fait signe que oui de la tête en lui tendant le livre à la hauteur de l'estomac. Avant même que Jasmine ait le temps de le prendre, Suzie, prise d'un spasme soudain, accroche les seins de Jasmine avec son livre.

— EXCUSE ! crie Suzie, honteuse.

— Pas grave, la rassure Jasmine, en se rasseyant pour tenter de retrouver la page perdue.

Jérémy, un sourire béat sur le visage, fixe discrètement la poitrine de Jasmine, presque hypnotisé. Témoin de la scène, Georges s'éclaircit la voix en toussotant, pour ramener son apprenti à l'ordre. Comme celui-ci ne réagit pas, il lui assène un petit coup de bible sur le bras en lui annonçant d'un ton réprobateur :

— Jérémy va nous faire une petite lecture évangélique supplémentaire en attendant que Jasmine retrouve sa page ! Tiens, lis le 7e dimanche des temps ordinaires, Marc, chapitre 2, versets 1 à 12.

Jeudi, terrain de balle dans l'arrondissement Laberge

— *Hello, big boy* ! lance Charles à Steve en lui tapant dans la main.

Pierre-Luc arrive en même temps que ses amis, mais ceux-ci le devancent d'un pas. Steve empoigne le cou de Charles et le remue sans ménagement de gauche à droite.

Malgré ces escarmouches amicales, les gars semblent bien tourmentés en ce jeudi soir. Personne ne parle pendant un bon moment. Steve en profite pour adresser un commentaire à ses amis :

— Suis-je le seul à ne rien comprendre aux femmes dans la vie ? Le seul à se sentir tout le temps cave ?

— Non, je te confirme que je me sens comme ça aussi ! déclare Charles, qui s'inquiète de plus en plus du décalage entre sa blonde et lui.

— Les gars, ce soir on ne parle pas de femmes ! On tripe entre gars pis *that's it* ! propose Steve, désappointé lui aussi de certains aspects de sa vie de couple.

— D'accord ! Non mais, on n'est pas comme les filles qui se retrouvent pour placoter tout le temps de gars ! Nous autres, on est capables d'être bien, sans toujours parler de femmes, affirme Pierre-Luc, qui cherche à se convaincre lui-même au moment où il exprime sa pensée.

— Tu dis ! On ne pense pas à ça tout le temps, nous autres ! Hahaha ! s'esclaffe Charles, gêné.

— Hum…

Les gars restent silencieux à la suite de ces prises de conscience, tous appuyés sur le coffre arrière du véhicule de Steve, la tête fixant la rue. Un autre joueur de l'équipe fait diversion à ce moment d'introspection en criant :

— C'est à nous de jouer !

Tous prennent vivement leur équipement, soulagés que quelque chose de concret vienne rompre leur silence, lourd d'une tonne.

Jeudi, bar La débauche

Annie arrive plus tôt pour s'entretenir avec Tammy. Elle reçoit du même coup sa première paie de la ligne érotique.

— C'est pour jeudi dernier et mardi cette semaine. Il a déduit ce que tu devais au complet et voilà ce qui te reste, explique Tammy en lui remettant une enveloppe non cachetée.

— Oh ! Tout ça et j'ai l'impression de n'avoir rien fait !

— C'est la beauté de la chose avec cette job-là, ma noire !

— Je commence à être bonne, en plus. Je dis toujours la même affaire par contre, avoue Annie.

— Normal, mais fais attention. Les mêmes clients rappellent souvent. Si tu récites un discours identique, ils vont s'en rendre compte.

— C'est vrai, je n'avais pas pensé à ça !

— La brosse à dents électrique, c'est toujours une bonne option pour faire des variantes aux pervers ! lance Tammy en se croyant claire.

— Hein ? La brosse à dents ?

Tammy prend sa voix *sexy* en déclarant, sans scrupule :

— Aaaah chéri ! Qu'est-ce que je viens de trouver là ! Mon vibrateur géant qui va m'aider à jouir en même temps que toi…

— Et là, tu mets en marche ta brosse à dents électrique, déduit Annie, perspicace.

— Toi oui… Moi non, parce que j'ai environ une douzaine de vrais *sex toys* à maison.

— Pour les lignes érotiques ?

— Ben non, pour moé, ma noire ! Tu devrais acheter ça pour surprendre ton homme. Je te jure que t'en recevrais une demande en mariage ! ajoute Tammy, qui s'éloigne d'elle pour remplir un réfrigérateur de bouteilles de bière.

« Des jouets sexuels… », pense Annie en angoissant.

Samedi, appartement de Jasmine et Charles

Lorsqu'ils allongent le pas en direction de l'appartement de Jasmine et Charles, l'atmosphère qui règne entre Steve et Stéphanie est sans contredit très froide. Durant le trajet en voiture, Steve a tenté de faire comprendre calmement à sa compagne que de venir lui porter son lunch UN midi, c'était sympathique, mais TOUS les jours de la semaine, ce l'était moins. Celle-ci s'est braquée en répliquant que comme son chantier se trouvait à deux minutes de son travail, elle pouvait bien s'y rendre toute la semaine. La discussion, qui s'est éternisée dans le stationnement des visiteurs de l'appartement de leurs amis, a été close par Stéphanie, qui a lancé à celui-ci, offusquée : « La plupart des gars seraient bien contents ! Toi, t'es juste pas normal ! »

Les deux feignent un air ultraenjoué en entrant dans le condo.

— Allo ! Ça va bien ? demande Jasmine.

— OUI ! Super ! exagère Stéphanie, en prenant une petite voix aiguë.

— *Top shape* ! T'sais comme en super forme olympique, là ! ajoute Steve, en tentant de masquer sa frustration.

Pendant que les hôtes accueillent leurs invités, Annie et Pierre-Luc, déjà assis sur la terrasse, ne semblent guère plus en harmonie.

— J'ai le droit de sortir si je veux ! s'impatiente Annie en dévisageant son chum.

— Tu sors tous les jeudis soir maintenant ?

— Je ne fais rien de mal OK ? prétend-elle à voix basse, étant donné que les deux autres couples se dirigent vers l'extérieur.

Pierre-Luc conclut la discussion en chuchotant en direction d'Annie :

— Je commence à me le demander…

Annie lui lance un regard indigné, accompagné d'une petite tape du revers de la main sur l'épaule ; puis, elle se lève en souriant chaleureusement à Steve et à Stéphanie qui arrivent sur la terrasse.

— Ouuui, ça va super bien ! amplifie à son tour Annie en embrassant Stéphanie.

***

La soirée se déroule en apparence de façon fluide. De connivence, les gars semblent avoir envie de faire la fête. Ils boivent goulûment du vin rouge. Trop, en fait ! Au moment du repas, Pierre-Luc, déjà enivré, saisit la bouteille pour resservir du vin à sa compagne.

— Non, c'est assez. Je crois que je vais conduire pour le retour, hein ? déclare-t-elle en posant sa main à plat sur la coupe en regardant les autres filles.

— Bon ! Ma blonde qui sort maintenant tous les jeudis soir pour s'amuser avec je-ne-sais-qui jusqu'aux petites heures du matin ne veut pas s'amuser ici, ce soir, avec nous !

La révélation teintée de reproches de Pierre-Luc crée un malaise à toute la tablée. Personne ne daigne commenter son propos. Seul le tintement des fourchettes meuble l'ambiance qui règne sur la terrasse.

— Non mais, si on se disait les vraies affaires : sortez-vous TOUTES les semaines vous autres les filles ? demande Pierre-Luc pour revenir à la charge, en examinant d'un regard fuyant Jasmine et Stéphanie.

Annie soupire en roulant des yeux et en croisant les bras ; la tournure de la discussion la met en colère. Sensible au malaise de son amie, Jasmine ajoute :

— Oui, moi je sors des fois sans Charles…

— Sti chérie, la seule place que tu fréquentes depuis un bout de temps, c'est l'église! ricane Charles, avant d'avaler une grosse gorgée de vin.

— À l'église ? ne peut se retenir Stéphanie en dévisageant Jasmine.

Celle-ci ne donne pas suite à son interrogation ; elle se lève pour se rendre à la cuisine afin de remplir la saucière encore à moitié pleine. Un silence significatif s'ensuit. Décidément, les tensions entre les trois couples semblent tangibles, voire palpables. Steve, tout aussi pompette que ses acolytes, profite du moment de malaise pour amorcer à son tour une discussion :

— Tant qu'à se poser des questions, les copains, j'ai quelque chose à vous demander. Comment vous trouveriez ça si votre blonde allait vous porter votre lunch au travail UN midi ?

— Ah non, là ! Arrête ça ! lui lance Stéphanie, impatiente.

— Je serais content ! répond Pierre-Luc en toisant sournoisement Annie.

— Moi aussi, pourquoi ? demande Charles.

— C'est juste la première partie de la question, continue Steve en bafouillant un peu. Comment vous réagiriez si elle venait TOUS les midis ?

— Tu m'énerves, Steve ! rugit Stéphanie avant de se lever pour entrer à l'intérieur.

— Pourquoi ? On discute entre camarades, là ! rétorque Steve pour se défendre, ivre.

Mal à l'aise pour Stéphanie, les deux autres filles la rejoignent. Jasmine prend soin de fermer la porte-fenêtre derrière elle.

— Il me tape sur les nerfs quand il est paqueté lui, se plaint Stéphanie les bras croisés en plein milieu de la cuisine. On s'est obstinés là-dessus tantôt, mais on n'est pas obligés de résoudre ça devant tout le monde ! ajoute-t-elle en furie.

— Les gars ont tous l'air de vouloir régler des comptes ce soir. Je ne sais pas c'est quoi leur problème ! remarque Jasmine en scrutant Charles qui s'esclaffe à table.

Annie, silencieuse, observe également à l'extérieur en espérant que son chum ne soit pas en train de raconter l'épisode du film porno à ses amis. « Non, il ne ferait jamais ça. », se convainc-t-elle.

— On va les laisser déblatérer tout seuls. Allons prendre une marche ? propose Stéphanie.

— Bonne idée !

Les filles passent devant eux en déclarant :

— On vous laisse la vaisselle, et de la tranquillité pour continuer à parler dans notre dos ! On va se promener.

— Bah voyons, là ? C'est quoi ? Une crise SPM de groupe ! commente Steve, l'air de trouver les filles ridicules.

Sans répondre, celles-ci quittent les lieux par un petit chemin à droite de l'immeuble.

***

En flânant dans les rues du quartier résidentiel où habitent Jasmine et Charles, Stéphanie émet une opinion :

— Non mais, c'est quoi l'idée de vouloir laver son linge sale devant le monde ? On ne déblatère pas dans leur dos, nous autres !

— Jamais ! renchérit Annie.

— Tsé, si j'étais mesquine, je pourrais très bien vous dire que Steve ronfle comme un gars de chantier, qu'il pète en dormant et que c'est un éjaculateur précoce, mais je ne le fais pas !

Annie se tourne vers elle en pouffant de rire avant de mettre sa main devant sa bouche. Elle poursuit dans la même ligne directrice que Stéphanie :

— T'as raison ! Moi aussi, je pourrais vous révéler que Pierre-Luc est tellement *cheap* qu'il passe des heures à découper des bons de réduction dans les circulaires d'épicerie et qu'il me fait des commentaires désobligeants quand on prend plus de deux rouleaux de papier de toilette par semaine…

— Mais une chance, on n'est pas de ce genre-là ! rigole Jasmine avant de poursuivre : si j'étais langue sale comme eux, je vous raconterais probablement que lorsqu'il jouit, Charles crie comme une fille, en émettant un « i » aigu qui dure environ dix secondes…

Les trois filles sont maintenant tordues de rire au milieu de la rue. Stéphanie ajoute :

— Mais nous, on ne ferait jamais ça !

Samedi, voiture de Steve

Sur le chemin du retour, Stéphanie conduit silencieusement en épiant Steve du coin de l'œil car il est très soûl.

— Tuuu boudes, marmonne-t-il en articulant peu.

— Non !

— Tuuu boudes, chantonne-t-il à nouveau.

Pour toute réponse, Stéphanie arbore un air exaspéré. Elle analyse ensuite les informations obtenues au cours de la soirée. « Jasmine va à l'église, et Annie sort dans les bars ? Quelle est la stratégie de la religieuse et celle de l'indépendante ? » tente-t-elle d'évaluer. Elle sursaute lorsqu'elle entend le ronflement soudain de Steve.

Samedi, appartement de Charles et Jasmine

Charles dit au revoir à Pierre-Luc et à Annie avant de fermer la porte derrière eux ; il marche d'un pas chancelant pour rejoindre sa blonde à la cuisine.

— Pierre-Luc était soûl ! commente-t-il à Jasmine en ayant peine à tenir en place sans tituber.

Celle-ci se tourne vers lui, sérieuse, en lui soulignant :

— Bien oui ! Toi t'es vraiment mieux, hein ?

— Che suis réchauffé un 'tit peu, là… Toi ? T'es chhhoquée ? demande-t-il d'une voix inhabituellement aiguë.

— Pourquoi tu as dit devant tout le monde que j'allais à l'église ?

— Che savais pas que ch'était un secret, répond-il stupidement pour sa défense, en s'appuyant contre le mur pour garder son équilibre.

— Et c'est quoi l'idée de vous soûler de même ? Dors au sous-sol, ordonne-t-elle avant de se diriger vers la chambre à l'étage.

— Chhérie, ch'avais le goût de te faire l'amour, moi, déclare-il tout bonnement en la voyant gravir l'escalier.

— Couche-toi sur le dos, ça va te passer ! lâche-t-elle avant de fermer brusquement la porte de la chambre.

En enfilant son pyjama, Jasmine pense elle aussi à leur soirée : « Stéphanie qui fait des pieds et des mains pour faire plaisir à Steve, Annie qui se la joue femme fatale et qui sort pour créer une urgence chez son homme... Les filles ne sont pas folles, mais je dois absolument gagner ce pari ! »

Samedi, voiture de Pierre-Luc

— Che vais te chanter la balla-de, la balla-de des gens heureux, s'égosille Pierre-Luc, assis du côté du passager.

— OK là, arrête de crier ! rugit Annie, exaspérée.

— Mon chaton, ch'ai le goût de toi, déclare-t-il en s'approchant d'elle.

— Eille, c'est pas drôle ! Je conduis, là ! Attache-toi ! ordonne Annie, autoritaire, en le repoussant vers son siège.

— Chhhaton, là, soupire-t-il sans dire un mot de plus.

— En tout cas, Pierre-Luc, je suis vraiment déçue de toi. Déçue que tu n'aies pas contrôlé ta jalousie, que tu aies dit devant tout le monde que je sortais et que tu doutais de moi et... je t'ai jamais vu soûl de même !

— Ben non, ch'ai pas dit ça... che suis pas choûl, roucoule-t-il avant de s'endormir subitement, comme si quelqu'un venait de lui asséner un coup sur la tête.

Au volant de sa voiture, Annie ne pense qu'à une chose : « Tout le monde doit s'imaginer que je trompe mon chum... »

SEMAINE 5

Lundi, terrain de balle dans l'arrondissement Laberge

Les gars échangent des regards contrits en repensant à leur soirée-fiasco du samedi. Steve soupire. Charles hausse les sourcils en laissant tomber un « Hum… » éloquent. Pierre-Luc expire bruyamment tout en grattant une tache de moutarde sur son maillot. Brandon, gai comme un pinson, se joint à eux. Il s'informe sans tarder de la raison de leurs drôles de mimiques.

— C'est quoi vos faces de désespoir extrême ?

— On a fait les caves… en groupe en plus, avoue Steve.

— Les gars sti, si vous voulez aller aux danseuses, il faut que vous changiez de ville voyons, tout le monde sait ça ! Ou bien vous vous déguisez, c'est votre choix, plaisante Brandon, qui veut savoir ce que signifie « faire les caves en groupe ».

— Non, malheureusement, c'est pas les sauteuses. Je suis sûr que si ma blonde m'avait surpris aux danseuses ç'aurait été moins pire ! présume Charles, en replaçant la coquille plastique qui sert à protéger ses bijoux de famille.

— Ha ! Ha ! Les « sauteuses », c'est tellement *vintage* ! Mon père disait ça, s'esclaffe Steve, en se souvenant de cette époque.

— C'est quoi alors ? s'inquiète Brandon, qui veut comprendre.

— Pour faire une histoire courte, samedi, on s'est « un peu » paqueté la face et disons qu'on avait « un peu » accumulé certaines frustrations à l'égard de nos superbes blondes… On s'est comme « un peu » vidé le cœur, répond obscurément Charles, l'air piteux.

— Vidé le cœur comment ? s'informe Brandon, le regard craintif.

— Tout le monde ensemble, à table, entre le plat principal et le dessert, précise Steve sans détour.

Charles dépeint la scène en décrivant grossièrement les types de reproches formulés.

— Les gars ! Les gars ! Les gars ! Vous êtes des amateurs ou quoi ? lâche Brandon pour ironiser.

— Euh… Non… pas des « amateurs ». Ma blonde a plutôt dit : « des gros caves », si ma mémoire est bonne, précise Charles, en pointant l'index.

— En ce qui me concerne, je ne sais pas de quoi Steph nous a traités, parce qu'elle ne m'a pas encore rappelé. Mais selon moi, je la connais bien quand même, ce serait plutôt « des gros innocents » ou peut-être « des gros épais »… Faudrait que je le lui demande, ajoute Steve, les sourcils froncés, comme s'il y réfléchissait sérieusement.

— Moi, ça ne s'est pas trop mal passé le lendemain. Annie avait surtout de la peine, explique Pierre-Luc, dans un autre état d'esprit.

— Cibole que vous l'avez pas, les gars ! C'est la règle numéro un avec les femmes, ça ! Règle écrite dans le manuel de base qu'on nous remet au premier *french* du primaire ! « Ne jamais faire un reproche à une femelle devant des gens, surtout pas devant d'autres femelles ! » Elles ont été offusquées rare, je présume ! déduit Brandon.

— Je l'ai jamais eu ce manuel-là, moi ? rétorque Charles, surpris, en donnant un coup de coude à Steve.

— Moi non plus, *man* ! déclare Steve, scandalisé.

— Les filles sont sorties marcher pendant presque deux heures, révèle Pierre-Luc, confirmant du coup l'hypothèse de Brandon.

— Sans même débarrasser la table, imagine ! souligne Steve en arborant une expression faciale mi-déçue, mi-ironique.

— Elles se sont regroupées dans l'adversité… Un beau classique féminin ! Pour se « crinquer » et vous le faire payer individuellement ensuite ! La deuxième règle de base en situation de conflits est d'en discuter avec la femelle, en faisant passer le tout sur notre dos, pour ne pas attaquer, continue de les instruire Brandon.

— Je ne comprends pas, avoue Pierre-Luc, un peu perplexe.

— Bon, par exemple, dans ton cas : ta blonde sort et ça te fait suer, c'est ça ? se souvient Brandon.

— Ouais…

— Bien, au lieu de lui dire : « Annie, tu sors tout le temps, coudonc, tu me trompes ou quoi ? » Tu baragouines plutôt : « Je ne sais pas ce qui m'arrive, ces temps-ci, je me sens loin de toi, je m'inquiète si j'en fais assez pour toi, si tu es bien avec moi. Je sens que tu as besoin d'être ailleurs et ça m'insécurise… » Je te gage cent piastres qu'elle te répondra : « Ben non mon lapin, c'est parce que je sors que tu crois ça ? Non, non, pas du tout... » Si elle te trompe vraiment, au moins, tu vas la culpabiliser au maximum, tu comprends ?

— Non, lui c'est « poussin », pas « lapin », rectifie Steve pour se moquer encore une fois.

— T'es con ! ricane Charles.

— Brandon, c'est pas moi qui ai un problème, c'est elle ! s'offusque Pierre-Luc, en faisant mine de ne pas écouter ses amis qui le taquinent.

— C'est ça la stratégie : accepter le blâme de façon contrôlée ! C'est comme une concession de base pour diminuer les probabilités de chicanes périphériques, expose presque scientifiquement Brandon, sérieux.

— Ah d'accord, réfléchit Pierre-Luc qui apprécie la formulation théorique précise.

— C'est pas fou, admet Charles. Comment connais-tu toutes ces stratégies, Brandon ?

— Le manuel, les gars ! Le manuel ! La femme est un mystère qu'il faut déchiffrer, mais surtout, il faut tenter de comprendre comment elle pense avant tout ! éclaircit-il, en grand philosophe, en pointant sa tempe avec son index.

— Non ! Il faut surtout se plier en douze et devenir molasse comme des mitaines, s'oppose Steve, un peu agacé par les théories de Brandon.

— Un peu, mais de façon stratégique ! L'homme qui s'abaisse un peu pour résoudre positivement un conflit reste un homme. Il s'évite juste un tas d'emmerdements en se garantissant une partie de fesses le soir ! le motive Brandon.

— Faudrait que je te consulte chaque fois que je parle à ma blonde, pour être certain de ne pas la faire exploser à chaque reproche ! Non, j'ai une meilleure idée : la prochaine fois, je te texte, tu débarques, et tu lui parles à ma place ! Mais tu couches pas avec après par exemple ! propose Steve, en rigolant.

— Moi, ça fonctionne à merveille. J'ai un mariage quasi parfait, les *boys* ! se vante Brandon, tout sourire.

— T'es bien chanceux ! admire Pierre-Luc.

— *Next team* ! crie l'arbitre sur le terrain de baseball.

— *Let's go* ! Allons courir après une petite ba-balle ! Ça, au moins, on est bon là-dedans ! conclut Charles en replaçant de nouveau son protège-bijoux-de-famille qui semble réellement inconfortable ce soir.

Lundi, appartement de Pierre-Luc et Annie

En tournant la poignée, Pierre-Luc tend l'oreille, presque craintif de rentrer chez lui. En entendant le clapotis de l'eau, il constate qu'Annie est dans la baignoire. Comme les sourires sont rares depuis samedi dernier, il s'approche de la pièce, mais n'ose pas y entrer. Il demande, sur le seuil de la porte :

— Chaton, je peux ?

— Non ! Je suis dans le bain ! répond-elle sèchement.

— C'est bon, je vais t'attendre au salon. J'ai quelque chose d'important à te dire.

« Merde, peut-être qu'il a découvert mon jeu », s'inquiète Annie en terminant de se raser la jambe droite.

— D'accord, fait-elle d'une voix soudainement plus douce.

Au sortir de la baignoire, elle ne passe qu'un peignoir, trop curieuse de savoir de quoi Pierre-Luc veut discuter. « Calme-toi, c'est probablement à cause de samedi dernier », se convainc-t-elle. Elle le rejoint dans le salon, en arborant le comportement d'une fille qui n'a rien à se reprocher. Tranquillement, elle marque d'un X noir sur le calendrier le jour qui vient de s'écouler, comme elle le fait chaque soir. Une autre déformation professionnelle. Elle se dirige ensuite vers lui, la tête haute.

— Je t'écoute, annonce-t-elle en croisant les bras, après avoir bien fermé son peignoir.

Pierre-Luc, assis sur le canapé, fixe nerveusement Annie, ne sachant trop comment amorcer la conversation. Comme si toutes les pensées s'entrechoquaient dans sa tête, il hésite, confus.

— Chaton... Tu... tu ne m'adresses pas la parole ou presque depuis samedi. C'est à peine si tu me regardes, commence-t-il.

Annie, indignée, l'interrompt.

— Tu m'as humiliée devant tout le monde en sous-entendant que je te trompais ! Te rends-tu compte ? se braque-t-elle en se retournant, l'œil sévère, vers la fenêtre du salon, les bras toujours croisés.

« Merde ! » pense Pierre-Luc. « Pas de reproches... », se dit-il en se remémorant les conseils du manuel fictif de Brandon. Il fixe le calorifère, et prend un temps d'arrêt pour bien organiser les idées dans sa tête.

— En fait, je veux m'excuser... C'est totalement ma faute, se repent-il, sans trop savoir avec quel argument il poursuivra la discussion.

Annie voit dans l'attitude non verbale de son chum que cette conversation semble vraiment le remuer. Elle tente de se montrer plus réceptive ; c'est pourquoi elle se tourne vers lui en décroisant les bras. Silencieuse, elle attend la suite.

— Première chose, je n'aurais jamais dû dire ça devant tout le monde. C'est un gros manque de respect de ma part. Ce que j'aurais dû faire, c'est de te dire que, depuis un certain temps, je me sens loin de toi, je me demande si j'en fais assez, si tu es toujours heureuse avec moi. Ce doit être de ma faute si tu as besoin de sortir, d'être ailleurs...

Tout à coup, les yeux sévères d'Annie se transforment en un regard émotif et attendri. Elle s'approche doucement de Pierre-Luc et prend son visage dans ses mains.

— Bien non mon poussin, voyons donc ! Ça n'a rien à voir. Je t'aime et je suis heureuse, c'est juste que...

Annie analyse mentalement la situation : « Merde, pauvre lui. Il croit que je l'aime moins. Comment puis-je lui faire comprendre que c'est tout le contraire ? »

— Sortir avec les filles me fait justement réaliser à quel point je t'aime et à quel point je suis heureuse avec toi. Je sortirai encore pour quelques semaines et ensuite, tout ça sera terminé, annonce-t-elle, transparente.

« Comment ça, "encore pour quelques semaines" ? Qu'est-ce qui sera terminé ? », se préoccupe Pierre-Luc en ne comprenant pas très bien les précisions de sa compagne. Cependant, il ne réplique rien.

— Pierre-Luc, sache que je t'aime plus que tout et que je m'excuse aussi, implore Annie en s'approchant pour le serrer dans ses bras.

Pierre-Luc lui rend chaleureusement son étreinte, tout de même content du dénouement final de la discussion. Il laisse tomber ses interrogations, préférant maintenir cette ambiance conviviale.

— Va prendre ta douche, je vais t'attendre dans le lit, propose Annie en lui faisant des yeux coquins pleins de sous-entendus.

« Pas fou le Brandon… », se dit Pierre-Luc, qui se dirige immédiatement vers la salle de bain, un sourire en coin satisfait.

Lundi, appartement de Jasmine et Charles

Après avoir scruté la pièce à aire ouverte du rez-de-chaussée, Charles déduit que Jasmine se trouve probablement à l'étage. En grimpant l'escalier, il constate effectivement que la porte de la chambre est fermée, mais que la lumière semble encore allumée. Par choix, il a dormi au sous-sol samedi et dimanche, afin d'éviter les disputes. Il n'a pas croisé Jasmine dimanche, car elle est partie tôt pour une journée et une soirée mère-fille. Charles se décide à affronter la situation en frappant doucement trois petits coups à la porte.

— Entre, l'invite Jasmine.

Celle-ci se doute bien que celui-ci doit vouloir arranger les choses. Elle le désire aussi… surtout en raison de ses mensonges autour de son fanatisme religieux exagéré. Malgré tout, elle reste déçue que son chum l'ait humiliée de la sorte. Cependant, si elle explore le fond de son cœur, elle sait qu'elle a surtout eu honte que les filles découvrent sa stratégie, qui s'avère un tantinet médiocre.

Il entre.

— Salut…

Jasmine demeure les yeux rivés sur son livre. Un peu de contenance reste tout de même de mise.

— Je suis tanné que tu me fasses dormir dans le sous-sol, plaisante Charles pour détendre l'atmosphère qu'il trouve pesante.

— QUOI ? Moi je te fais coucher au sous-sol ! Je m'excuse, tu t'y caches tout seul depuis dimanche matin pour ne pas aborder la discussion, s'offusque Jasmine.

« Non, non, non, pas de crise. Reprends-toi, Charles », pense-t-il en s'approchant du lit.

— Serre tes griffes de grosse lionne ! Tu sais bien que je fais une blague parce que je me sens super mal, affirme-t-il rapidement.

— « Grosse » ? répète Jasmine, peu flattée.

Elle pose délicatement son livre et le dévisage, comme si elle attendait impatiemment la suite.

— Je suis un gros trou du cul insécure !

— Hein ? demande Jasmine, peu habituée de voir Charles se repentir de la sorte.

« On met tout sur notre dos pour ne pas attaquer… », se rappelle Charles en tentant de clarifier les intentions qui virevoltent dans sa tête.

— Je suis insécure, car je me demande si je te satisfais et si tu m'aimes encore, lance maladroitement Charles, qui confond la réplique de Brandon relative à la situation de Pierre-Luc et Annie.

— Comment cela se fait-il que tu te sentes comme ça ? se surprend Jasmine, étonnée, pas certaine de bien comprendre son propos.

— Ben… Heu… Je sais pas trop…, hésite Charles, conscient que sa révélation s'avère un peu hors-sujet compte tenu de leur situation.

Stupéfaite que son conjoint se sente à ce point ébranlé, Jasmine s'inquiète, mais sans le lui dire : « Merde, ça l'insécurise que je m'intéresse à la religion ? Je ne croyais pas… »

— Charles, la seule chose qui m'ait fait de la peine, c'est que tu aies dévoilé devant tout le monde que j'étais pratiquante. C'est mes affaires. Ça ne regarde personne.

« Bien justement, pourquoi c'est grave que j'aie dit ça alors ? » se demande Charles, en ne sachant quel argument ajouter pour sa défense. Naturellement, il ne matérialise pas sa pensée en paroles.

Voyant que Charles ne semble pas du tout comprendre la portée de sa révélation, Jasmine poursuit sans réellement lui donner d'explications claires.

— Tu me juges, s'attriste-t-elle en reprenant son livre.

— Je suis désolé, je n'aurais pas dû faire cette blague à table, s'excuse-t-il en ne sachant toujours pas pourquoi ce fut si grave.

— C'est important pour moi que tu respectes ça et que tu comprennes pourquoi ça m'a blessée, ajoute-t-elle alors plus doucement.

— Je comprends tout à fait, ment-il la tête basse.

« Pauvre lui, il se sent vraiment mal... », analyse Jasmine en fixant son homme assis, penaud, au bout du lit. Différents sentiments se succèdent dans le cœur de Jasmine. Elle se sent coupable de toute cette manigance pour gagner la gageure, et le fait de voir Charles contrit de la sorte amplifie cette culpabilité. En le regardant, elle se rend compte à quel point elle l'aime. Son imputabilité, à laquelle s'ajoute ce puissant sentiment amoureux, crée une angoisse que seul un mécanisme de sublimation dans le sexe pourrait faire taire.

— Va prendre ta douche, gros « trou de cul insécure » ! propose Jasmine à la blague, qui laisse légèrement glisser son peignoir de satin, dénudant ainsi ses épaules et presque l'intégralité de ses seins.

« Brandon, t'es génial ! » pense secrètement Charles en examinant délicieusement sa blonde ; puis, il sautille vers la salle de bain, excité par la nudité partielle des attributs féminins de sa douce.

Mardi, appartement de Steve

Très nerveuse, Stéphanie referme la porte derrière elle en faisant un demi-sourire à son chum. Elle semble ambivalente, à savoir si elle doit s'asseoir ou si la discussion l'amènera à s'en aller. Elle se sent particulièrement à fleur de peau, entre autres à cause d'un syndrome prémenstruel latent qu'elle dénie depuis quelques jours.

— Tu n'as pas répondu au téléphone, hier ? reproche Steve en guise préambule.

— Bon ! Tu m'as invitée pour me faire des reproches ? s'indigne-t-elle, sur la défensive.

« Merde ! Non ! Pas d'attaques, faut accepter le blâme… », se souvient à son tour Steve.

— C'est de ma faute !

— Quoi ça ? demande Stéphanie, qui souhaite que celui-ci s'explique un peu plus.

— Euh…, hésite-t-il, pris de court par la question, pourtant simple.

— Tu m'as humiliée, Steve : « Et vous les gars ? Comment trouvez-vous ça une blonde qui apporte votre lunch TOUS les jours », lui rappelle Stéphanie, en empruntant la voix de son copain.

— Je suis désolé j'ai dit ! l'assure Steve, lui aussi sur la défensive.

Stéphanie croise les bras en se tournant vers la fenêtre. « Ben oui, c'est ça ! C'est lui qui va péter sa coche maintenant ! » songe-t-elle, découragée par la tournure de la conversation. Voyant que son impatience ne fait que dégrader l'atmosphère, Steve se ressaisit et continue avec un ton plus doux :

— Je n'aurais jamais dû dire ça devant les autres… J'aurais dû poursuivre la discussion seul à seul, avec toi.

— La discussion sur quoi ? Le fait que je te tape sur les nerfs ?

— Non… T'expliquer que de venir me porter un lunch une fois ou deux c'est super, mais que plus que ça, je finis par me faire achaler pas mal, prétend Steve, la tête basse.

— Achaler ? répète Stéphanie, tout à coup plus ouverte et plus attentive.

— Les gars, Steph. Je travaille dans la construction avec des gros singes. Faut avoir l'air d'un *toff* un peu. Quand ta blonde vient sur le chantier tous les midis te porter une salade de lentilles au tofu, des bâtonnets de carotte et un Minigo fraises-bananes, tu te fais écœurer pas mal…

— Quoi ? T'aimes ça les Minigo fraises-bananes ? murmure Stéphanie, hésitante.

— Steph, ajoute Steve, pour lui signifier que ce n'est pas ça la question.

« Ah, c'est ça qui le dérangeait… », analyse Stéphanie en observant tendrement son amoureux.

— Je ne pensais pas que tu te faisais agacer tant que ça, avance Stéphanie, compréhensive.

— Ben je m'en fous des gars ! Mais à la longue, ça devient tannant, précise Steve, honteux d'être si affecté par tout ça.

— Si tu me l'avais expliqué comme ça, j'aurais compris, bébé, s'excuse presque Stéphanie, mal à l'aise.

— Je ne savais pas comment dire ça à ma blonde sans avoir l'air d'un enfant d'école, se met à nu Steve.

— Ah mon bébé, je m'excuse ! Je n'irai plus te voir au travail, c'est promis, consent Stéphanie en se dirigeant vers lui pour l'enlacer.

— Moi aussi, je m'excuse, déclare rapidement Steve, pour clore la mésentente.

Le jeune couple s'embrasse longuement, debout, au milieu de la cuisine. Steve, costaud, soulève Stéphanie sans forcer et l'amène en douce dans sa chambre.

— Voilà comment se réconcilie un « gros singe » de la construction ! badine Steve en projetant doucement sa blonde sur le lit avant d'enlever son chandail, dénudant ainsi sa poitrine tout aussi musclée que ses bras.

— J'aime ça les gros singes ! clame Stéphanie, charmée par le petit côté animal de son homme.

« Merci Brandon ! » se réjouit Steve en dépouillant sa blonde de son chemisier, envoûté par l'excitante réconciliation.

Mercredi, terrain de golf Détente

« Plus que sept semaines pour recevoir ma demande en mariage. C'était bien trop court trois mois ! » réfléchit Stéphanie en descendant de son véhicule. « Est-ce que ça vaut vraiment la peine de me faire suer à apprendre le golf si je ne joue même pas avec mon chum ? » se demande-t-elle lorsqu'elle entend quelqu'un arriver derrière elle.

— La plus belle golfeuse qui arrive ! la complimente Martin en allant vers elle dans le parc de stationnement.

« J'adore le golf ! » se ravise Stéphanie, qui se retourne avec grâce en faisant tournoyer sensuellement ses longs cheveux.

— Allo Martin ! T'es en cours ?

— Avec toi, oui ! improvise-t-il en la fixant droit dans les yeux.

Stéphanie ouvre le coffre de sa voiture, les joues empourprées. Gentleman, Martin s'avance pour porter son équipement. Son bras frôle doucement celui de Stéphanie lorsqu'il agrippe le sac de son « élève ». Tous les deux se regardent, silencieux pendant quelques secondes, le visage à quelques centimètres l'un de l'autre.

« Stéphanie, tu n'es pas célibataire... », se répète-t-elle, tout à coup surprise d'avoir très envie de l'embrasser.

« Est-ce que je l'embrasse ? » se demande Martin en examinant les lèvres colorées de Stéphanie.

— Bon ! Il fait chaud aujourd'hui ! lance subitement Stéphanie pour couper court à cette promiscuité, mais surtout pour calmer ses envies brûlantes de lui donner un baiser.

— Mais il vente un peu... une petite brise de l'est, précise Martin afin de poursuivre la conversation échappatoire sur l'analyse météorologique.

Le reste de l'après-midi, ils s'amusent tous les deux comme des enfants sur le terrain d'entraînement. Martin la taquine en attrapant son bâton alors que celle-ci tentait de frapper une balle ; il lui fait des blagues ; il la distrait en imitant un golfeur du club qui sort exagérément les fesses lorsqu'il joue ; tous deux s'inventent des cibles imaginaires en se mettant au défi de les atteindre ; ils déconcentrent même certains golfeurs à rire sans fin comme ils le font. Les gros yeux des joueurs ramènent tout de même Martin à l'ordre. En tant que professionnel du golf, donner l'exemple fait partie de sa description de tâches. Le portable de Stéphanie sonne vers 17 h 15.

— Oui ! répond-elle, en s'éloignant quelque peu de son partenaire.

— Hé ! Ma blonde ! Qu'est-ce que tu fais ?

— Je m'entraîne au golf…

— Super ! Je vais te rejoindre alors ?

— Non, j'ai presque fini…

— Tu soupes avec moi ?

— Ouais, je te retrouve dans une heure. Bye.

— Je t'aime…

En revenant près de Martin, Stéphanie reprend son bâton. Martin, qui semble vouloir lui dire quelque chose, se lance sans préambule.

— J'aimerais t'inviter le week-end prochain. Il y a un tournoi dans les Laurentides avec les pros de tous les clubs de golf. J'ai le droit d'inviter une personne. C'est gratuit : l'hôtel et tout ! J'aimerais vraiment que tu m'accompagnes…

Prise de court par cette demande-surprise, Stéphanie fixe le sol en s'imaginant : « Wow, j'aurais tellement le goût d'y aller… » Elle répond plutôt :

— Je ne peux pas, désolée, sans lui donner plus de détails sur la raison de son refus.

Martin, honteux de cette réponse négative, rougit en scrutant le fond du terrain. Consciente de son malaise, Stéphanie ajoute :

— Je te jure que j'aurais très envie d'y aller Martin, mais je ne suis pas toute seule, tu comprends ?

— Ah, je me doutais bien qu'une fille géniale comme toi ne pouvait pas être célibataire, mais j'ai tenté ma chance quand même… vu que tu m'avais dit habiter toute seule.

Martin décide finalement de jouer la carte de l'humour plutôt que celle de l'embarras en lui lançant sans réfléchir :

— À moins que tu ne quittes ton chum pour moi, étant donné que je suis le plus gentil des gars de la terre, mais ça… c'est ta décision ! Au fait, tu le savais que j'étais le mec le plus gentil de la terre ?

— Ha ! Ha ! Confiant en lui, le golfeur ! Vantard même ! s'amuse Stéphanie, très soulagée que l'atmosphère soit devenue plus légère.

— Bon, termine ton panier. Et, pour une fois, regarde ta balle, ordonne Martin en bon professeur, tout souriant.

Mercredi, boutique érotique La frétille

Annie se gare à deux rues du magasin, par peur qu'une connaissance n'identifie son véhicule. Elle a pris soin de porter une casquette et des verres fumés, même s'il ne fait pas du tout soleil. De plus, elle a laissé ses cheveux défaits sous son couvre-chef, elle qui a l'habitude de toujours les attacher.

« Super crédible ! L'éducatrice à la petite enfance qui passe ses journées de congé au magasin du sexe », se torture-t-elle en prévision du pire.

Elle marche lentement sur le trottoir, voire trop lentement, comme si elle ne faisait que tuer le temps. Arrivée à la hauteur de la boutique érotique, elle bifurque sans crier gare vers la porte et pénètre en coup de vent dans le magasin. La propriétaire, qui est en train d'épousseter des godemichets en silicone, fait un sursaut en voyant Annie entrer en trombe dans son commerce.

— Il pleut ? demande-t-elle en s'avançant vers la fenêtre, croyant qu'un orage violent vient d'éclater.

— Non, non, la rassure Annie, qui examine nerveusement l'endroit avant d'enlever ses verres teintés.

La propriétaire semble comprendre le malaise d'Annie et, pour la réconforter, lui dit :

— Il n'y a personne, sauf mon mari dans l'arrière-boutique. Tu peux être à l'aise. Qu'est-ce que tu recherches au juste ? lui demande-t-elle en posant son plumeau sur une étagère.

— Je ne sais pas trop…

— Tu désires ajouter un peu de piquant dans ton couple ? À moins que tu sois célibataire ? Tu veux te procurer un vibrateur ?

— Euh… Oui… Non…

— Viens avec moi, propose la femme, qui déduit qu'elle doit prendre la situation en main.

Elle se dirige vers le mur latéral, droit au fond du magasin, où se trouve une quantité impressionnante de vibrateurs de toutes sortes. Elle lui désigne le mur de la main, en adoptant une position digne de l'émission *The Price Is right.* Elle commence ses explications fluides qu'elle semble avoir répétées maintes fois.

— Au bas du mur, on retrouve des modèles plus classiques, avec des grosseurs régulières imitant presque à la perfection le pénis humain moyen. Par exemple, celui-ci, c'est un de nos gros vendeurs. Il possède deux modes de vibrations, il est résistant à l'eau et, en plus, on l'offre dans une gamme de trois couleurs attrayantes.

Elle ouvre l'emballage transparent et dépose l'objet dans la main d'Annie, qui reste figée en observant à la fois la femme et le pénis de plastique qui gît dans sa paume. Annie écarte ses doigts au maximum pour se convaincre qu'elle ne le touche presque pas. Elle ne le manipule pas, mais le tient simplement, le temps que la femme le reprenne.

À son grand soulagement, la tenancière récupère le substitut de phallus et poursuit son discours comme si de rien n'était.

— Sinon, au centre ici, on retrouve des modèles moins standards, avec des formes plus variées et plus d'options. Regarde ce petit bijou : le moteur permet quatre niveaux de vibrations plus un mode de vibrations spéciales combinant une séquence lente et une séquence rapide en alternance ! En plus, il est fluorescent dans le noir. Euh… Parlant de noir, si tu veux utiliser ton jouet surtout la nuit, on a ce modèle-ci également, qui nous donne une luminescence très originale avec ses six lumières intégrées et son système de billes brillantes rotatives… Regarde ça ! Ne jamais le faire fonctionner avec des piles Energizer par contre, ça brûle le moteur.

La femme active l'objet ; il se met à tournoyer en offrant des spectres de lumières passant du rouge au mauve et à l'orangé, puis redevient écarlate. Une vraie boule disco ! Annie, les yeux ronds, fixe l'objet, complètement dépassée par la technologie.

— Pas très discret par contre, hein ? Sinon, vers le haut du mur, on se réserve des plaisirs coupables. Des grosseurs jusqu'à 12 pouces, des largeurs plus imposantes aussi. Certains ont encore des options de vibrations et de lumières, mais naturellement, les prix augmentent. On a aussi des gros modèles comme celui-ci, qui se fait en noir si vous cultivez des fantasmes ethniques… C'est courant !

En disant cela, la femme dépose un énorme vibrateur couleur charbon dans la main d'Annie, que celle-ci tient à la hauteur de ses yeux sans bouger. Le mari de la tenancière sort de l'arrière-boutique, qui est séparée du magasin par un rideau rouge semi-transparent, empêchant ainsi les clients d'y avoir une vue nette. L'homme chauve et ventru, d'une cinquantaine d'années, n'a rien de ce que l'on pourrait imaginer d'un sexe-symbole.

— Allo les cochonnes ! dit-il pour plaisanter, et il regarde les deux femmes en faisant des mimiques exagérées qui sont tout sauf drôles.

L'énorme vibrateur dans les mains, Annie fronce les sourcils avec dégoût. Sa femme le dévisage aussi en le ramenant à l'ordre :

— Chéri, ne fais pas de blagues ! Madame est une timide…

— Allo les cochonnes timides ! se reprend-il, fier de son coup, en mimant de nouveau quelques grimaces ridicules avant de disparaître dans l'arrière-boutique, une pile de feuilles dans les mains.

— C'est un grand fou ! rigole la femme en regardant amoureusement en direction de l'arrière-boutique. Dans notre jeune temps, on en a fait des cochonneries là-dedans.

« Ouache… », songe Annie, à la fois à cause de l'homme qui la répugne, mais aussi à cause du phallus grandeur extrême qu'elle tient encore du bout des doigts. Elle le remet avec dédain à la propriétaire en examinant les prix de certains modèles moins volumineux.

— Au fait, je ne suis pas certaine de chercher un truc de ce genre, conclut-elle, en évaluant les prix trop élevés pour son budget.

— Dites-moi madame, en fait vous ne savez pas pourquoi vous êtes venue ici, hein ? Est-ce que je me trompe ?

— En effet, avoue Annie, soulagée que la vérité éclate.

— Vous voulez peut-être mettre un peu de piquant dans votre vie sexuelle sans trop de flaflas ? Est-ce que je me trompe encore si je présume que vous n'avez pas souvent eu l'occasion d'expérimenter des objets sexuels ?

« Ça fait trois minutes que je suis dans sa boutique et elle me dit que je suis plate au lit ! Je ne dégage vraiment aucun *sex-appeal*... », se déçoit Annie, qui acquiesce tout de même par la négative.

— Disons que mon chum et moi avons une routine sexuelle qui pourrait paraître ennuyeuse pour certains, mais qui nous convient parfaitement...

— Je n'en doute pas une seconde, madame, mais c'est très bien que la curiosité vous ait amenée ici aujourd'hui...

« Ouais, qu'est-ce que je fais ici au juste ? » réfléchit Annie, qui n'est plus certaine elle-même des raisons motivant sa présence en ces lieux.

— Je vous propose d'y aller progressivement. Portez-vous de la lingerie ?

— Non, pas souvent ; en fait, toujours des trucs en coton, le plus souvent couverts de dessins animés.

— Madame ! Tous les hommes aiment la lingerie et toutes les femmes se sentent sexées en ayant des dessous affriolants ! Il faut oser ! Allez, venez ici.

Elle dirige sa cliente vers la section en question. Les deux femmes scrutent différents vêtements pendant de longues minutes. Après avoir refusé deux ensembles de latex du genre « femme-chat », Annie déniche finalement une nuisette assez longue, mais en dentelle noire transparente, accompagnée d'un tanga également en dentelle.

— Bon choix ! Venez l'essayer dans l'arrière-boutique. Mon mari en a vu d'autres !

— NON ! Ça me fait, j'en suis certaine, refuse Annie en songeant à cet homme au regard pervers, se rinçant l'œil en lui proposant d'ajuster une de ses bretelles.

— Comme vous voulez… Pour terminer, choisissez-vous donc une petite folie amusante ici.

Elle entraîne Annie vers une section d'objets érotiques rigolos. Désirant quitter cet endroit au plus vite, elle attrape la première petite boîte sur le bord d'une tablette. Elle lit : « Sous-vêtement mangeable ».

— Très bon choix, si vous voulez vous amuser avec votre amoureux. Et c'est très sexé aussi. Votre conjoint mange le sous-vêtement et vous devenez nue au fur et à mesure qu'il déguste… Je vous conseille la saveur de fruit exotique.

Comme l'objet ne se vend que quelques dollars, Annie le prend sans trop hésiter. Après avoir payé son dû, elle remercie la propriétaire et sort du magasin ; elle tente de dissimuler son sac derrière son dos lorsqu'elle croise un passant. Paranoïaque, elle court finalement jusqu'à sa voiture.

Mercredi, pharmacie Toutprix

— Bonjour, j'aimerais me procurer une brosse à dents électrique. Pouvez-vous me conseiller ? demande Annie à la vendeuse qui range des produits de beauté sur un présentoir au milieu du magasin.

— Un instant, j'appelle Tania, c'est elle qui s'occupe de ce rayon.

Annie se dirige vers ledit rayon. Elle enlève ses verres fumés, l'objet qu'elle convoite étant peu incriminant. Entre-temps, une jeune fille d'à peine vingt ans arrive près d'elle.

— Salut, je cherche une brosse à dents électrique, je n'en ai jamais eue…

— Voyons voir… Celle-là est très populaire et les bouts de rechange ne sont pas trop chers. En plus, c'est le modèle le plus silencieux…

— En fait, je veux un modèle bruyant…

La vendeuse esquisse une moue d'incompréhension. Elle ne comprend pas du tout pourquoi on voudrait d'une brosse à dents bruyante. Ne pouvant cacher sa curiosité, elle lui demande :

— Pourquoi ?

Surprise de cette indiscrétion, Annie cherche une réponse plausible, mais rien ne lui vient à l'esprit. Elle ne tient pas compte de la question et continue à regarder les brosses à dents. Tania poursuit :

— Celles-là font des bruits réguliers, je crois. Je n'ai pas de modèles en particulier qui sont… super bruyants, s'excuse la commis, toujours ignorante de la raison motivant le désir de sa cliente.

— OK, je vais prendre celle-là.

— J'espère qu'elle fera assez de bruit pour vous !

— Moi aussi… merci, répond poliment Annie, qui se dirige vers la caisse.

Mercredi, sous-sol de l'église chrétienne de l'arrondissement Laberge

— Je suis sobre depuis un mois et deux semaines, rabâche Denis, sans surprise.

« Non mais, on s'en sortira pas », présage Jasmine en imitant une fois de plus le groupe qui applaudit la persévérance de l'ex-toxicomane.

— On tape, on tape, on tape ! répète incessamment Suzie en frappant sporadiquement ses mains, mue par des impulsions neurophysiologiques incontrôlables.

— Bon ! Sur ce, abordons le sujet du jour en commençant par les passages que vous avez choisis et qui sont en lien avec la vérité, rappelle Georges en guise d'introduction.

— La vérité est dans l'authenticité, le réel, le moment, commente Jérémy, encore trop sérieux en fixant Jasmine de ses grands yeux.

« Pourquoi me regarde-t-il en disant ça, lui ? » se préoccupe Jasmine avant de feuilleter son livre pour isoler l'extrait qu'elle a choisi.

Rose et Émile, assis côte à côte, lisent tour à tour des passages sur l'importance de croire en la gratitude de Dieu de façon sincère, etc. Tout le monde en discute jusqu'à la pause. Jasmine, qui se dirige à la table à café, est accostée par Jérémy ; ce dernier l'entraîne légèrement en retrait du groupe.

— Tu dois être ébranlée par le sujet d'aujourd'hui ? dit-il, sûr de lui, en guise de préambule.

— Pas particulièrement, pourquoi ? rouspète Jasmine, inquiète de l'affirmation du jeune apprenti.

— Tu sais très bien de quoi je parle Jasmine, lance-t-il, l'air encore plus convaincu.

« Merde, on dirait qu'il se doute que je suis un imposteur », appréhende-t-elle, puis elle mime un effet de surprise avant de répondre en souriant :

— Non Jérémy, je ne comprends pas ton allusion.

Il roule des yeux avant de rajouter :

— Ton désir de mariage, ton engagement profond, ton arrivée dans le groupe, lui énumère Jérémy pour tous indices.

— Et puis ?

— Ne viens pas me dire que ton arrivée dans le groupe ne te crée pas de questionnements, affirme Jérémy.

« En effet, il n'a pas tort… Mais comment sait-il tout ça ? » se tracasse Jasmine.

Elle ne répond pas et lui sourit avant de s'éloigner pour réchauffer son café. Malheureusement, il ne se volatilise pas et revient à la charge. Il s'approche de nouveau et lui chuchote tout près de l'oreille :

— On est deux dans ce bateau-là. On va trouver le temps d'en discuter ensemble. Il n'y a que toi et moi qui savons. Je n'en parlerai pas, promis.

Elle approuve d'un signe de tête comme si elle saisissait ce à quoi il fait allusion afin de se débarrasser de lui. Il retourne à sa chaise.

« Non mais, de quoi parle-t-on ici ? » angoisse Jasmine en voyant Jérémy s'asseoir tout en lui décochant une œillade complice.

Jeudi, terrain de balle dans l'arrondissement Laberge

Les gars arrivent au terrain de baseball, tous plus souriants les uns que les autres. Pour une fois !

— Coudonc ! C'est la semaine de la pipe ou quoi ? prophétise à la blague Brandon, en voyant tout le monde l'air aussi heureux.

— C'est quand ça, la semaine de la pipe ? s'intéresse Pierre-Luc, curieux.

— Laisse faire, dit Brandon en enchaînant rapidement. Vos réconciliations se sont bien passées à ce que je vois !

— Tu parles ! Enfle-toi pas la tête avec ça, mais pour ce coup-là, t'as été un génie ! le félicite Steve en lui donnant une tape sur l'épaule.

— Pour moi, tout s'est bien passé et j'ai eu droit à une belle nuit de réconciliation avec du sexe en prime ! se vante allégrement Charles.

— Pareil pour moi ! affirme Pierre-Luc.

— C'est bien, les petits gars ! Une fois qu'on comprend ça avec les femmes, tout est plus harmonieux. Mais faites attention de ne pas trop faire les mitaines, par contre. Les filles vont se tanner : les femmes font tout pour nous écraser comme des sardines, et quand elles ont réussi, elles nous laissent parce que la passion n'y est plus ! Comment voulez-vous être passionnés en ressemblant à une sardine écrasée ? C'est pourquoi il faut faire les caves « exprès » de temps en temps…

— Les caves ? Exprès ? s'interroge Pierre-Luc.

— Ouais : rentrer tard sans appeler, s'opposer à son choix d'activité du samedi après-midi, oublier sa commission au dépanneur… des trucs comme ça. Mais cette méthode-là, c'est pour des gars expérimentés comme moi. Vous autres, vous réussissez amplement à être assez caves sans le faire exprès, donc ne forcez rien…

— Tu fais ça, le gros ? lui demande Charles, en admiration devant leur mentor.

— Ben oui. Le truc, c'est que la fille ne te prenne jamais pour acquis tout en restant attentionné et disponible pour elle. Le tout sans lui faire de reproches et en lui faisant croire que c'est elle qui mène… C'est simple ! Chaque fille est une « Germaine » dans son cœur. Elle aime « gérer » et « mener » ! Si elle perçoit qu'elle a le contrôle sans l'avoir réellement, c'est dans la poche !

— La prochaine fois, j'apporterai des feuilles pour prendre des notes, annonce Charles.

— Pas besoin, je songe à écrire un livre bientôt... Je l'appellerai : *Manipuler délicatement votre Germaine* ou *Le contrôle discret de la germainisation*... Je ne sais pas trop encore.

Samedi, appartement de Pierre-Luc et Annie

Debout comme une statue, Annie contemple, l'air songeur, le déshabillé de dentelle noir qu'elle a posé sur le lit afin de mieux réfléchir. « Est-ce que je vais oser porter ça ? Me semble qu'on va me voir la culotte de cheval avec un tissu aussi vaporeux... » Elle sort du sac la boîte de sous-vêtement mangeable et l'examine attentivement sans l'ouvrir. « Il va trouver ça ridicule... », se décourage-t-elle, pas sûre de vouloir enfiler ce dessous. Finalement, elle ramasse à la hâte ses articles et les remet rapidement dans le sac de plastique. « Je laisse le tout dans la salle de bain et si je vois que l'ambiance s'y prête, j'irai me changer », conclut-elle en cachant le sac dans l'armoire de la salle de bain, là où sont rangés les divers produits pour la lessive.

Elle termine sa toilette et s'affaire à mettre la table avant de retourner la viande afin qu'elle baigne uniformément dans la marinade. Son homme entre quelques instants plus tard, une bouteille de vin à la main.

— Bonjour mon chaton ! clame-t-il en s'approchant d'elle, son autre main dissimulée derrière le dos.

— J'avais déjà acheté une bouteille de vin mon poussin, déclare Annie, qui la lui prend pour la poser près de la sienne sur le comptoir.

— Ah ! Avoir su…

Depuis leur réconciliation au début de la semaine, l'ambiance semble très fusionnelle et amoureuse. Les deux détestent les conflits. Pierre-Luc, charmant, sort de son dos un bouquet de jolies marguerites blanches et jaune vif, et le tend en direction de sa blonde.

— Hoooooo ! s'écrie Annie en pâmoison devant la gerbe de fleurs.

— Je t'en achèterais tous les jours pour le reste de notre vie… si ce n'était pas si CHER ! Eille, presque 2,25 dollars la fleur, tu te rends compte ?

Annie sourit en grimpant sur une chaise afin d'agripper un pot à fleurs dans l'armoire du haut, près de la cuisinière. Son chum peste contre le prix de son cadeau pendant une bonne minute.

— Imagine ! Ils les font pousser ! Ils ne les fabriquent pas à la main, cibole ! Ça pousse tout seul des fleurs, me semble… De l'eau, ça ne coûte rien à ce que je sache…

Annie se dit en l'écoutant se plaindre : « Il est gratteux, mais il les a achetées quand même… », et elle affiche un demi-sourire tout en remplissant son vase d'eau.

Pierre-Luc aide sa conjointe à préparer le souper. Le couple discute des nouvelles récentes : les parents de Pierre-Luc en Floride, ceux d'Annie en camping, bref, au fil de la discussion, le temps passe vite. Les deux amoureux paraissent en synergie ce soir. La soirée s'avère belle et l'énergie plus que positive. Au moment du dessert, Pierre-Luc décide d'ouvrir la deuxième bouteille de vin, sans hésitation, en déclarant :

— Au diable les dépenses !

***

En terminant leur verre, lovés sur le canapé du salon, les yeux dans les yeux, Annie se décide : « Je lui fais un spécial ce soir ! », et envisage d'utiliser son « sac de surprises ».

— Je vais aux toilettes. Rejoins-moi dans la chambre quand je t'appellerai, OK ?

— T'es mystérieuse ! Qu'est-ce qui se passe ? appréhende Pierre-Luc, un peu déstabilisé.

— Tu verras ! le fait languir Annie, excitée, mais surtout enivrée, étant donné qu'elle n'a pas l'habitude de boire autant.

Le vin l'aidant indéniablement à prendre son courage à deux mains, Annie revêt la nuisette de dentelle. Pendant de longues minutes, elle tente de déduire dans quel sens la micro petite culotte doit être enfilée. « C'est juste de la corde ça ! » analyse Annie en mettant au hasard un côté plutôt que l'autre. Elle remet le sous-vêtement mangeable dans le sac, pour une autre fois. « Quand même, pas tout le même soir ! » En scrutant minutieusement son reflet dans le miroir, incertaine d'avoir pris la bonne décision, elle se remonte un peu les seins et se détache les cheveux. Elle soupire de nervosité, puis ouvre la porte en disant :

— Tu peux aller dans la chambre… mais laisse la lumière fermée.

— OK, acquiesce Pierre-Luc en se dépêchant de s'y rendre.

Annie l'entend s'installer dans le lit. Elle hésite quelques instants et sort finalement en marchant tranquillement, l'air timide. Pierre-Luc, bouche bée, ressent une vive excitation en voyant sa blonde vêtue de la sorte. Il la reconnaît à peine dans le mince faisceau de lumière projeté par la porte de la salle de bain, laissée entrouverte. Ses cheveux d'ébène, qui tombent sur les minces bretelles de dentelle noire, lui donnent un effet très sensuel. Annie, figée au milieu de la chambre, angoisse à tort : « Il ne dit rien, il n'aime pas ça... »

En réalité, Pierre-Luc est complètement hypnotisé par les seins d'Annie, qu'on ne perçoit que vaguement sous le tissu mi-transparent. Il s'excite à s'imaginer en train d'enlever la robe de sa partenaire. La bouche ouverte, il finit par bafouiller :

— T'es... euh..., en expirant bruyamment pour se calmer.

— T'aimes ça ? demande Annie, interrogative, à la fois pour se rassurer et pour comprendre l'air traumatisé de son homme.

— T'es splendide ! réussit-il à formuler, en lui faisant signe de venir le rejoindre dans le lit.

Pierre-Luc rêvasse en la voyant s'avancer : « Peut-être que ce serait le moment d'essayer quelque chose de nouveau, comme dans le film... » Il fantasme encore sur la possibilité de mettre en action la scène du film qu'Annie écoutait en cachette.

« Bah, je ne voudrais pas gâcher le truc, encore une fois... », se ravise Pierre-Luc, inquiet des potentielles réactions négatives de sa copine.

***

Le moment de tendresse partagé entre le couple fut intense et différent. Annie pose sa tête sur l'oreiller ce soir-là en se disant : « J'ai vraiment bien fait d'oser... »

Samedi, appartement de Charles et Jasmine

Le couple, étendu ensemble sur une chaise longue trônant sur le balcon, bavarde en rigolant de tout et de rien. Le temps gris et pluvieux les a rebutés de se rendre en montagne, comme prévu, pour y faire une marche. La journée s'est donc déroulée sans rien de précis au programme.

— Est-ce que tu me trouves jolie ? demande Jasmine d'une voix de gamine en déplaçant sa tête pour la poser sur l'épaule de son chum.

— Ça ne se demande pas ça, chérie d'amour, réplique-t-il en lui chatouillant les flancs.

Elle se tortille en riant bruyamment, puis attrape doucement ses mains pour l'empêcher de poursuivre sa manœuvre. Elle ajoute :

— Oui, ça se demande, bon ! Tu ne me le dis jamais, pleurniche-t-elle en exagérant ses sanglots.

— Je te le dis tous les jours, se défend-il. Qu'est-ce que je t'ai dit ce matin quand tu t'es levée pour aller à la salle de bain ?

— Tu m'as dit : « petites fesses », l'imite-t-elle en sortant la langue et en utilisant un ton différent, réduisant ainsi le compliment de celui-ci à une simple phrase stupide.

— Bon, tu vois ! commente-t-il, fier d'avoir au moins prononcé quelque chose de flatteur à sa blonde.

— « Petites fesses », c'est quoi ça ? C'est rien ! Pas de verbe, pas de complément. Tu nommes une partie de mon corps, c'est tout.

— Les sous-entendus voyons donc, c'est ça la richesse de mes compliments !

— Bédaine ! dit Jasmine, sans rien ajouter.

— De quoi « bédaine » ? demande Charles, inquiet, en se donnant une petite tape sur le ventre.

— Je n'ai rien dit de mal. Lis le sous-entendu.

Charles repousse Jasmine pour mieux s'examiner l'abdomen.

— Pff, je n'ai même pas de bédaine, murmure-t-il, l'air toujours agacé.

À son tour, Jasmine lui chatouille les flancs. Charles change de position pour tenter de la maîtriser. Après quelques minutes d'escarmouche amoureuse, le couple s'embrasse longuement. Soudain, un bruit tout près du balcon attire leur attention. Un jeune couple, abrité sous un énorme parapluie, revient à son condo avec un bébé couché dans son landau. Charles et Jasmine les saluent au passage. Ils regardent attentivement la poussette, mais n'y aperçoivent pas l'enfant. Après un long silence, entremêlé de réflexions de part et d'autre, Charles lance cette déclaration-choc à sa douce :

— Tu sais Jasmine, je trouve que malgré le temps qui passe, notre couple se porte bien, on s'amuse, on s'entend bien… Tu sais quoi ? Je commence à avoir hâte qu'on fasse un enfant ensemble.

— C'est ça ! Toi, t'as juste hâte qu'on le « fasse », s'amuse-t-elle, croyant qu'il lui fait une blague grivoise.

— Non, je suis sérieux, corrige Charles, qui relève son cou afin de fixer Jasmine droit dans les yeux.

Jasmine, le regard vrillé dans celui de son amoureux, ne peut s'empêcher de saisir cette incroyable opportunité.

— Ouais, je crois aussi qu'on serait prêts à avoir des enfants ensemble, mais tu sais, dans la vie, je privilégie beaucoup le cheminement par étapes…

— Quoi ? Tu voudrais qu'on s'achète une maison avant ? C'est assez grand ici pourtant, du moins pour un premier enfant.

— Non, je ne parle pas de maison…

Charles, qui n'est pas niais, comprend ce à quoi sa conjointe fait allusion. Il repose sa tête sur la chaise longue et détourne légèrement le regard avant de dire, comme si c'était une évidence :

— Tu parles de mariage, toi.

Jasmine reste silencieuse pendant quelques instants, en sachant très bien que son mutisme fait office de réponse. Charles reste à son tour bouche bée, les yeux encore plus détournés de sa blonde. Il scrute le plancher de bois pour marquer son désintérêt relativement à la proposition de Jasmine. En soupirant, il exprime :

— Moi je trouve ça compliqué pour rien le mariage, tout l'aspect juridique, le prix, ça sert à rien dans le fond. Quand je t'ai rencontrée, tu ne semblais pas avoir besoin de ça pour être heureuse.

Jasmine ne répond pas. Elle sort plutôt de sous son chandail une chaînette en argent au bout de laquelle pend un petit crucifix. Elle tâtonne l'objet en réfléchissant.

— Pour l'engagement ! ajoute Jasmine, convaincue.

— C'est quoi ça ? demande Charles, ahuri, en prenant le pendentif entre ses doigts.

— Ah ! Les membres du groupe en portent tous une en guise d'engagement, ment-elle en souriant, faussement béate devant la croix.

En réalité, Jasmine s'est procuré le bijou, pour quelques dollars, dans un magasin à grande surface.

« Qu'est-ce que c'est que cette histoire ? » se préoccupe Charles, abasourdi de voir sa blonde arborer ostensiblement un emblème aussi symbolique. Se rappelant leurs discussions au cours desquelles Jasmine clamait « l'acceptation de ses valeurs », il ne donne pas suite à son questionnement initial, de peur de déclencher un autre tsunami.

— C'est juste que je ne pensais jamais me marier à l'église, et là, je réalise que c'est beaucoup plus important pour toi que je ne le croyais, réfléchit à haute voix Charles.

Jasmine, peu bavarde à la suite de ce dernier commentaire, esquisse allégrement un sourire aux lèvres. Songeuse, elle s'imagine la scène de son futur mariage sur la plage, la douce brise humide de la mer, les fleurs, la musique exotique, les perles de sa belle robe blanche miroitant au coucher du soleil… Indépendamment de sa gageure, l'idée de se marier sur une splendide plage s'est frayé un chemin dans sa tête depuis les dernières semaines. Venant du simple défi au départ, le rêve s'est solidement cristallisé dans son cœur.

— Mais si un jour tu te décides à m'épouser, cela devra être fait en bonne et due forme, avec une belle demande romantique, propose-t-elle, insistante.

— En plus ! Bon, je te sers un bon verre de vin pour te soûler afin que t'oublies tout ça.

Elle plisse le nez pendant que Charles se dégage pour se lever de la chaise longue. Il rentre dans la maison, puis se retourne pour lui envoyer un clin d'œil.

« Il va le faire ! Je le sens ! » se réjouit Jasmine en étudiant avec attention son amoureux qui s'éloigne petit à petit de sa vue.

Samedi, appartement de Steve

En se remémorant l'article qu'elle a lu quelques semaines plus tôt dans une revue et qui était intitulé : « Dix façons de faire plaisir à son homme autrement que par le sexe », Stéphanie se souvient du conseil numéro 4 qu'on y prodiguait : « Pour une fois, louer des films juste pour lui. » Steve a donc carte blanche pour le choix du long métrage ce soir à la télévision payante. Sans hésitation, il opte pour le dernier film d'horreur, en précisant toutefois à sa blonde :

— Tu ne chialeras pas, hein ?

— Ben non, je suis parfaite ! Tu le sais que je n'aime pas ça, mais ça me fait plaisir !

Surpris, mais reconnaissant, Steve s'installe confortablement sur le canapé après avoir embrassé tendrement sa conjointe sur la joue.

Après dix minutes d'écoute attentive dans un silence absolu, Stéphanie se permet un commentaire :

— C'est ben dégueulasse !

Le scénario, déjà sanglant, présente diverses scènes de meurtres en rafale, toutes plus explicites les unes que les autres.

Stéphanie, partiellement enfouie sous une douillette pour la protéger visuellement des plans qui la perturbent, déroge à sa promesse en commentant les séquences avec dégoût.

— Ben voyons ! Il va lui couper la jambe !

— …

— Ark ! Quessé ça !

Peureuse de nature, Stéphanie déteste depuis toujours ce genre de films. D'ailleurs, elle n'en a pas visionné depuis plusieurs années. Indulgent, Steve tolère ses commentaires jusqu'à la moitié du film. Cependant, après plus de 45 minutes d'écoute, sa patience commence à s'effriter.

— Dégueu ! Pourquoi elle entre là ? C'est sûr qu'il va la découper en morceaux… C'est vraiment con ! rugit Stéphanie devant le scénario peu crédible.

— Chut, murmure Steve, un peu irrité de l'entendre maugréer de nouveau.

Comme il fallait s'y attendre, la scène suivante montre l'assassin en train de tronçonner la fille et celle-ci crie à pleins poumons. Stéphanie sursaute et commente, fâchée :

— C'est vraiment prévisible, je le savais… Aaaark, dégueulasse ! Il lui coupe les doigts un par un.

Steve pousse un soupir de frustration et Stéphanie poursuit ses remarques :

— Eh oui, après il va tuer la fille aux gros seins qui se trouve dans le spa, c'est sûr ! Il faut toujours qu'une fille aux gros seins apparaisse quelque part…

— Bon là, c'est assez ! Si tu ne veux pas ÉCOUTER le film, va ailleurs, Steph ! Avoir peur c'est une chose, mais là tu fais juste chialer depuis 45 minutes !

— Bon c'est beau ! Je vais aller AILLEURS… Regarde-le ton film ! s'insurge Stéphanie en se dirigeant vers la chambre de Steve.

Celui-ci la laisse partir sans mot dire. Il songe : « C'était son idée… », puis replonge dans son film. Stéphanie avait vu juste, car la fille aux gros seins se fait brutalement assassiner après que les bretelles de son haut de bikini se soient malencontreusement détachées.

Stéphanie, frustrée, s'assoit sur le lit de son copain en réfléchissant : « Je ne fais jamais rien de bien, il n'est jamais content ! D'accord, je tente de faire des efforts pour lui faire plaisir, mais lui, il n'en fait aucun. C'est de la marde ! Je m'en vais ! »

Elle ramasse ses quelques affaires et lui annonce qu'elle rentre chez elle.

— Voyons donc ! C'est ridicule, Steph ! répond-il les bras en l'air.

— Je suis ridicule ? C'est ça ! réplique-t-elle avant d'ouvrir la porte.

Elle sort de l'appartement. Il se lève pour vérifier qu'elle est bien sérieuse dans son intention. Eh oui, il entend le vrombissement du moteur et voit passer le véhicule de Stéphanie devant la fenêtre du salon.

« Je n'en reviens pas ! Ça ne va plus du tout, là. Je ne comprends plus rien, moi ! » Les cris le ramènent au cœur de l'action de son film d'horreur, dont le déroulement est peu surprenant. Il en poursuit tout de même le visionnement.

Moins de dix minutes plus tard, il reçoit un message texte :

(Ça ne te fait rien que je sois partie ?)

Il soupire et répond machinalement tout en regardant la télévision d'un œil.

(Est-ce que j'ai eu le temps de dire quelque chose ?)

Il se replonge dans son film. Son cellulaire vibre de nouveau.

(Qu'est-ce que t'aurais voulu me dire ?)

Blasé, il réécrit.

(Si t'étais pas partie, tu l'aurais su. Je retourne à mon film. XX)

Stéphanie ne répond pas, insultée par sa dernière réplique.

Dimanche, appartement de Pierre-Luc et Annie

Pierre-Luc se lève tôt, de bonne humeur et fringant, après la nuit d'amour torride qu'il a eue avec sa douce. Voulant lui faire plaisir, il s'affaire tout d'abord à ranger la cuisine avant de commencer le lavage. Comme le couple est plutôt traditionnel en ce qui touche à la division des tâches, la lessive ne fait habituellement pas partie de ses corvées hebdomadaires. En ouvrant le couvercle de la machine à laver, il tombe sur des serviettes. Celles-ci sont lavées, mais pas séchées ; il ouvre donc la sécheuse pour terminer la tâche qu'Annie a dû oublier d'achever la veille. Constatant également la présence de vêtements dans l'appareil, il estime : « Décidemment, elle avait beaucoup de choses à préparer, hier ! » Il sort les vêtements de la sécheuse pour y glisser les serviettes. Il commence à plier grossièrement le linge qu'il croit propre. Il empoigne un premier morceau, suivi d'un deuxième, et se rend compte qu'il ne reconnaît pas les habits qu'il plie. « C'est quoi ça ? » se demande-t-il en observant une jupe en jeans très courte, une camisole noire sans manches assez échancrée et une grosse ceinture noire. « Pourquoi il y a une ceinture dans la sécheuse ? » s'interroge-t-il.

Il réfléchit un moment avant de déduire : « Ça ne peut appartenir à personne d'autre qu'elle. Quand porte-t-elle des trucs aussi osés ? Quand elle sort… »

Il repose les vêtements sur la sécheuse, persuadé de la véracité de son hypothèse. Confus et inquiet, il poursuit la lessive en réglant la laveuse au cycle adéquat. En voulant saisir le savon dans l'armoire qui surplombe les appareils électroménagers, il s'inquiète : « Décidément, elle veut être *sexy* quand elle sort, mais il y a une limite ! Ces vêtements sont vulgaires… » Lorsqu'il attrape le récipient de savon liquide, un sac tombe sur la pile de vêtements suspects restés pêle-mêle sur la sécheuse. Il regarde à l'intérieur du sac, croyant y trouver une boîte de feuilles d'assouplissant textile. Cependant, contre toute attente, il y déniche plutôt une boîte, sur l'emballage de laquelle est inscrit : « Sous-vêtement mangeable ».

— Hein ? fait-il à haute voix, trop surpris de sa découverte.

« Des bobettes mangeables ? Pourquoi Annie possède-t-elle ça ? Pourquoi cache-t-elle ça ? Son linge aguichant, des objets érotiques… »

— Je peux entrer, chéri ? demande Annie, qui se tient de l'autre côté de la porte.

Pierre-Luc, sans réfléchir, replace la boîte dans le sac pour la remettre rapidement dans l'armoire, derrière la bouteille d'assouplissant textile. Il fait un tas grossier par terre avec les habits sortis de la sécheuse et continue d'effectuer sa tâche, comme si de rien n'était.

— Oui, entre ! l'invite-t-il, jovial.

En bâillant, Annie l'embrasse sur la joue avant de se diriger vers le miroir, dos à lui. Elle remarque dans le reflet de la glace que ses vêtements de *barmaid* jonchent le plancher parmi d'autre linge sale. « Merde, il a vidé la sécheuse… », se rend compte Annie, encore endormie. Elle voit la boîte de son sous-vêtement mangeable qui dépasse légèrement de la porte de l'armoire restée entrouverte.

— Depuis quand tu fais du lavage, toi ? rigole Annie, comme si cela l'amusait réellement.

— Pour te faire plaisir, mon chaton ! lui précise Pierre-Luc, très concentré sur sa tâche.

« Bon, je suis certaine qu'il n'a pas vu la boîte en haut de l'armoire et qu'il n'a pas remarqué les vêtements dans la sécheuse… Les gars sont tellement dans la lune, de toute façon », se rassure-t-elle, voyant que l'attitude de Pierre-Luc semble normale.

— Laisse mon poussin, je terminerai le lavage. C'est ma tâche, après tout ! le presse Annie en le poussant délicatement vers la sortie.

Il quitte la pièce sans broncher, triste de sa découverte et surtout ambivalent quant à la façon d'aborder le sujet avec elle. Annie referme aussitôt la porte, en soupirant de soulagement. Elle dissimule davantage les vêtements *sexy* dans la pile d'habits sales et prend le sac dans ses mains pour finalement aller le cacher dans sa chambre.

« Ouf ! Je l'ai échappé belle ! » se dit-elle.

SEMAINE 6

Lundi, terrain de balle dans l'arrondissement Laberge

— Je vous le jure, ça ne va pas mieux, moi, mes affaires ! débute Steve en se tournant vers Brandon assis près de lui dans la cabane de baseball.

— T'es encore « pas bon » avec ta blonde ? le taquine Brandon, en hochant la tête en signe de découragement.

— Avec tes théories de marde aussi, accepter le blâme en passant des messages subtils et blablabliblabla… Je suis nul, et la vérité : ça me fait chier royalement ! Pourquoi je ferais ça ? Je me sens comme un clown ! Non merci…

Entrecoupé de séquences d'applaudissements pour encourager les joueurs qui s'apprêtent à frapper, Steve raconte la scène de samedi lorsqu'il regardait un film avec Stéphanie. Les gars l'écoutent, plus ou moins attentifs.

— Tu t'y prends mal, confirme Brandon.

— Je le sais, mais au moins, je dis ce que je pense.

— Vous êtes peut-être mûrs pour une pause afin de réfléchir pour savoir si vous êtes encore bien ensemble, avance Charles.

— Je commence à le penser, approuve Steve, qui attrape le bâton que le joueur a lancé au sol lorsqu'il est revenu au banc.

Mais ça fait ado en osti. On prend un *break*, ajoute-t-il avant de se rendre au marbre.

— Moi, ma blonde est bizarre depuis qu'elle participe à son groupe religieux, et tu sais quoi, Brandon ? Je crois que Jasmine fait partie de la même race que la tienne, confesse Charles.

— De quoi tu parles ? s'intéresse Brandon.

— Elle veut vraiment se marier ! déclare Charles, l'air abasourdi.

— Oh ! Elle en discute encore ? En effet, ça se chronicise ! confirme-t-il en se grattant le menton.

— Peut-être que son groupe, c'est une secte pour le mariage, exagère Pierre-Luc pour le taquiner.

— Ben non ! répond Charles en plissant ensuite le front, comme s'il analysait cette possibilité.

— Et toi, tu veux te marier ? s'informe Brandon.

— Bah, non ! Je n'y tiens pas vraiment, mais si ça gâche sa vie de ne pas le faire, je me remets en question… En tout cas, une chose est certaine, ma mère sauterait de joie ! Mais avant, je veux vérifier d'où ça vient ces idées-là, tout d'un coup, ajoute Charles avant de demander à Pierre-Luc : Ça va, toi ?

— Ouais, ouais, affirme vaguement Pierre-Luc, qui empoigne le bâton puisque c'est maintenant à son tour de frapper.

Charles lance un regard sceptique en direction de Brandon. Les deux gars semblent comprendre que quelque chose cloche à nouveau. Steve, touchant du bout de son pied le premier but, encourage bruyamment Pierre-Luc en criant, les mains sur les hanches.

***

À la fin de la partie, Pierre-Luc annonce à ses amis qu'il rentre directement chez lui. Les gars le saluent sans broncher. Brandon le suit tout de même jusqu'à son véhicule.

— Ça va pas toi, hein ? demande celui-ci, en regardant Pierre-Luc ranger son équipement dans le coffre.

— Non, c'est beau, réplique-t-il, un signe de main en l'air pour lui signifier qu'il ne veut pas en parler.

— Comme tu veux. S'il y a quelque chose, appelle et n'oublie pas : on ne joue pas jeudi.

— C'est vrai, je m'en souvenais plus.

— Bye.

— Ciao !

Mardi, bureau des Assurances Paix d'Es-Prix

Pour ne pas être remarquée, Stéphanie feuillette une revue posée à plat sur ses genoux. Un des sujets de la page couverture a piqué sa curiosité : « Le succès dans le couple : l'art de l'indépendance. » Ayant délaissé l'article « Dix façons de faire plaisir à son homme autrement que par le sexe », elle dévore celui-ci avec beaucoup d'appréhension. « L'art de l'indépendance… Ouin, ouin, ouin… », pense-t-elle en le parcourant rapidement. Elle se rappelle, honteuse, les dernières semaines passées en compagnie de son amoureux : l'épisode du cabanon, qui s'est transformé en querelle ; sa visite-surprise à la partie de baseball, qui fut plus ou moins appréciée ; l'épisode des lunchs au chantier, qui se transforma en sujet de dispute ; puis le film… Chaque fois, le problème s'avérait le même : Steve voulait préserver certaines de ses activités sans elle. « Il ne me trouve pas assez indépendante… », conclut-elle. Elle réfléchit aussi à l'information qu'elle a obtenue sur Annie, le fameux samedi soir où chacun se réprimandait : « Elle sort toutes les semaines avec ses amies… Elle a compris le truc, elle ! Elle fait son indépendante ! »

Elle texte son chum pour lui demander de l'appeler lorsqu'il aura terminé de travailler. Celui-ci, en voyant le message sur son téléphone, envisage le pire : « Merde, une autre belle chicane à venir… »

Il s'exécute tout de même dès qu'il entre dans son véhicule, conscient qu'une discussion doit avoir lieu à propos de la querelle du samedi soir. De plus, Stéphanie boude depuis ce samedi-là. Contre toute attente, celle-ci lui répond sur un ton joyeux.

— Allo !

— Allo…, hésite Steve. T'es plus fâchée ?

— Non et tu sais quoi ? Je comprends tout ! Depuis un certain temps, je tente de me rapprocher de toi et je finis par te taper sur les nerfs…

Steve l'interrompt :

— Exagère pas bébé, c'est pas si pire quand même…

— Non, non, laisse-moi finir. Donc je te tape sur les nerfs, car je m'y prends mal, mais là, j'ai compris et je veux te dire que je vais être plus indépendante dorénavant.

— OK, acquiesce-t-il, ne sachant trop que répondre.

— Concrètement, je vais..., Stéphanie hésite en cherchant l'encadré qui résume l'article.

Elle le récite presque intégralement...

— Je vais préserver des activités pour moi, avec mes amis ou ma famille, je ne vais pas t'appeler pour savoir où tu es, je respecterai les moments de loisir individuels de votre chum... euh...de toi... tes moments de loisir...

— OK, mais là, je m'ennuie de toi ! commente Steve, content que sa compagne semble comprendre quelque chose de positif dans tout ça.

— On va se voir cette semaine !

— Ce soir peut-être ?

— Non, je suis occupée.

— Ah oui ?

— J'ai une activité, répond Stéphanie en restant vague.

— C'est quoi ?

— Un cours de golf, improvise-t-elle.

— Partie comme ça, tu vas devenir meilleure que moi ! blague Steve. On se parle demain alors. Bonne soirée !

— Je t'aime, bye.

— Je t'aime aussi.

Elle raccroche, contente de la discussion mais déçue de ne pas le voir. « Non, je dois réellement être indépendante… », conclue-t-elle. « Et je pourrais même aller m'entraîner au golf pour vrai… même si j'y suis allée hier… », envisage-t-elle en songeant à Martin, un petit sourire aux lèvres.

Mercredi, terrain de golf Détente

En arrivant dans le stationnement, Stéphanie envoie un signe de la main à Martin, qui s'y trouve tout près avec une cliente. Lorsque celle-ci s'en va, Martin s'approche d'elle.

— Allo ! Je suis chanceux ! Tu étais avec moi hier et tu y es encore ce soir ! Wow !

Stéphanie lui fait un sourire charmant en disant :

— Tu travailles ?

— Non, c'était mon dernier cours privé de la soirée. Pourquoi ? Tu veux qu'on sorte ensemble ? proclame Martin, comme si c'était ce qu'elle avait demandé.

— Non, mais jouer au golf, peut-être !

Martin regarde sa montre.

— On aurait le temps pour neuf trous vite faits bien faits !

— Une vraie partie ?

— C'est moi qui t'invites en plus. Mets tes souliers et rejoins-moi au départ. Je vais chercher mes affaires.

Excitée de jouer enfin son premier vrai match, Stéphanie retourne à son véhicule pour vérifier sa coiffure et son maquillage. Elle refait quelques retouches çà et là avec ce qu'elle trouve dans son sac à main.

Au trou de départ, Martin s'affaire à bien attacher son sac dans la voiturette électrique.

— Votre carrosse de princesse, madame ! prononce-t-il, solennelle, lorsqu'elle le rejoint.

— Toi tu sais comment impressionner une femme ! ajoute-elle ironique, en observant la minivoiturette de couleur crème arborant un logo latéral vert foncé quelque peu défraîchi.

Martin s'esclaffe en la regardant. Il la trouve drôle, elle le sent. Quel sentiment agréable pour elle que de faire rire un homme ! Lorsqu'ils prennent place côte à côte sur le petit siège avant, il se tourne vers elle et déclare :

— Je suis vraiment chanceux... Et c'est parti !

Stéphanie réalise d'assez bonnes performances pour le premier trou. Elle paraît visiblement très impressionnée par les coups de Martin qu'elle ne croyait pas si bon.

— T'es un pro ! commente-t-elle en le voyant faire un coup fluide et précis qui atterrit à quelques pouces du drapeau.

Ils se rendent en voiturette au trou suivant en bavardant. Soudain, Stéphanie semble avoir un éclair de génie.

— Ton week-end de golf, c'était comment ?

— Bah, le tournoi était bien, j'ai terminé deuxième, mais pour le reste du week-end, c'était bof… La fille qui m'accompagnait était plate.

Stéphanie, piquée par la curiosité mais aussi par une pointe de jalousie, demande sans gêne :

— C'était qui ? Tu ne la connaissais pas ?

— Ah, juste un peu. C'est une fille que mon cousin veut absolument que je fréquente. Supposément la femme de ma vie ! On est sortis ensemble quelques fois avant, c'est tout.

— Elle ne te plaît pas ? Elle est comment ? poursuit Stéphanie, de plus en plus intriguée.

— C'est sans intérêt… Parlons d'autre chose : toi, t'as quitté ton chum pour moi ou pas encore ?

Stéphanie roule des yeux en le voyant encore si sûr de lui.

— Non…

Il ne commente pas et descend de la voiturette ; puis, il s'éloigne afin de frapper la balle à partir de l'endroit désigné pour le coup de départ des hommes.

— Tu connais la règle au golf pour le premier coup ?

— Non.

— Si un homme fait sa *drive* d'ici et que la balle ne dépasse pas le départ des femmes, ce qu'on appelle le *tee off*, juste devant, là-bas, il doit payer la bière à la fin de la partie.

— Pas de danger que ça t'arrive à toi ! s'amuse Stéphanie en l'épiant de loin.

Martin effectue un mouvement puissant, levant son bâton haut dans les airs vers la droite. Il amorce sa descente de façon à laisser présager un coup impressionnant. Cependant, à mi-chemin, il s'arrête d'un seul coup pour percuter légèrement la balle, qui avance d'à peine plus de trois mètres.

— Qu'est-ce que tu fais ?

— Zut ! Je n'ai pas dépassé le *tee off* des femmes ! Je dois payer la bière après la partie ! Ça me fait suer ! plaisante Martin, faussement frustré en s'approchant de sa balle pour la frapper de nouveau.

Il exécute sans difficulté un beau coup fluide, haut dans les airs et bien droit.

— Tricheur !

— Je n'ai pas triché, je l'ai vraiment manqué ! Complètement déconcentré… Je te regardais, se défend-il en désignant de la main l'endroit où Stéphanie doit frapper la sienne.

Stéphanie lui sourit. Elle le trouve si charmant et si en contrôle dans ce sport tellement difficile à maîtriser, selon elle.

***

Quelques heures plus tard, sur la terrasse du bistro du golf, Martin remplit pour la deuxième fois le verre de bière pression de Stéphanie, lorsqu'un employé les y rejoint.

— J'ai terminé. Je m'en vais.

— Parfait ! Je fermerai, lui confirme Martin.

— Bonne soirée !

Le téléphone de Martin sonne ; il s'agit d'un message texte. Stéphanie se dit : « Je n'ai même pas mon cellulaire sur moi, il est dans l'auto… Pas grave, je suis indépendante maintenant ! »

— Qu'est-ce que je te disais donc ? Ah oui ! Que tu étais belle, c'est ça ?

Stéphanie glousse de nouveau en rougissant. Sous le regard de Martin, elle se sent non pas jolie, mais la plus sublime de toutes ! Un sentiment de culpabilité l'envahit ensuite et elle réplique :

— Martin, arrête ça ! On est des amis…

— Des amis ! C'est ça ! Je pense à toi tous les jours depuis que je t'ai vue ici pour la première fois, mais oui, c'est vrai, on est des amis ! Je me demande chaque soir si je verrai ta voiture entrer dans le stationnement, mais oui, je te jure, on est juste des amis ! Je sens que, pour la première fois depuis longtemps, j'ai enfin rencontré une fille qui me plaît vraiment… Mais comme tu dis, c'est super, on est des amis !

Stéphanie, touchée par les aveux de Martin, réfléchit : « Steve n'aurait jamais été capable de me dire le quart d'une révélation de ce genre… »

Ayant peur de créer un malaise persistant ou d'entendre la riposte de Stéphanie au sujet du missile amoureux qu'il vient de larguer, il lui propose une distraction :

— Je veux te montrer quelque chose. Je vais à l'intérieur nous chercher une « bière de route ».

Stéphanie, curieuse, le suit. Il attrape deux bières dans le frigo du bar, griffe une note sur une feuille de papier et se dirige vers une voiturette de golf, restée près des escaliers qui mènent à la terrasse.

— Tu verras, c'est paradisiaque ! commente-t-il en guise de préambule pour décrire l'endroit où il l'emmène.

Dans un silence presque absolu, la voiturette électrique ne produisant qu'un bruit à peine audible, ils admirent le paysage assombri par le déclin du jour et par le soleil se couchant sur le vaste terrain de golf. Lorsqu'ils arrivent à la fin du parcours d'un des trous, Martin amorce avec l'engin la montée d'une butte assez escarpée.

— Tu crois qu'on arrivera à monter ça ? se moque Stéphanie en voyant le moteur électrique ronfler.

— Ne crains pas !

Comme promis, la voiturette réussit à gravir le monticule. Au sommet, Martin effectue une manœuvre vers la gauche, afin de réaliser un tour complet du véhicule, pour revenir face à la pente la plus abrupte du versant. Il tourne la clé de contact en prononçant :

— Voici la plus belle vue du terrain pour la plus belle fille du terrain...

Le panorama est effectivement extraordinaire et, de cet endroit, on aperçoit presque la totalité du circuit de 18 trous. Les lampadaires halogènes qui éclairent le gazon vert forêt ajoutent une touche de magie à ces étendues de verdure, découpées de façon à former des couloirs bien précis. Stéphanie, subjuguée devant ce paysage si singulier et si linéaire, reste silencieuse.

— Je viens tout le temps ici quand tout se bouscule dans ma tête et que je me pose trop de questions. On dirait que les lignes de coupe de gazon si définies m'aident à voir clair, explique Martin à cœur ouvert.

Stéphanie se tourne vers lui, charmée par l'endroit, mais surtout par les caractéristiques quasi spirituelles que Martin attribue à ce lieu. « Il est trop mature sur le plan affectif ce gars-là ! » se dit-elle. Elle fixe une fois de plus ses lèvres invitantes. La sentant réceptive, Martin ose s'avancer doucement. Elle angoisse en fermant les yeux : « Merde ! Je ne peux pas, je ne peux pas… » Tout à coup, un clapotis d'eau se fait entendre. Dans un rythme presque parfait, les gicleurs du terrain, programmés automatiquement, se déclenchent tous en même temps. « Tccch ! Tccch ! Tccch ! »

— Eh ! On va être trempés quand on rentrera ! se soucie Stéphanie, qui a détourné la tête pour constater la scène.

— Onnnnn… Je ne savais pas que ça allait se mettre en marche, ment sans scrupule Martin.

— Menteur ! crie Stéphanie en le frappant amicalement sur le bras.

— Ils sont partis juste une minute trop tôt, par contre ! Mais ce qui est vraiment dommage, c'est que tu portes un polo blanc ! la nargue Martin avant de tourner la clé et d'appuyer sur l'accélérateur.

Stéphanie lui envoie un autre coup sur l'épaule, avant de se cacher la poitrine avec ses bras afin d'éviter d'être trempée.

Mercredi, sous-sol de l'église chrétienne de l'arrondissement Laberge

En arrivant dans le parc de stationnement de l'église, Jasmine se tourne vers son conjoint.

— Honnêtement, je ne crois pas que ce soit une bonne idée que tu viennes avec moi…

— Chérie, tu devrais pourtant être contente, je m'intéresse à ta vie spirituelle !

— On doit être inscrit pour intégrer le groupe, tente Jasmine afin de dissuader Charles d'entrer avec elle.

— Écoute, je vais demander au pasteur le droit d'entrer et s'il refuse, je partirai.

— Le pasteur ? rétorque Jasmine, les sourcils arqués en accent circonflexe.

— Celui qui est en avant, là ! Le prêtre ! Mon père ! Je le sais-tu ? lance Charles en agitant les mains de façon à la presser de sortir de l'automobile.

Jasmine, un peu inquiète, tente de se convaincre : « Hish, pas certaine que ce soit une bonne idée… Même si ce pourrait être une bonne façon pour lui de croire réellement en ma démarche… »

En entrant, ils constatent qu'ils sont les derniers. Tout le groupe se retourne en voyant un inconnu pénétrer dans la pièce. Suzie, troublée, amorce une série de mouvements de la tête, qui va de gauche à droite et vice-versa ; bien que gênée de regarder Charles, elle ne peut toutefois s'en empêcher. Jack se met à bouger nerveusement sur sa chaise ; il croit probablement qu'il s'agit d'un agent de probation et que ce dernier vient vérifier son engagement dans son groupe religieux. Denis, qui observe le sol l'air dépressif, jette un coup d'œil en direction de Charles, puis soupire en revenant à son point focal : le plancher. Jérémy lorgne Charles, le regard mi-curieux, mi-agressif. Rose, Émile et Georges sourient en voyant le couple et déduisent qu'il doit être le futur marié…

— Bonjour, je vous présente Charles, annonce Jasmine, un faux air enjoué peint sur le visage.

Jack relâche les épaules, soulagé de cette information. Suzie sourit timidement à Charles. Denis fixe toujours le sol.

— Ah bon, c'est lui le futur…, commence Rose, enthousiaste.

Jasmine lui coupe la parole avant qu'elle n'ait le temps de prononcer le mot « mari ».

— Oui ! Il va être ici en tant que spectateur, si personne ne s'y oppose.

— C'est un groupe fermé. Nous avons commencé depuis déjà quatre semaines ! Je ne crois pas que les gens seront à l'aise, tente de le dissuader Jérémy.

Le curé fait un signe en direction de Jérémy pour lui signifier de se taire.

— La maison de Dieu ouvre ses portes à tous ses fidèles, approuve le prêtre en approchant une chaise supplémentaire dans le cercle.

— Bienvenue mec ! lance Jack, le doigt pointé dans sa direction en claquant bruyamment de la langue.

Charles lance un regard douteux à Jasmine après avoir souri poliment au motard à l'apparence peu chrétienne.

— Je suis sobre depuis un mois et trois semaines, enchaîne machinalement Denis, toujours hypnotisé par le couvre-plancher en linoléum beige.

Par automatisme et dans un naturel surprenant, tout le monde l'acclame en tapotant des mains dans un rythme plus ou moins coordonné. Charles, un peu en retard dans ses applaudissements, s'exécute en dévisageant de nouveau Jasmine, confus.

— Il prenait du crack accoté, déclare Jack en direction de Charles pour le mettre dans le contexte.

— Du CRACK ! répète Suzie dans un spasme verbal accompagné d'un mouvement de l'avant-bras en direction de Charles.

Celui-ci recule juste à temps pour éviter le coup. Il jette un regard de plus en plus inquiet vers sa blonde qui semble, selon lui, trouver la situation beaucoup trop normale. Un regard voulant dire, bon an, mal an : « Qu'est-ce que c'est que ce groupe de fous ? »

— Le sujet d'aujourd'hui vous plaira particulièrement, s'emballe Rose en regardant Charles.

— Ah oui ? répond celui-ci, l'air faussement intéressé.

— Nous discuterons de l'importance de l'engagement dans toutes les sphères de notre vie, lui explique Émile, ô combien content !

— Oui, comme le mariage dans l'AMOUR de Dieu, précise Jérémy en l'examinant de façon mesquine.

— Ou simplement l'engagement dans un groupe comme celui-ci, renchérit Georges, qui désigne tout le monde en faisant des mouvements circulaires avec ses mains.

— D'accord, acquiesce Charles, complètement dépassé par les événements.

— Moi, quand je me suis marié à Vegas, je connaissais la fille depuis à peine une heure, mais dès que je l'ai aperçue dans le bar avec son *tattoo* de panthère qui descendait le long de son corps, je savais que c'était LA bonne… Après avoir baisé comme des bêtes, on avait le droit puisqu'on était mariés, elle a volé toutes mes affaires dans ma chambre d'hôtel. Je pouvais pas savoir moé que c'était une escorte ! Voleuse en plus ! Aïe ! Un kilo de coke ! se remémore Jack, avec amertume.

— Un kilo ! fantasme Denis, les yeux exorbités de désir.

Tout le monde reste bouche bée ne sachant que dire.

— Un KILO ! répète machinalement Suzie, semblant ne pas savoir de quoi il s'agit.

Charles panique : « Je ne peux pas rester ici une minute de plus avec cette bande d'anormaux… » Il se lève sans réfléchir.

— Désolé tout le monde ! J'ai une urgence au bureau… Je dois vous quitter ! Chérie, je reviens te chercher dans deux heures ! Bye.

— Le téléphone n'a même pas sonné, souligne Jérémy, fier de déceler un mensonge chez l'intrus.

Charles part rapidement sans se retourner. Émile lui crie :

— Dommage ! Bon engagement à vous deux !

Il sort de la pièce. En arrivant près de son véhicule, il blasphème à haute voix, trop ébranlé par le choc.

— Câlisse ! C'est une secte de malades mentaux ça !

Il retourne chez lui en regrettant de ne pas avoir inventé un prétexte pour forcer sa conjointe à le suivre.

Mercredi, automobile de Charles

Dès que Jasmine prend place dans le véhicule, Charles rugit :

— Qu'est-ce que c'est ça, sti ?

— Quoi ? demande à son tour Jasmine, l'air innocent.

— Ton groupe religieux de fous à lier ! Le curé t'engage comme infirmière en santé mentale, c'est ça ? Tu me fais marcher et c'est une petite job d'appoint, hein ?

Jasmine le regarde, amusée, avant qu'il ne gesticule de nouveau :

— *Fuck* ! Ils s'en viennent par ici, déclare-t-il en apercevant certains membres du groupe se diriger à pied vers la station d'autobus, tout près du parc-autos où ils se trouvent.

— Tu capotes…

Jasmine descend sa fenêtre et leur envoie la main en proclamant tout haut :

— Vous allez tous me manquer ! Au revoir…

Charles pianote des doigts nerveusement sur son volant en attendant que Jasmine remonte sa vitre. Il hurle de nouveau :

— Je capote certain ! Ma blonde se métamorphose sous mes yeux en bonne sœur croyante qui veut se marier absolument, elle feuillette la bible, porte une croix, me parle de religion et là, je rencontre la secte qu'elle fréquente ! C'est sûr que je me questionne. T'as-tu vu les gens du groupe comme il faut ?

— Secte ? Franchement ! T'exagères ! T'as trop mal jugé, Charles ! Oui, il y a des gens qui ont certains problèmes, mais tu ne leur as pas laissé de chances en quittant après trois minutes !

— Certains problèmes ? Le gorille tueur à gages ? L'autre drogué au crack ?

— Ex-drogué. Denis est sobre depuis...

— Un mois et trois semaines ! Je le sais. Et la fille à côté de moi ? Je pensais tout le temps recevoir une claque dans la face. Et c'est sans parler du jeune à côté du curé qui me regardait comme s'il voulait me découper en morceaux ! C'est un psychopathe, lui ?

— Tu délires raide, là ! Je vais te rapporter des antipsychotiques du travail demain, se moque Jasmine en croyant que Charles exagère sa réaction dans le seul but de la faire rire.

— En tout cas, je ne veux plus que tu ailles là ! Ils vont te *fucker*, eux autres...

— Le groupe est terminé de toute façon. Ils vont me manquer, je tenterai de les revoir peut-être..., exagère de nouveau Jasmine afin de renforcer sa stratégie.

— Non ! Je vais t'aider moi !

Jasmine zieute son conjoint, pas certaine de bien saisir la signification de sa dernière phrase. « Merde, j'espère qu'il ne veut pas se mettre à lire la bible avec moi quand même... », appréhende-t-elle avec dégoût.

Mercredi, appartement de Steve

Steve a envoyé plusieurs messages à Stéphanie la veille, sans obtenir de réponse ; il décide maintenant de lui en laisser un dans sa boîte vocale :

« Allo bébé ! Je vois que tu prends ton rôle d'indépendante très au sérieux ! J'ai le goût de te voir... Donne-moi des nouvelles ! Euh... Je t'aime. »

Plus tard dans la soirée, il reçoit finalement un message texte d'elle.

(Salut Steve ! On peut se voir demain, si tu veux. Je vais m'entraîner au golf pendant que tu joueras à la balle en soirée, et on se verra chez toi après. Bonne nuit... XXX)

En lisant ce message, Steve décide de ne pas lui mentionner que, demain, il est en congé de baseball... Il a d'autres plans.

Jeudi, terrain de golf Détente

Stéphanie arrive au terrain de golf et ressent une certaine fébrilité à l'idée de revoir Martin. Elle se sent ainsi depuis hier et elle ne peut le nier. « Qu'est-ce que je suis en train de faire, là ? » angoisse-t-elle en se dirigeant vers le terrain. Elle avance tout de même d'un pas décidé, et aperçoit Martin qui donne un cours à un homme d'une cinquantaine d'années. Il lève la tête dans sa direction et lui envoie à la fois un sourire sympathique et un clin d'œil ravageur, puis il se remet à la tâche. Son visage était teinté de surprise, avec un fond de sincérité désarmante. Tout comme lorsqu'un ami, qui ne peut venir à votre souper d'anniversaire, se libère à la dernière minute et rejoint le groupe au moment du dessert.

Stéphanie pose son sac sur un support en bois, avant d'aller chercher un panier de balles à l'intérieur du club. Elle revient et s'exerce pendant un moment à son aire d'entraînement, jusqu'à ce que quelqu'un arrive derrière elle, sans surprise.

— Tu viens faire une balade en voiturette avec moi ? demande Martin en arborant un visage espiègle.

— Jamais ! Ta ruse de tenter de voir à travers mon chandail ne fonctionnera pas deux fois ! s'amuse Stéphanie.

— Non et je constate que tu as enfilé un polo bleu foncé. C'est vraiment décevant, se désole-t-il sans scrupule.

Stéphanie se retourne et s'approche de lui :

— T'es une espèce de golfeur-voyeur-à-la-con ! l'insulte-t-elle en le pointant du doigt.

Pendant un moment, ils rient bruyamment en se rappelant la scène de la veille. Puis, ils sursautent en même temps en entendant une voix tout près d'eux :

— Salut, bébé !

Leurs rires cessent aussitôt. Steve se dresse à moins de deux mètres d'eux, son sac de golf accroché à l'épaule, tout souriant. Soupçonnant de les déranger, il annonce :

— Surprise ! Je ne jouais pas au baseball, ce soir !

Il avance sans gêne et emprunte la trajectoire où Martin se trouve. Celui-ci doit reculer d'un bon pas pour ne pas être heurté par le sac de Steve.

— Excuse-moi… T'es qui, toi, au juste ? se renseigne Steve d'un ton quelque peu arrogant, mais confiant, du genre : « J'ai plus que le droit de le savoir... »

— Martin, c'est moi qui donne les cours de golf ici. J'enseignais justement quelques petits trucs à ta blonde, explique-t-il, diplomate, en regardant tout de même Steve droit dans les yeux.

— Des cours de golf ici ! Eille, belle affaire, je ne m'en doutais pas ! Donc Martin qui donne des trucs à ma blonde ! C'est super ça ! s'exclame Steve, sarcastique, en l'examinant effrontément de haut en bas.

Martin, qui soutient son regard, annonce, toujours avec diplomatie :

— Mais comme tu viens d'arriver, je te laisse le soin de la guider dans ses apprentissages.

Martin sourit à Stéphanie avant de tourner les talons, puis il retourne à l'intérieur. Celle-ci détache ses yeux des siens, honteuse de ce qui vient de se produire. Elle a même craint que la situation ne s'envenime entre les deux mâles alpha. L'un défendait sa femelle et l'autre son territoire… Pour se convaincre que rien de louche ne venait de se passer, elle agrippe son bâton pour tenter de frapper une balle.

— Je me trompe ou tu n'as pas l'air contente de me voir ? spécule Steve, toujours aussi arrogant.

— Eille ! Arrête de me faire ton petit air de gars supérieur. Depuis quand sais-tu que tu ne joues pas au baseball ce soir ? l'interroge-t-elle en s'appuyant sur son fer sept, le regard sévère.

— C'est vraiment pas le point important de la situation !

— Oui, parce que si t'as organisé un coup monté pour venir me surveiller…

— Je viens de le savoir, ment Steve, orgueilleux. Donc, c'est lui le petit fif qui t'enseigne le golf ?

— Arrête donc ! T'as vraiment un problème ! réplique Stéphanie, faisant inconsciemment un contre-transfert de sa propre culpabilité.

— MOI, j'ai un problème ? Écoute Stéphanie, tu passes plus d'un mois dans mes bottes à vouloir faire tout ce que je fais et à venir me voir tout le temps, et là, d'un coup, paf ! Tu deviens indépendante et je te vois plus du tout ! Tu sais quoi ? Je pense que tu passes beaucoup de temps ici, moi…

— De toute façon, je ne suis jamais correcte pour toi… Regarde, tu me rappelleras quand tu sauras comment me dicter EX-AC-TE-MENT la conduite que tu veux que j'adopte pour que je devienne ton petit chien ! rouspète-t-elle en insérant brusquement son fer dans un orifice de son sac de golf avant d'empoigner celui-ci pour se diriger vers sa voiture.

Jeudi, appartement de Pierre-Luc et Annie

Comme son conjoint ne semble pas se préparer pour la partie du jeudi soir, Annie tente de le presser discrètement :

— Tu vas être en retard, mon poussin !

Elle observe l'horloge ; sa plage horaire de téléphone érotique débutera dans quelques minutes.

— Ah ! Je ne joue pas ce soir ! Je passe la soirée avec toi, mon chaton ! lui annonce-t-il, heureux.

Annie le regarde, désemparée. Tout se bouscule dans sa tête : « Merde, ce satané cellulaire va se mettre à sonner dans quelques minutes et je dois aller travailler au bar... »

— Zut ! J'ai quelque chose ce soir... Les filles de la garderie... On se rejoint pour le souper, lance-t-elle en se précipitant dans sa chambre, de peur qu'il ne décèle le double mensonge dans son regard.

Il ne la suit pas, frustré de la voir encore partir il ne sait où. Paniquée, Annie éteint le cellulaire en enfouissant à la hâte ses vêtements de travail dans un sac. Elle passe à la salle de bain pour attraper sa brosse à dents électrique et la glisse également dans le sac. Elle repasse devant lui rapidement en lui disant :

— On se voit plus tard, bonne soirée !

En pénétrant dans sa voiture, Annie rumine : « C'en est trop, il va se douter de quelque chose. Je vais annoncer à Tammy ce soir que c'est ma dernière soirée au bar... »

Pierre-Luc, décontenancé, prend ses clés et attend de voir l'auto d'Annie passer devant l'immeuble avant de se diriger à son tour vers son véhicule.

« C'est assez ! Ce soir, je vais en avoir le cœur net... » se dit-il en démarrant le moteur.

Jeudi, arrondissement Laberge

Il la laisse prendre un peu d'avance sur la route afin de la suivre de loin. En chemin, il anticipe déjà la découverte qu'il fera : « Elle me trompe, c'est sûr... » En l'apercevant tourner dans un grand parc de stationnement industriel, Pierre-Luc continue afin d'éviter d'être repéré. Il se gare plus loin, dans le parc-autos d'un garage, juste en face. Il éteint ses phares et attend. Contre toute attente, Annie ne sort pas du véhicule. Il ne distingue pas très bien ce qu'elle y fait. Il observe autour de lui et plisse les yeux pour mieux lire l'enseigne sur le bâtiment devant lequel elle se trouve. « La débauche », perçoit-il sur un grand panneau lumineux défraîchi.

« Elle doit rejoindre un gars... Je le savais ! Je ne veux pas voir ça... » Cédant à la panique, il redémarre sa voiture et quitte sa cachette, la rage au cœur, presque une larme à l'œil.

Pendant ce temps, Annie, assise bien confortablement dans son véhicule, discute avec un client, sa brosse à dents électrique dans les mains, prête à être utilisée.

— Je suis content que tu sois là ce soir, Baby Sitter, lui confie-t-il.

Ne reconnaissant pas la voix du client, Annie s'informe :

— Ah bon, on s'est déjà parlé ?

— Oui, c'est Max. On a bavardé ensemble lundi dernier.

Ayant une mémoire sélective en ce qui concerne les clients de la ligne, Annie ne s'en souvient pas. Elle juge cependant bon de répondre :

— Ah ouuuii, le beau Max !

— Tu es là tous les lundis et jeudis alors ?

Pas certaine de vouloir divulguer cette information, Annie répond tout de même par l'affirmative, l'attrait pécuniaire pesant lourd dans la balance.

— Oui. Donc, présentement, je suis nue sur mon lit, poursuit-elle pour entrer dans le vif du sujet.

— Non, attends. Je veux simplement discuter avec toi.

Prise de court par cette demande, Annie écoute son client.

— Je suis entrepreneur et célibataire depuis déjà un petit bout de temps. C'est pour ça que j'appelle sur les lignes, se justifie Max pour éviter un jugement de la part de son interlocutrice.

— C'est correct Max, le rassure Annie en devinant son malaise.

— Toi dans la vraie vie, je présume que tu gardes des enfants ? déclare-t-il pour entamer une conversation d'usage.

Prise de court une fois de plus par cette allusion exhaustive concernant sa vie professionnelle, Annie fige sur place.

— C'est le fun de travailler avec les enfants ! Moi, ça m'apporte beaucoup quand je dois en côtoyer pour le travail. Tu fais de la ligne depuis combien de temps ? poursuit le gars avec entrain.

— Heu… Baby Sitter est juste mon nom pour les lignes Max, hésite Annie, peu convaincue d'apprécier la tournure peu conventionnelle de la conversation.

« Et puis quoi, alors ! Tant qu'il reste en ligne ! » se dit-elle, en se recentrant sur son objectif, qui est de maintenir le client en ligne le plus longtemps possible.

Annie commence donc à lui poser diverses questions sur sa dernière relation de couple. Une discussion s'ensuit sans qu'elle ait besoin de feindre une quelconque situation sexuelle. Au fur et à mesure que le client lui raconte sa vie, elle reprend, sans s'en rendre compte, sa voix normale. Après trente minutes, Max raccroche, sous prétexte que leur bavardage lui coûtera cher.

— À la prochaine ! prononce-t-il.

— Bonne soirée !

En fixant le cellulaire, perplexe, Annie déduit que cet homme avait seulement besoin de discuter avec quelqu'un. « Tant mieux si je lui fais du bien comme ça ! » se valorise-t-elle.

L'appareil sonne de nouveau. Un client, comment dire, bien différent…

— Est-ce que tu aimes la sodomie ? lance directement le client, pour s'exciter.

Annie prend un temps pour réfléchir avant de répondre à la question : « Coudonc, qu'est-ce que tous les gars ont à faire une fixation là-dessus. »

— J'adore la sodomiiie ! ment-elle d'une voix sensuelle, en roulant des yeux ; puis, elle sort une trousse de maquillage de son sac afin de commencer tranquillement sa métamorphose en serveuse *sexy*.

Jeudi, bar La débauche

Annie entre dans le bar au pas de course, et Tammy l'apostrophe en lui agrippant le bras.

— Eh ! T'es presque en retard, ma noire ! Pis t'es vraiment pas prête à ce que je voie !

— Je sais, je viens de raccrocher ; j'étais avec un gros pervers dégueu qui fantasmait que je lui urinais dessus ! se plaint Annie en se dirigeant vers les toilettes pour terminer son look.

— Vite, va te préparer !

Annie revient quelque peu sur ses pas.

— En passant Tammy, je ne peux plus continuer comme ça. Ce sera mon dernier chiffre ce soir, lui annonce-t-elle, avant de poursuivre sa course folle.

Elle se change en vitesse et se donne un dernier coup de crayon ; puis, elle remonte ses cheveux et enfonce une casquette à l'effigie d'une marque de bière populaire, couvre-chef qui traînait dans sa voiture depuis la semaine dernière, soit depuis que le propriétaire la lui a gracieusement offerte.

En rejoignant Tammy, celle-ci la supplie :

— Non, ne pars pas ! Pour une fois qu'on avait quelqu'un qui a de l'allure !

— Tammy, je mens à mon chum tout le temps, je ne suis plus capable. C'est terminé…

— Tu cesses la ligne aussi ?

— Non, ça je vais continuer pour un certain temps, c'est trop payant, mais dans quelques semaines, j'aurai amassé mon 5 000 dollars et tout sera fini.

— Je suis déçue, mais bon. Cependant, pour le bar, donne-nous une semaine de plus pour qu'on trouve quelqu'un…

— Ouin, réfléchit Annie. OK pour UNE dernière semaine !

SEMAINE 7

Lundi, terrain de balle dans l'arrondissement Laberge

Pierre-Luc, Steve et Charles sont assis sur le banc, tous silencieux, lorsque Brandon arrive. Les trois gars semblent encore plus déprimés que la semaine dernière.

— Simonaque ! Y a quelqu'un de mort, c'est sûr ! Pas le catcheur, toujours ? ironise-t-il en leur voyant la face. On dirait que ça ne va jamais bien, vous autres ! C'est rendu les lundis et jeudis : « pleurnichage à la balle » !

Personne ne rit. L'arbitre annonce le début du match en sifflant avec ses doigts. Les gars se lèvent machinalement, tous réticents à discuter de leur vie amoureuse. La partie se déroule normalement, mais sans que personne ne dévoile quoi que ce soit. Leur victoire marquée et spectaculaire en fin de match, avec deux circuits consécutifs, redonne tout de même une certaine joie de vivre au trio de dépressifs.

— Bon, on va à la bière pis ça presse ! lance Brandon de bonne humeur.

— Bah, je passe mon tour ce soir, déclare Pierre-Luc.

— Moi aussi, je pense, renchérit Charles.

— Non ! Vous venez tous ! C'est pas négociable et c'est moi qui paie !

— Ah bien ! Dans ce cas, affirme Pierre-Luc, tenté par l'offre alléchante.

Lundi, brasserie Boy's ball, dans l'arrondissement Laberge

Brandon, l'air grave, dépose solennellement sa grosse bière sur la table en affirmant :

— Bon là, vous vomissez ce qui se passe dans vos vies ! Je veux qu'on vide la question une fois pour toutes, sti !

— Rien, le rassure Steve.

— Ben non, y a rien ! répète Charles à son tour, l'air sûr de lui.

— C'est vrai qu'il n'y a rien, confirme Pierre-Luc, en haussant les épaules.

— Rien ! Rien ! les imite Brandon en prenant un air niais. Eille ! Vous arrivez au terrain avec la face à terre à chaque *game* ! Je suis écœuré de vous voir anéantis. On a plus de fun, les *boys* !

Les trois gars boivent goulûment, mais en silence, leur bouteille de houblon. Chacun semble très bien comprendre que Brandon n'a pas tort.

— J'ai tellement honte… calvaire, commence Pierre-Luc, qui n'a pas l'habitude de blasphémer.

— Bon, un premier qui se décide à passer aux aveux ! Honte de quoi ? investigue Brandon.

— Je suis un minable… Je pense que ma blonde me trompe, avoue brièvement Pierre-Luc, la tête basse.

— Criss, moi aussi ! affirme Steve, presque content de ne pas être le seul à craindre cette situation déshonorante.

— Moi, ma blonde s'est fait embarquer dans une secte, pis elle est rendue folle ! lance à son tour Charles, motivé par la confession des autres.

— Eh ! Eh ! Un instant ! Un à la fois avec vos tragédies grecques. Vous êtes paranoïaques probablement ! Toi ? Annie ? ajoute Brandon, décontenancé, en regardant Pierre-Luc.

— Vous savez tous qu'Annie sort toutes les semaines depuis un bout de temps. La semaine dernière, je l'ai suivie et elle s'est rendue dans un bar de l'est de la ville. Elle m'avait dit avant de partir : « Je soupe avec des collègues sur une terrasse... » Je n'ai vu arriver aucune de ses collègues de travail. Elle s'est rendue dans ce bar miteux toute seule...

— Tu l'as suivie et t'as attendu là toute la soirée ? demande Steve, un peu impressionné du comportement atypique de son ami.

— Non, même pas cinq minutes, et je suis parti. Je me sentais aussi misérable de l'espionner que de me faire tromper, poursuit-il.

— Ça veut rien dire, le gros. Peut-être que ses amies venaient la rejoindre à cet endroit pour aller quelque part ensuite, envisage Brandon, optimiste.

— Et en plus, j'ai trouvé des vêtements super osés cachés chez nous, déclare Pierre-Luc, encore plus honteux de fournir ce dernier détail.

— Osés ?

— Du genre : minijupe en jeans et un chandail beaucoup trop décolleté pour ma blonde, décrit vaguement Pierre-Luc.

— Naaaa… Annie ne porte pas ça ! le rassure Charles, comme s'il était au courant.

— Bien… quand elle sort, oui. Et ce n'est pas tout. J'ai aussi trouvé… euh… cachés… des… des sous-vêtements mangeables, hésite longuement Pierre-Luc en prononçant rapidement le mot « mangeable », comme si cela en minimisait le fait.

— Hein ? Des bobettes mangeables ? s'étonne de nouveau Brandon.

— Ah ben simonaque ! commente Charles, qui repousse sa casquette par-derrière en guise de surprise.

— Ben voyons, toé ! Des bobettes utilisées ? ricane Steve.

— Non, dans la boîte, innocent ! Comment veux-tu utiliser « un peu » de bobettes mangeables ? demande Pierre-Luc, agacé par la stupidité de son ami.

— Euh… en les mangeant juste à moitié ! blague Charles, en assénant un coup de coude à Steve.

— En grignotant juste une fesse ! poursuit Steve, maintenant tordu de rire.

— Eille, des bobettes mangeables ? C'est quoi cette affaire-là ? Ç'a été populaire 10-15 minutes dans les années 1990 ! Je pensais même plus que ça existait ! commente de nouveau Charles.

— Ça goûte quoi au juste ? s'intéresse Steve, curieux.

— Je le sais-tu, moi ? Je n'y ai pas « goûté »... C'était dans la boîte et ce n'était pas pour moi de toute façon, ajoute Pierre-Luc, impatient, en prenant une grosse gorgée de bière.

Il regrette à cet instant même d'avoir révélé ce dernier détail à ses amis.

— Faut que tu en aies le cœur net. Interroge-la ! propose radicalement Brandon.

— Par rapport à ce que ça goûte ? s'enquiert Charles, l'air innocent.

— T'es cave, *men* ! rigole Steve, en décochant une œillade complice à son ami.

— Non, il doit en avoir le cœur net sur ce que sa blonde trame, précise Brandon, en parlant tranquillement en direction de Charles comme si celui-ci était un attardé mental.

— Tu dois vraiment la suivre jusqu'au bout, conseille Charles, en revenant sur le sujet de façon plus sérieuse.

— T'es malade ! Si je me trompe, elle ne me le pardonnera jamais ! assure Pierre-Luc.

— Il a raison. T'as pas le choix. Va dans ce bar. On se rend compte de bien des choses quand on fait une visite-surprise à sa blonde, je te le jure ! atteste Steve, en faisait référence à ce qui s'est passé sur le terrain de golf.

— Pourquoi ? T'as découvert quelque chose, toi aussi ? soupçonne Brandon.

— Pas directement, mais disons que ma blonde passait beaucoup de temps à s'entraîner au golf récemment. J'ai fait une visite-surprise au terrain. Je l'ai trouvée en pleine séance de *coaching-crusing* avec le pro du golf… Disons un beau petit fif à polo, là ! détaille mesquinement Steve.

— Tu penses qu'elle te trompe avec lui ? demande Pierre-Luc, en faisant un transfert quant à sa propre situation.

— Non, j'exagère quand je dis ça, mais il était temps que je me montre la face ! rajoute-t-il.

— Ben coudonc ! Vous ne rendez pas vos blondes heureuses pour qu'elles veuillent aller voir ailleurs de même ! ironise Brandon, en empoignant sa bière.

Steve et Pierre-Luc le dévisagent, offusqués, en blasphémant allégrement dans sa direction.

— Je niaise ! Je niaise ! s'excuse Brandon, un peu grande gueule.

— Toi Charles ? Ta blonde ? s'intéresse Steve.

— Bah ! Par rapport à vous autres, c'est rien, juge Charles en développant peu sa pensée.

Charles reste silencieux quant à ses propres inquiétudes. « Au moins, moi, elle ne me trompe pas… Du moins, pas avec un homme en soi », songe-t-il en se comparant à ses amis.

Mardi, appartement de Stéphanie

Stéphanie, affalée en pantalon de jogging sur le divan, termine le visionnement de son deuxième film d'amour depuis qu'elle est rentrée du travail. Elle a pris soin de bien tirer les rideaux de son appartement, pour éviter d'apercevoir le soleil qui rayonne de tous ses feux à l'extérieur. Mais aussi de peur qu'un faisceau lumineux ne la rende coupable de rester à l'intérieur par une si belle fin d'après-midi.

Comme la plupart des scènes amoureuses qu'elle voit ne soulèvent aucune émotion chez elle, elle cherche plutôt à y relever les séquences invraisemblables. « Voyons donc ! C'est n'importe quoi ! Il la retrouve en trois secondes dans l'aéroport bondé de Miami… », rationalise-t-elle, peu touchée par la scène qui précède la fin du film. Pendant le déroulement du générique, elle demande à haute voix, en se retournant vers son matou :

— Et moi ? Il se passera quoi dans le scénario de ma vie, Cyril ?

— Qui aimes-tu le mieux ? Steve ou Martin ? Ah non ! C'est vrai, tu n'as jamais vu Martin, converse Stéphanie en flattant le gros chat qui ronronne en se tournant agilement de gauche à droite, malgré son surplus de poids.

— Martin est grand, assez mince… un pro de golf. Je le trouve doux, respectueux, il s'exprime bien. Il fait des farces, il m'écoute toujours, il est très attentif quand je parle. Il s'intéresse à tout ce que je fais, à tout ce que je dis. Jamais je ne me suis autant sentie considérée par un gars, décrit Stéphanie, qui fixe le rideau en souriant.

Le chat miaule en émettant des sons rauques sous les caresses généreuses de sa maîtresse.

— Steve, lui, tu le connais. Il a tout un caractère, mais il est viril, mâle, toujours prêt pour l'aventure. Il parle plus que moi, il pense souvent à ses choses à lui avant de penser aux miennes, mais il me rassure en contrôlant toujours la situation. Un vrai mâle alpha ! Et pour le moment… c'est lui mon chum…

Cyril se lève pesamment pour se frotter sur le ventre de Stéphanie ; de son museau, il pousse les mains de sa maîtresse pour recevoir encore plus de tendresse de sa part.

— Je ne sais pas, je ne sais plus… Choisis, toi, Cyril…

Mercredi, terrain de golf Détente

Assise dans sa voiture, Stéphanie réfléchit pendant un moment avant de sortir. Elle n'a pas son sac aujourd'hui. En pénétrant à l'intérieur du club de golf, elle demande au commis à l'accueil si Martin est là.

— Oui, Martin vit ici, je pense ! Il est dans le garage, par là, précise le jeune homme, en lui désignant un bâtiment légèrement en retrait, dans le fond d'une cour de gravier.

— Merci.

Stéphanie s'y dirige d'un pas convaincu. En entrant par l'une des portes laissée ouverte, elle perçoit un bruit au fond de la pièce où sont entassées des voiturettes endommagées, des caisses en bois remplies de balles de pratique ainsi que de la machinerie lourde nécessaire à l'entretien du terrain.

Martin s'y trouve, penché sur le moteur d'un tracteur à gazon. Il redresse la tête en remarquant la présence d'une personne qui vient vers lui.

— Eh ! La plus belle ! se réjouit-il en prenant une serviette sale pour essuyer ses mains maculées d'huile.

— Salut ! T'es mécanicien en plus ? lance Stéphanie, surprise, en l'examinant.

— Pas du tout ! Je savais que tu viendrais, c'était juste pour t'impressionner ! Je ne sais même pas ce que je fais ! plaisante-t-il en s'approchant plus près d'elle.

Stéphanie sourit tristement en fixant le plancher de béton droit devant elle.

— Ça va ? s'inquiète Martin, suspicieux que quelque chose ne tourne pas rond.

Elle lève les yeux vers lui et hésite quelques secondes étant donné son ambivalence quant à sa décision. En fixant toujours le sol, elle lui annonce :

— Je ne viendrai plus ici, Martin...

Il dépose doucement la serviette sur une table qui gît près des équipements et vient encore plus près d'elle.

— Pourquoi ?

— Je ne peux pas... je ne peux plus...

— OK, je comprends... Si tu ne veux plus me voir, je ne peux rien y faire, ma belle. C'est à cause de ton chum ?

— J'ai dit : «Je ne peux plus» et non : «Je ne veux plus... », précise-t-elle, honnête, en inclinant de nouveau la tête vers le sol.

Contre toute attente, il fait un autre pas dans sa direction et lui soulève délicatement le menton. Stéphanie n'offre aucune résistance. Ils se regardent intensément pendant quelques secondes et Martin s'approche davantage pour l'embrasser. Sans réfléchir, Stéphanie répond à son baiser, comme si c'était naturel. Leurs lèvres se touchent pendant quelques minutes, avant que Martin ne détache légèrement son visage du sien :

— Excuse-moi, je ne pouvais pas te laisser filer sans avoir tenté ça au moins une fois…

Stéphanie, maintenant prise d'un puissant sentiment de culpabilité, recule lentement avant de se retourner pour quitter les lieux.

Elle entend Martin marmonner :

— Prends ton temps, je vais t'attendre… On se mariera toi et moi… un jour…

Sur ses paroles, elle ralentit le pas et pivote dans sa direction pour le voir une dernière fois. Martin lui fait un signe de tête affirmatif, rassurant, et un sourire mi-triste, mi-confiant. Stéphanie sort du garage, le cœur à l'envers, les pensées confuses.

Jeudi, terrain de balle dans l'arrondissement Laberge

— Donc je sais que ce n'est pas aussi grave que vous autres les gars, mais ça m'inquiète, vous comprenez ? avoue Charles, assis sur le banc des joueurs. Elle change, elle veut les revoir, elle ne semble pas les trouver bizarres pantoute…

— Ouin, une secte ! C'est sérieux, souligne Steve.

— Du genre Moïse Thériault ? spécule Brandon, fasciné.

— Sûrement pas, lui c'était un psychopathe malade mental ! rectifie Steve.

— Il y avait un gars étrange dans le groupe, je te jure. Un gros tatoué, l'air de couper des doigts de temps en temps, exagère Charles.

— Je vois le genre ! comprend Brandon, encore plus intéressé.

— En fait, ce n'est pas compliqué, tout le monde avait l'air anormal dans le groupe. C'est peut-être un truc pyramidal pour voler de l'argent au pauvre monde, je n'en ai aucune idée, réfléchit Charles à haute voix, les yeux ronds.

— Il faut que tu fasses quelque chose avant qu'il ne soit trop tard, insiste Steve, qui se lève d'un bond pour applaudir le circuit d'un de leurs coéquipiers.

— De l'autre bord de la clôture ! *Yes sir* ! commente Charles en se dressant aussi. Bon, c'est mon tour !

***

Vers la fin de la partie, les gars rangent leur équipement dans leurs voitures respectives quand Brandon s'approche de Pierre-Luc.

— Hey mec ! Je voulais juste te dire que je compatis avec toi. Si ma blonde euh… ma femme me trompait, je capoterais raide…

— Merci… mais tout sera limpide ce soir, affirme Pierre-Luc en regardant sa montre.

Il sort du coffre arrière de sa voiture un sac de voyage contenant un jeans et un chandail manches longues gris foncé.

— Comment ça ?

— J'ai mon plan, annonce Pierre-Luc en enlevant sans gêne ses leggings trois quarts « petites-fesses-de-baseball », pour enfiler ses vêtements de rechange.

Jeudi, bar La débauche

Lorsque Pierre-Luc pénètre dans le parc-autos du bar où travaille Annie, la présence du véhicule de celle-ci lui confirme qu'elle est bien ici, comme il le craignait. Il immobilise sa voiture assez loin de la porte, dans le fond de l'immense cour. Il tourne la clé de contact, mais ne descend pas tout de suite.

— J'entre et je dis quoi ? réfléchit-il à haute voix, comme si son tableau de bord allait lui répondre.

Il regarde l'heure. 22 h 25.

— Elle sort tous les jeudis depuis déjà plus d'un mois et je trouve des vêtements ultraprovocants cachés à la maison... Non mais, c'est assez pour se poser des questions ! lance-t-il de nouveau, comme pour justifier sa décision d'entrer dans ce bar inconnu.

Il sort finalement de son véhicule et se dirige d'un pas hésitant vers la porte, où quelques jeunes sont attroupés. La plupart fument en discutant bruyamment.

— Excusez-moi, dit-il poliment, en tentant de se faufiler vers la porte.

Le portier l'accoste, sans trop de manières, en lui tendant la main.

— C'est cinq piastres.

— Ah... voilà, répond Pierre-Luc, qui lui remet un billet de cinq dollars.

Le colosse enfouit l'argent dans un sac banane de taille et lui libère le passage.

Pierre-Luc longe le corridor sombre menant à la discothèque.

« C'est bon, je suis entré, mais… qu'est-ce que je dis quand je la vois ? » s'interroge-t-il de nouveau en ralentissant le pas. Trois jeunes filles, légèrement vêtues, le bousculent, excitées, les bras en l'air.

« Les clients ont bien l'air jeune ici… », constate-t-il, toujours dans une confusion totale quant à la suite des choses.

Il arrive près d'une porte laissée ouverte par un loquet au sol. Pierre-Luc s'arrête instinctivement à cet endroit. Aveuglé par les lumières ahurissantes qui éclaboussent la piste de danse à sa gauche, il observe les danseurs y bourdonner.

« Voyons ? Ses amies et elle se tiennent vraiment dans un bar de cégépiens ? Ou à moins que son amant soit très jeune… » s'inquiète-t-il, défaitiste.

Cette pensée lui injecte dans les veines le courage nécessaire pour pénétrer dans le bar afin d'en avoir le cœur net. Il examine tout d'abord la section de gauche, près de la piste de danse. Nerveux, il se fraye un chemin entre les groupes de jeunes clients. Il tente de bien distinguer leur visage. Tâche laborieuse, étant donné la densité de la foule et l'obscurité des lieux. Il cherche Annie des yeux, mais il ne voit aucune trace d'elle.

Une jeune fille, vêtue d'une minicamisole coupée à la hauteur du nombril, s'immobilise devant lui :

— Eh, t'es *cute* toi, genre ! Tiens, prend une vodka-canneberge, c'est quatre pour un ce soir ! claironne-t-elle, exaltée, en lui tendant un verre de plastique trop plein. Le liquide rouge framboise qu'il contenait se renverse légèrement sur le chandail foncé de Pierre-Luc.

— Excuse-moi ! Je vais le lécher, s'émoustille la fille, en se penchant langoureusement pour s'exécuter.

— Non ! Non ! Ça va, ce n'est rien, lui conjure Pierre-Luc, une main en l'air, en se reculant d'un pas.

Il passe à côté d'elle sans trop la regarder. Elle crie en lui faisant un doigt d'honneur :

— *Fucking wuss* !

« Bien voyons donc ! » s'exclame Pierre-Luc, en continuant d'avancer, pas certain d'avoir bien compris l'expression anglaise de la jeune fille.

En explorant le fond de la discothèque, il ne voit toujours pas sa conjointe. Il revient vers le bar central pour inspecter la partie droite du bâtiment. La dernière qu'il lui reste à examiner. Lorsqu'il lève les yeux, une vision le trouble. Une *barmaid*, coiffée d'une casquette de Budweiser noire, s'affaire derrière le bar ; elle s'avance vers un jeune homme, quatre verres dans les mains.

— Annie ? prononce-t-il, en sachant très bien qu'elle ne peut pas l'entendre.

Un garçon le pousse accidentellement par-derrière.

— Excuse-moi, *dude* ! lui dit-il en passant près de lui.

Pierre-Luc ne lui prête aucune attention, trop tétanisé de voir sa blonde bourdonner derrière le bar.

« Elle travaille ici ? Pourquoi ? » cogite-t-il en n'y comprenant toujours rien.

Par crainte qu'elle ne l'aperçoive, il se dirige, la tête basse, vers la droite du bar pour atteindre la sortie. Avant de quitter rapidement les lieux, il se retourne une fois de plus vers le bar central, voulant s'assurer de la réalité de la scène.

Sans grande surprise, cette scène est bien réelle.

Vendredi, appartement de Pierre-Luc et Annie

Annie entre dans le logement et enlève immédiatement ses sandales à talon haut pour éviter de faire du bruit. Elle pose délicatement son sac à main sur la table de la cuisine en prenant son temps.

— Salut, l'accueille Pierre-Luc, debout près du corridor menant à la chambre et à la salle de bain.

— Hein ? T'es debout ? Tu fais de l'insomnie ? valide-t-elle, anxieuse, en tentant de dissimuler sa panique.

— Je t'attendais, prononce-t-il en examinant sa blonde de haut en bas.

Sachant que son habillement provoque des questionnements dans la tête de son conjoint, elle déclare, comme si c'était sans importance :

— C'est nouveau... jeune... branché !

— Ce n'est pas nouveau, Annie. Je les ai trouvés « cachés » dans la sécheuse dimanche dernier.

— C'est nouveau du… du… mois dernier disons…, ment-elle encore.

— Assez les mensonges, Annie ! exprime Pierre-Luc en haussant un peu le ton.

— Je ne te trompe pas, se défend-elle immédiatement afin de le rassurer.

Dépassé par tout ça, il s'assoit sur le divan, en se prenant la tête entre les mains pour se ressaisir. Annie, debout au milieu de la cuisine, immobile, silencieuse, cherche désespérément les bons mots. Il lui envoie un signe discret de la main lui signifiant de venir prendre place près de lui. Toujours muette, elle s'exécute docilement.

— Écoute Annie, ça fait des semaines que je me demande pourquoi tu t'es mise à sortir subitement. Pourquoi tu cherches à être ailleurs. Durant quelques semaines, j'ai compris, mais par la suite, je me suis mis à douter de toi, commence-t-il calmement.

— Je te jure que ce n'est pas ce que tu crois, répète-t-elle, le visage triste.

— Laisse-moi terminer. Ensuite, je t'ai surprise à écouter de la porno… Bon, c'est ton droit, je présume. Puis, en voulant faire du lavage, j'ai découvert des vêtements pas du tout ton genre…

Pierre-Luc se tait. Avant de poursuivre, il fait un signe de la main en direction des habits d'Annie.

— Ensuite, j'ai trouvé une boîte contenant des sous-vêtements mangeables, ou je ne sais trop quoi, encore cachés…

— Mais non, ça c'était pour toi…

— Pour moi ? demande-t-il, désarçonné.

Il hésite un instant et continue.

— En tout cas, peu importe, j'en pouvais plus de tous ces mystères. Tu changes, Annie ! Regarde, tu n'as même pas écrit nos activités et repas du mois sur le calendrier, ajoute Pierre-Luc, comme si cet indice en soi s'avérait une preuve que rien n'allait plus chez elle.

— J'ai juste oublié mon poussin, confesse Annie, en constatant la chose.

— La semaine dernière, je t'ai suivie quand tu es partie..., déclare-t-il la tête basse.

Annie, soudainement moins désolée, fixe Pierre-Luc, les sourcils en arcade. Il poursuit :

— J'ai vu le bar où tu es allée. Ce soir, je n'ai pas pu m'empêcher d'y retourner à la fin de la partie de baseball...

— T'es venu au bar ce soir ? s'exclame Annie, complètement abasourdie.

— Ouais... et j'ai enfin compris ce que tu y faisais. Maintenant, la question reste : Pourquoi ? Que je pourrais diviser en deux sous-questions, en fait : Pourquoi tu ne me l'as pas dit ? Et pourquoi tu travailles dans un bar ? Et je pourrais même ajouter : Pourquoi tu travailles dans CE bar-là ?

— Je vais tout t'expliquer, se repent Annie, les yeux de nouveau tristes et désolés.

Vendredi, Bureau des services sociaux de l'arrondissement Laberge

En se présentant devant la réceptionniste du Centre de santé, Charles demande poliment :

— Bonjour madame, j'ai besoin d'un renseignement par rapport à…

Elle lui coupe sèchement la parole en se redressant exagérément dans son fauteuil de cuir noir :

— Vous devez prendre un numéro, précise-t-elle, catégorique, en désignant de la main un distributeur prévu à cet effet.

— Je suis tout seul, affirme Charles en balayant des yeux la salle d'attente.

Au même moment, un septuagénaire sort des toilettes derrière lui. La secrétaire change le numéro qui apparaît sur l'afficheur et le vieil homme s'avance, son numéro dans la main. Charles s'excuse sous le regard malicieux de la secrétaire avant de saisir le sien à son tour.

Le vieillard reste assis quelques minutes devant la dame, avant de se lever et de s'en aller. La secrétaire musarde avant de se décider à passer au numéro suivant. Charles avance vers elle en lui souriant discrètement pour rester poli.

— Bonjour, qu'est-ce que je peux faire pour vous ? prononce-t-elle en présentant ses dents à son tour de façon quelque peu exagérée.

— Comme je le disais, j'ai besoin d'un renseignement pour…

Elle le coupe une fois de plus :

— Avez-vous un dossier ici ?

— Euh… Non… Je ne crois pas, mais c'est juste pour savoir si…

— Vous devez remplir ce formulaire, l'interrompt-elle de nouveau, en lui tendant un document de plus de six pages recto verso.

— Je croyais que pour un simple renseignement…

— Non ! C'est le fonctionnement, réplique-t-elle sans le laisser terminer sa phrase une fois de plus.

« Fatigante ! » se dit Charles en se dirigeant vers un petit bureau adjacent à la salle d'attente. Il y trouve des tables et des chaises mises à la disponibilité des gens pour répondre aux questions du formulaire. Il y répond le plus rapidement possible en minimisant certains détails.

Il revient vers la secrétaire et s'assoit devant elle. Elle le regarde, offusquée, en disant :

— Vous devez reprendre un numéro, monsieur !

— Voyons ? Là, on le sait que je suis vraiment seul, affirme Charles qui trouve la situation de plus en plus ridicule.

— C'est le fonctionnement ! insiste-t-elle en se retournant vers son écran d'ordinateur.

« Têteuse ! » se dit Charles en se résignant à reprendre un billet.

Il prend place dans la salle d'attente en soupirant bruyamment. La secrétaire semble inoccupée pendant un certain temps. Charles la voit regarder compulsivement l'horloge. Elle se lève soudainement, après avoir déposé une affichette sur son bureau. Elle se rend dans une pièce, au fond de la salle, sans refermer la porte derrière elle. Charles la suit des yeux, en se demandant : « Que fait-elle ? » Elle réapparaît en tenant ce qui semble être un sac à lunch. Elle marmonne en direction de Charles :

— C'est ma pause.

« Connasse ! » s'impatiente-t-il en lui faisant hypocritement un signe de la main.

Elle ouvre minutieusement sa boîte à lunch pour en ressortir : un jus de fruits en boîte, un sac de carottes finement taillées et un morceau de fromage emballé soigneusement dans un film cellophane. Charles trépigne de nouveau d'impatience. Il saisit une revue féminine sans intérêt et la feuillette distraitement. Un article attire son attention : « Dix façons de faire plaisir à son homme autrement que par le sexe ! » En survolant les suggestions proposées, il tombe sur : « Apportez le lunch à votre mec au travail. » Charles a alors la certitude que la blonde de Steve a lu cet article. Curieux, il parcourt le texte. En le terminant, il entend le signal sonore discret de l'écran : un autre numéro vient d'être affiché. Il s'approche et s'assoit de nouveau sur une chaise :

— Bonjour, qu'est-ce que je peux faire pour vous ? lui redit la femme, comme si elle ne l'avait jamais vu, en souriant à pleines dents.

— Voilà le formulaire, répond Charles en lui tendant le document.

— Parfait.

— Donc, je voulais avoir un renseignement, car ma conjointe…

Elle le coupe de nouveau :

— Est-ce qu'elle a un dossier ici ?

— Euh... Non, je ne crois pas...

— Elle doit d'abord remplir le formulaire.

— Non, je veux juste savoir si..., tente-t-il de nouveau.

— Non ! C'est le fonctionnement, répète-t-elle, intransigeante.

En arborant un sourire qui ne fait plus de doute quant à son agacement, Charles attrape le formulaire en bluffant :

— Ma conjointe se trouve justement dans l'auto, dehors. Je vais le lui faire remplir de ce pas, étant donné que « c'est le fonctionnement » !

Sans lui répondre, la secrétaire lui montre encore une fois ses dents, geste mécanique chez elle, avant de river son regard sur son écran d'ordinateur.

« Cinglée ! » rage Charles, qui se dirige rapidement vers la sortie. Il entre dans son véhicule, attrape un crayon dans le coffre à gants et commence à remplir le formulaire de la main gauche. Il invente certains détails, dont il ignore l'exactitude.

« Elle écrit mal ma conjointe, hein ? » fulmine-t-il, presque enragé.

Il revient dans le bureau quelques minutes plus tard. Il prend un billet en zieutant mesquinement la secrétaire. Même s'il n'y a encore personne, elle attend plusieurs minutes avant de passer au numéro suivant. Charles s'approche d'elle pour la énième fois.

— Bonjour, qu'est-ce que je peux faire pour vous ?

— Le formulaire de ma femme, précise-t-il en le lui remettant.

Suspicieuse, elle l'analyse diligemment. Charles poursuit :

— Je crois que ma blonde s'est fait embarquer dans un groupe religieux bizarre… peut-être une secte, parvient-il finalement à dire.

— D'accord. Laissez-moi regarder notre politique de fonctionnement à cet effet, le prie-t-elle, en sortant un gros manuel rangé sous son bureau.

Elle en feuillette les pages, puis elle lit un passage silencieusement. Elle lève les yeux vers Charles avant de lui annoncer, toujours en souriant :

— Les services sociaux de notre arrondissement ne s'occupent plus de cas de ce genre depuis 2009. Vous devez vous adresser au Service de police municipale. Est-ce que je peux faire autre chose pour vous ?

— Quoi ? s'insurge Charles, stupéfait.

— Dans ce cas, je vais vous demander de remplir un formulaire concernant votre appréciation du service que vous avez reçu aujourd'hui. Le but de cet exercice est d'améliorer notre rendement et de faire en sorte que les services au citoyen soient dignes d'un organisme gouvernemental…

Charles lui coupe brusquement la parole à son tour.

— Eille ! Tu sais quoi ? Ton simonaque de formulaire, insère-toi-le bien profond où je pense ! explose Charles, hors de lui, en se levant.

— Monsieur ! C'est le fonctionnement ! répond-elle, insultée.

— Et j'ajouterai... Ah non, excusez-moi, je n'ai pas repris de numéro...

Il se dirige rapidement vers le distributeur pour attraper un nouveau petit bout de papier et revient le déposer sur son bureau en souriant. La femme le suit des yeux sans rien dire.

— Ton osti de « fonctionnement » aussi, fourre-toi-le exactement à la même place !

— Monsieur ! crie-t-elle.

— Une folle ! peste-t-il, les bras en l'air en passant la porte.

SEMAINE 8

Lundi, brasserie Boy's ball, dans l'arrondissement Laberge

Brandon fait un signe à la serveuse pour qu'elle regarnisse la table de bière. Il offre une autre tournée.

— Ma blonde est fantastique ces temps-ci, commence Brandon, qui croise les bras tout en basculant sa chaise vers l'arrière.

— Aaaah ! Écoute Brandon, on parle de nos blondes quand ça va mal, si on se met à en discuter quand ça va bien, on va juste parler d'elles tout le temps, supplie Steve, l'air blasé quant à la récurrence du sujet.

— Ouin, mais c'était juste une petite anecdote de sexe. Mais, t'as raison. Changeons de sujet ! acquiesce Brandon.

— Ah ouin… Une anecdote de sexe ? Bien dans ce cas-là, ce n'est pas pareil, hein Steve ? bafouille Charles, pressé d'entendre l'histoire, potentiellement croustillante, de Brandon.

— Euh… C'est sûr… Dans ce cas-là, c'est autre chose, hésite Steve, regrettant du coup son commentaire précipité.

— Vas-y ! le presse Pierre-Luc, également avide d'entendre la suite.

— Bon, si vous insistez ! Ma femme et moi avons eu une discussion en lien avec nos fantasmes la semaine dernière, débute Brandon avant que Pierre-Luc ne lui coupe la parole.

— Tu parles de ça avec ta blonde ? s'enquiert celui-ci, étonné.

— Oui, le sexe, ça se discute, le gros ! Ça se communique, ça se jase, l'instruit Brandon.

— Ma blonde et moi, on bavarde de ça des fois au téléphone, des fois par texto. C'est moins intimidant qu'en personne, ajoute Steve, confirmant qu'il est aussi gêné par le sujet.

— Dans mon cas, oublie ça ! C'est pas ma Annie qui parlerait de sexe ! Même pas au téléphone, je vous le jure ! Donc là, vous vous disiez vos vrais fantasmes ou des faux ? l'interroge Pierre-Luc, suspicieux.

— Pas les vrais, voyons ! JAMAIS les vrais ! Un mec doit toujours dire à une fille des fantasmes faciles à réaliser pour elle. Du genre : un *striptease*, faire l'amour dans tel ou tel endroit, ou encore porter tel type de lingerie. Le but est que la fille le fasse ! Si je lui expose que je rêve de baiser avec des jumelles brésiliennes de 20 ans, mannequins pour les magasins Victoria's Secret, ça se peut qu'elle soit un peu confuse, et elle va se sentir diminuée. Retenez ça, les gars : une femme qui se sent rabaissée se « décochonnise » instantanément. Paf ! C'est écrit dans le manuel…

— Ah ben oui ! Le verbe « décochonniser » maintenant ! réagit Charles en riant.

— Et toi ? Tu lui as dit quoi comme fantasme ? insiste Pierre-Luc, très intéressé.

— J'avais un goût de lingerie un peu *rock and roll.* Je lui ai parlé de kit de latex, lance Brandon sur un ton badin, comme si sa demande était tout ce qu'il y a de plus simple.

— Sérieux ! Julie l'a mis ? s'étonne Steve.

Brandon, fier, fait un signe affirmatif de la tête, un sourire en coin.

— T'es trop brillant ! le félicite Pierre-Luc.

Les gars se taisent un instant, semblant tous réfléchir, l'air songeur. Brandon tente d'arracher l'étiquette de sa bouteille de bière en grattouillant avec son ongle trop court. Charles fixe la rue, sans réellement porter attention aux voitures qui y passent. Pierre-Luc paraît dans la lune en examinant, l'air niais, un sac de plastique accroché à une poubelle qui traîne au milieu de la terrasse. Steve prononce très lentement en regardant le ciel, presque en extase :

— Des jumelles brésiliennes... Mannequins pour Victoria's Secret... Miam...

— Hum..., approuve Charles sans rien ajouter, en se mettant aussi à décoller l'étiquette de sa bière.

Steve revient sur terre lorsque son téléphone cellulaire lui annonce la réception d'un texto.

Lundi, appartement de Stéphanie

Stéphanie, un peu nerveuse, anticipe la réponse de son chum :

« Il va être content, on ne s'est pas parlé depuis plusieurs jours. À moins qu'il ne soit fâché... » Au moment où les pensées négatives commencent à prendre le contrôle de son jugement, la sonnerie de son cellulaire retentit. Elle parcourt le texte avec empressement :

(J'aimerais te voir demain, je m'ennuie de toi. XXX)

Elle soupire de soulagement en lui réécrivant avec emballement.

Lundi, appartement de Pierre-Luc et Annie

— Quel genre d'entreprise possédez-vous ? s'informe Annie en pliant des vêtements propres qui jonchent le canapé.

— Dans le tourisme, location d'équipement, plein air, trucs de ce genre. C'est saisonnier pour le moment, mais on veut développer pour conquérir le marché européen. La motoneige entre autres, explique Max, le client récurrent d'Annie.

— Ah oui ! Les gens voyagent beaucoup ici pour ça ? converse Annie, tout de même intéressée.

Comme Max appelle souvent pour discuter seulement, Annie ne prend plus la voix sensuelle de Baby Sitter pour lui parler. Elle se surprend même à être contente lorsqu'elle le reconnaît. Elle ressent plus de fierté en bavardant simplement avec cet homme qu'en gémissant avec les autres hommes.

— Toi, t'es dans un CPE alors ? demande-t-il en revenant à la charge, toujours à l'affût d'obtenir des détails sur sa « Baby Sitter » inconnue.

De nouveau embarrassée, Annie reste encore ambivalente, à savoir si elle doit révéler des fragments de sa vie personnelle. Cherchant une façon de détourner le sujet, elle répète ses propos :

— Donc, vous allez développer ce projet bientôt ?

— Non, mais tu aurais pu choisir un pseudo en lien avec ton vrai métier, déduit Max en ne répondant pas à sa question.

Annie se dit finalement : « Bah ! Il n'a pas l'air d'un tueur-en-série-psychopathe-dangereux. De toute façon, comment pourrait-il savoir qui je suis ou encore où j'habite ? »

— Oui, éducatrice à l'enfance dans un CPE...

— Pourquoi tu fais ce boulot ? l'interroge-t-il, en faisant référence à son travail sur les lignes érotiques.

— L'argent... j'ai besoin d'argent, précise-t-elle, vague.

— Sûrement ! Parce que personne ne doit aimer ça, entendre des inconnus se masturber au téléphone, suppose-t-il, se montrant détaché par rapport au concept.

Annie regarde l'heure et sait que son conjoint doit revenir sous peu ; elle envisage donc de mettre un terme à la conversation.

— Nous discutons depuis déjà 33 minutes, improvise-t-elle.

— Tu veux raccrocher ? s'inquiète-t-il, presque déçu.

— Non, non, mais tu ne dois pas être millionnaire ! plaisante Annie, consciente de son manque de subtilité.

— C'est une question ? Tu sais, si je pouvais avoir une autre manière de te rejoindre, ce serait plus facile et surtout moins cher.

Annie, qui comprend bien l'astuce de Max, tente de conclure l'appel :

— Bonne soirée, Max...

— Dis-moi au moins ton vrai nom !

— Au revoir.

Annie raccroche sans entendre le mot de la fin de son client. « Il veut savoir de plus en plus de choses sur moi », se préoccupe-t-elle. Regrettant de lui avoir révélé certaines informations personnelles, Annie s'affole : « Et s'il pouvait retracer l'appel comme dans les films ? »

Pierre-Luc entre au moment où elle est absorbée dans sa réflexion.

— Allo, fait-il.

Annie, toujours assise sur le divan, éteint le cellulaire avant de le dissimuler derrière un coussin du canapé. « Je le reprendrai tout à l'heure », planifie-t-elle en allant rejoindre son conjoint. Elle l'embrasse sur une joue.

L'ambiance n'est pas encore revenue à la normale depuis ses révélations mensongères de la semaine dernière. Pierre-Luc ne lui a pas encore tout à fait pardonné de lui avoir menti pendant si longtemps. Annie a adopté la position « je-marche-sur-des-œufs » et Pierre-Luc l'attitude « le-pardon-ça-se-mérite » ! Le couple valse donc maladroitement sur une musique de non-dits que seul le temps peut effacer.

Mardi, Poste de police municipale de l'arrondissement Laberge

Charles tambourine avec ses doigts sur la table, assis seul dans un bureau servant probablement de salle d'interrogatoire. À l'accueil, la réceptionniste lui a demandé d'y patienter. Depuis déjà dix minutes, il attend le policier qui le rencontrera. Nerveux, il se lève et arpente la pièce comme un fauve en cage. « Pourquoi est-ce que je me sens comme le criminel de l'année ? » s'amuse-t-il à penser, en remarquant que le mur du fond est couvert d'une vitre unidirectionnelle.

— Allo, dit-il en agitant la main, le visage tout près du plexiglas, afin de voir de l'autre côté du rectangle en verre.

— C'est impossible de voir à travers, commente le jeune policier qui pénètre dans la pièce au même moment.

— Salut, lui lance Charles, en s'éloignant subtilement de la vitre, honteux d'avoir essayé malgré tout.

Il avance pour lui tendre la main.

— Sergent Prévost. Carolin Prévost, se présente l'homme d'à peine trente-cinq ans.

— Comment ? demande poliment Charles, en croyant avoir mal compris le prénom de l'agent.

— Carolin, répète-t-il tranquillement. Je pense que ma mère voulait vraiment une fille, plaisante-t-il en s'asseyant, avant d'ouvrir son porte-documents.

— La secrétaire a expliqué ton cas au lieutenant-détective Baribeau et il m'a confié le dossier. Je suis en fin de formation pour devenir sergent-détective.

— OK, déclare Charles, les sourcils froncés. Vous autres avec vos officiers, lieutenants, caporaux, sergents, je ne sais quoi ! Pour moi, t'as une arme, un badge, tu peux m'aider.

Carolin rit en comprenant ce à quoi Charles fait allusion.

— Justement, explique-moi en détail ce qui t'inquiète, le prie Carolin, en extirpant un premier document de sa serviette.

— Des fois, j'ai peur de capoter pour rien, mais bon…, commence Charles, conscient que ses doutes pourraient sembler exagérés.

Au fur et à mesure que Charles décrit la situation, le policier (ou le sergent-inspecteur) prend attentivement des notes. Il accroche sur un détail non négligeable.

— Un ex-criminel ? Vous en êtes certain ? répète-t-il, en notant plus en détail tout ce qui est en lien avec l'information que Charles vient de lui révéler.

— Il a parlé ouvertement d'escortes et de drogue à Las Vegas. Un kilo de cocaïne, si mon souvenir est bon, relate Charles, en omettant de le mettre dans le contexte de la discussion.

— Comme ça, devant les autres ? s'enquiert le policier, encore plus étonné. Il ne s'agit sûrement pas de crime organisé, mais davantage d'exportateurs de drogue à l'étranger qui cherchent des têtes de Turc, continue de réfléchir Carolin, sérieux.

— Sinon, il y avait une fille qui avait vraiment l'air droguée, poursuit Charles.

— Droguée ? répète Carolin afin d'en savoir plus.

— Elle avait des spasmes, elle semblait désorientée. J'ai jamais pris de drogue, donc je n'en connais pas les effets, mais elle n'était pas normale, détaille grossièrement Charles.

— OK, je vois, commente le policier en continuant de prendre des notes.

— Et il y a avait un autre gars, super triste, qui disait avoir arrêté de consommer lui aussi, se remémore ensuite Charles.

— OK, donc ce que nous avons comme indice, c'est que la situation semble tourner autour de la drogue, analyse encore Carolin en lisant ses annotations. Votre conjointe consomme ? Ou avez-vous remarqué chez elle des comportements différents qui pourraient vous faire envisager cette possibilité ?

— Euh…, non, je ne crois pas. Du moins, je l'espère…

— Donc si je récapitule, c'est le type qui ressemblait à un criminel qui semblait le *leader* du groupe ? demande le policier, en tentant d'évaluer les informations recueillies.

— Je ne sais pas. Il y avait aussi le prêtre qui avait un jeune homme à ses côtés. Le curé a semblé à l'aise que je sois parmi eux ce jour-là, mais le jeune, lui, paraissait très nerveux. Il me fixait, presque menaçant, se rappelle Charles.

— Le prêtre s'appelle Georges. On le connaît. C'est tellement un homme bon. Je suis vraiment surpris qu'il abrite des gens louches dans son église, explique Carolin, en posant ses feuilles devant lui. Peut-être que ces gens l'utilisent ou le menacent…

— Le prêtre parlait de l'importance de l'engagement profond dans le groupe, comme le ferait un gourou… En tout cas, quelque chose ne tournait pas rond dans cet endroit. Jasmine ne voulait pas du tout que j'y aille, avoue Charles, pour justifier ses inquiétudes.

— Justement, c'est un bon indice. Est-ce que votre conjointe semble avoir des difficultés financières ces temps-ci ?

— Je ne sais pas. On paie les factures chacun de notre côté à partir de notre compte personnel, confie Charles.

— Avant toute chose, il faudrait que vous évaluiez ça. On ne peut pas présumer des intentions criminelles ou sectaires d'un groupe sans preuves suffisantes, explique l'apprenti-inspecteur.

— Je comprends, approuve Charles.

Mardi, appartement de Steve

Assise sur le canapé, Stéphanie semble encore une fois attendre les explications de son conjoint. Son attitude indique qu'elle n'a absolument rien à se reprocher. Steve, gauche comme toujours, ouvre le téléviseur pour faire diversion. Stéphanie se retourne vers lui en lui faisant une moue boudeuse, comme pour lui signifier : « Vas-y ! Dis quelque chose ! »

— Je m'excuse, c'était con ma scène au golf, avoue Steve sans trop élaborer.

Les excuses de celui-ci ayant l'heur de réveiller brusquement sa conscience, Stéphanie change totalement d'attitude. Elle se rappelle la scène du baiser avec Martin, et s'aperçoit de son manque de transparence flagrant dans toute cette histoire. Elle chasse cette image encombrante, et se tourne vers lui.

— Ouin, et moi je tenterai de doser un peu plus mon indépendance. Trop, c'est comme pas assez ! plaisante Stéphanie en se rapprochant de son amoureux.

— Passer autant de temps avec un fif à polo ! Ce n'était pas fort de ta part non plus, ajoute Steve en croyant être drôle.

Stéphanie, de nouveau offusquée, s'éloigne subitement et regarde Steve pendant un moment avant de répondre :

— Comment ça « C'était pas fort... » ? répète-t-elle, en l'imitant.

— Ben là, *come on* Steph ! As-tu vu le gars comme il faut ? On dirait qu'il avait une olive de coincée entre les deux fesses ! s'amuse Steve, en changeant aléatoirement de chaînes.

— Tu juges tellement le monde ! affirme Stéphanie, sans chercher à défendre Martin.

Elle n'ajoute rien, et réfléchit à la raison pour laquelle elle se sent si offensée que Steve bafoue Martin de la sorte. « Il est vraiment beau gars... raffiné. Steve est jaloux », se convainc-t-elle.

— Et si on parlait un peu de nous deux, propose-t-elle doucement, en arborant une attitude plus positive.

— Quoi ? C'est la finale du PGA Champions Tour en reprise ! Malade ! s'anime Steve, excité, en montant le volume du téléviseur.

— Je ne sais pas pourquoi tu montes le son. Pour regarder du golf, ce n'est vraiment pas nécessaire, ajoute Stéphanie, découragée et déçue que son chum ne donne pas suite à sa question.

— Chiale pas ! T'aimes ça le golf maintenant ! ricane-t-il en fixant toujours l'écran.

— J'avais décidé d'arrêter de jouer, avoue Stéphanie, qui appuie son menton au creux de sa main.

— Ben non. Continue. Faut pratiquer pour devenir bon, lui conseille-t-il, inattentif, sans la regarder.

Les bras croisés, Stéphanie se tourne vers son copain en réfléchissant : « Si tu insistes... c'est toi le pire... »

« Bon, elle n'est pas contente parce qu'elle ne veut pas écouter le golf », croit Steve, sûr de lire sur le visage de sa blonde sa face insatisfaite.

Silence.

— Je pensais qu'on pourrait partir juste tous les deux le week-end prochain. Mon oncle a un chalet en Estrie. Une belle place, lance Steve afin de lui redonner le sourire.

— Ça serait le fun ! Et je n'ai rien au programme en plus ! s'excite Stéphanie.

« Wow ! Un week-end romantique dans un chalet... Je ne retournerai plus au club de golf finalement », se ravise Stéphanie en se collant contre son compagnon, enthousiaste devant le projet.

Mercredi, église chrétienne de l'arrondissement Laberge

Sans trop savoir pourquoi, Jasmine s'arrête à l'église du quartier en revenant de travailler. Elle trouve sa stratégie un peu moins crédible depuis qu'elle ne fréquente plus le groupe. Elle dispose tout de même d'encore quelques semaines pour atteindre son objectif. Elle cherchait quoi faire de plus hier, et rien n'est venu. La seule chose qu'elle a réalisée est qu'elle doit continuer d'entretenir des activités religieuses pour ne pas avoir fait tout ça pour rien.

Elle envoie un message texte à son conjoint lui expliquant qu'elle rentrera après la messe.

Elle pénètre à l'intérieur du lieu saint, et arrive tout juste pour le début de la messe de 17 h 30. En la voyant entrer, Georges lui fait un signe de tête accueillant, puis Jasmine se joint au petit groupe de personnes assis à l'avant, près de la sacristie. Son regard croise celui de Jérémy, son séant fièrement posé sur un fauteuil imposant, près du curé. Elle lui adresse un demi-sourire auquel il répond par un signe de croix. « Il est tellement étrange ce gars-là... », estime-t-elle tout en continuant de l'observer. Puis, elle redirige son attention vers Georges, qui termine les prières habituelles.

***

Au moment de la communion, le curé et son apprenti se mettent côte à côte de façon à créer deux rangées distinctes, malgré le petit nombre de fidèles. D'instinct, Jasmine se place dans celle de Georges. Lorsque ce dernier plonge la main dans son ciboire pour lui tendre l'hostie, Jérémy se déplace subitement devant Georges :

— Le corps du Christ, dit-il, sérieux, en présentant ses doigts vers Jasmine.

Le curé, un peu surpris du geste brusque de Jérémy, se met légèrement en retrait pour lui laisser plus d'espace.

— Amen, répond Jasmine, un peu mal à l'aise, en prenant le cercle blanc béni.

La dame à côté de Jasmine ne se rend compte de rien ; les yeux fermés, la bouche ouverte, toute langue sortie, elle attend que Jérémy y dépose le corps du Christ. Jasmine jette un regard inquiet à Georges avant de retourner s'asseoir.

***

À la fin de la cérémonie, elle se dirige vers la sacristie. Jérémy s'élance vers elle pour lui susurrer à l'oreille :

— Je savais que c'était pareil pour toi. C'est ce que je t'expliquais l'autre jour…

— Pareil quoi ? répète tout haut Jasmine, qui ne comprend rien une fois de plus.

— Chut, ordonne Jérémy en voyant le curé s'approcher d'eux.

— Qu'est-ce qui se passe ici ? demande alors Georges en les rejoignant.

— Rien ! Rien ! Dieu vous protège, affirme Jérémy, qui s'éloigne à reculons les deux pouces en l'air en guise de complicité avec Jasmine.

Georges se retourne pour regarder son aspirant s'en aller.

— Bonjour Jasmine, je suis content de vous voir. Jérémy ne vous embêtait pas, toujours ? s'informe le prêtre, quelque peu inquiet.

— En fait, je ne comprenais pas trop de quoi il parlait, avoue Jasmine, hésitante.

Le curé soupire en pivotant de nouveau en direction de Jérémy, qui semble réciter une prière, les mains jointes sous le menton, devant une statuette de Jésus grandeur nature, trônant au fond du chœur de l'église.

— Il est bien égaré, je trouve, commente simplement le curé avant de porter à nouveau son attention sur sa paroissienne.

— Vous allez bien ? demande Jasmine, polie.

— Oui. Justement, je suis content de te voir, car nous organisons une activité paroissiale la semaine prochaine. En fait, deux : une collecte de vêtements mercredi et une collecte de denrées alimentaires samedi. Il ne faut pas aider son prochain seulement à Noël ! On recherche encore quelques bénévoles pour trier les articles ici dans le sous-sol lorsque les autres volontaires reviendront des différents points de collecte.

— Parfait ! Mercredi, je prendrai mon après-midi et samedi j'y serai. C'est le fun !

« Super ! Au moins ça va aider des gens ! Coudonc, je commence à y prendre goût réellement ou quoi ? » s'autoanalyse Jasmine en regardant le curé, qui semble très content de compter sur sa présence.

Mercredi, appartement de Charles et Jasmine

— Ça va bien, toi, chérie ? s'informe Charles en s'approchant de sa compagne qui s'affaire devant la cuisinière.

— Oui, pourquoi ? T'as bien l'air drôle, déclare Jasmine en observant son conjoint.

— Bien non, voyons ! reprend-il, conscient qu'il doit avoir l'air bizarre à rôder autour d'elle sans trop savoir quoi dire.

Il marche nerveusement vers la fenêtre. Visiblement, il ne semble pas savoir quoi faire de ses dix doigts.

— Tiens. Lave donc ce chaudron-là en attendant que je termine. Je vais mettre tout ça au four, le sollicite gentiment Jasmine en déposant une pièce de viande dans un plat en pyrex.

Soudain pris d'un éclair de génie, Charles lui propose :

— Chérie, je crois que l'on devrait acheter un lave-vaisselle ce week-end !

— Hish… t'es sûr ? Moi, c'est un peu difficile financièrement ces temps-ci. On pourrait attendre cet hiver ? propose Jasmine, concentrée à sa tâche.

— Pourquoi c'est difficile ? demande Charles, suspect, en continuant de récurer le chaudron.

— J'ai eu des trucs à payer… des décisions financières que j'ai prises pour le mieux quant à mon avenir économique, répond vaguement Jasmine, concentrée à programmer le four.

— Quelles choses à payer ? se renseigne Charles.

— Grand curieux, va ! Peux-tu aller dehors me chercher du basilic, s'il te plaît ? Je vais faire une belle salade !

Charles s'exécute docilement. En revenant à la cuisine, il la relance avec une question plus directe :

— Et ton groupe religieux, lui ?

— Quoi, mon groupe religieux ? Les séances du mercredi sont terminées, déclare Jasmine, certaine de lui avoir déjà mentionné ce détail.

— Tu ne les vois plus ?

— Bien justement, c'est drôle que tu en parles, à l'église tout à l'heure, je me suis engagée dans une activité paroissiale. Je vais peut-être revoir certains membres du groupe. Il y a une collecte pour les pauvres la semaine prochaine : mercredi et samedi. Je crois que certains participants du groupe vont y être.

— Mercredi et samedi, hein ? réfléchit Charles en regardant par la fenêtre.

— J'ai le goût de les revoir. Comme s'ils me manquaient, explique Jasmine pour appuyer sa démarche et la rendre crédible.

Jeudi, terrain de balle dans l'arrondissement Laberge

— Donc, c'est grave à ce point-là ? s'étonne Steve en écoutant Charles raconter sa rencontre avec le policier.

— Ils prennent ça au sérieux en tout cas. On ne va pas faire une descente de police, mais on vérifiera la situation, explique Charles.

— Coudonc ! Je ne pensais pas qu'il pouvait se passer des trucs fous de même dans notre petit quartier tranquille, commente Pierre-Luc.

— Parlant de « dossier chaud » Pierre-Luc, tu ne nous as jamais reparlé d'Annie, avance Brandon, curieux de la suite de cette saga.

— C'est arrangé, dit-il peu explicite.

— C'est arrangé ? Mais encore ? tente Steve, pour l'inciter à en révéler davantage.

— C'était rien finalement, ajoute-t-il en regardant en direction du terrain. Au fait, le gros Bigras est encore blessé ? s'informe Pierre-Luc pour détourner la conversation.

— Ouais, jusqu'à la fin de la saison. Il va falloir trouver un autre joueur, confirme Steve.

— Ben voyons ! Ton histoire, ce n'était rien ? Le bar en cachette, les vêtements, reprend Brandon, soupçonnant que son ami leur cache la vérité.

— Les bobettes mangeables pis toute, ajoute Charles qui, dorénavant, ne peut plus s'empêcher de s'esclaffer en prononçant ces mots.

— Je vous le dis, ce n'était rien ! Bon, c'est à nous de jouer, je pense, leur signale Pierre-Luc, agacé par leur insistance.

— Non ! Ce n'est même pas à nous encore, affirme Charles en direction de Pierre-Luc, qui est déjà plus loin.

— Il est bizarre lui, déclare Brandon, méfiant.

Jeudi, bar La débauche

— Eh ! contente de te voir, ma noire ! s'exclame Tammy en voyant Annie s'approcher du bar. Si tu as changé d'idée, il est trop tard ! On a trouvé quelqu'un pour te remplacer.

Annie se tourne en direction d'une femme qui s'active derrière le comptoir. La nouvelle serveuse est chaussée d'escarpins démesurément hauts en raison de sa petite taille. Elle porte aussi une robe noire moulante et un décolleté vertigineux exhibant sa poitrine double D qui explose en plein visage de toute personne qui s'avance à moins d'un mètre d'elle.

— Vous ferez beaucoup de pourboire ! prophétise Annie, en analysant ses attributs féminins saillants.

— Quand je suis placée à côté d'elle, on dirait que je n'ai même pas eu d'augmentation mammaire ! C'est le fun de payer

5 000 piastres dans le beurre ! chuchote Tammy, qui tente de maximiser par quelques petites retouches manuelles l'apparence de son propre décolleté. En plus, elle est très mince parce qu'elle doit sûrement prendre de la coke, commente Tammy, l'air triste.

— Arrête ! T'es bien plus jolie qu'elle ! Surtout si elle se drogue, murmure Annie, traumatisée par la supposition non fondée de Tammy.

— Bon, tu viens chercher ta paie de la ligne, je suppose ?

— Oui…

Tammy fouille sous le comptoir et remet discrètement une enveloppe à Annie, en s'assurant que la nouvelle serveuse, qui se maquille devant un petit miroir de poche, ne décèle rien de son geste.

— Je viendrai ici les jeudis pour prendre ma paie. Ça te va, j'espère ?

— Ben oui ma noire, tant que tu m'invites à ce foutu mariage !

Le cellulaire d'Annie se met à sonner dans sa poche de veste.

— Je vais prendre l'appel dehors…

Les deux amies s'embrassent, puis Annie se dirige vers la porte en répondant au cellulaire :

— Comment Baby Sitter peut t'aider ce soir, mon chéri ?

— Salut, c'est Max !

— Ah salut !

Vendredi, Poste de police municipale de l'arrondissement Laberge

— Mercredi et samedi, énumère Charles en regardant Carolin, qui prend encore des notes.

— Ça pourrait être une bonne façon pour nous de vérifier ce qui se passe là-bas, confirme le policier. Mais malheureusement, mercredi, je suis à l'extérieur de la ville...

— Pour les difficultés financières, j'ai investigué ce que tu m'avais dit. J'ai tenté de voir comment ça se passait de ce côté-là et, comme de raison, elle m'a dit que c'était difficile ces temps-ci. Cependant, je ne peux pas vérifier concrètement, tu comprends ? Je n'ai aucune façon d'accéder à son compte, explique Charles.

— De toute façon, au début, les dommages financiers sont rarement très importants. C'est à long terme que cela peut être réellement problématique, ajoute Carolin.

— On va se faire un plan de match pour essayer de s'immiscer subtilement dans leurs activités de samedi, précise le policier.

— Parfait !

SEMAINE 9

Lundi, terrain de balle dans l'arrondissement Laberge

Les gars, alignés sur le banc selon leur ordre de frappeurs, étudient la partie avec attention. Ils semblent tous prendre la pause, sans regarder directement l'objectif de l'appareil photo. Contrairement aux semaines antérieures, aucun n'aborde le dossier « femmes ». Comme s'ils avaient tous subitement compris que leur papotage des derniers temps, voire des derniers mois, tournait presque exclusivement autour d'un seul et unique sujet. Les joueurs paraissent tous heureux de tenir, pour une fois, des conversations enjouées sur la pratique de leur sport de prédilection :

— Ça paraît que t'as une petite graine, Steve ! T'es pas capable de bien tenir le *batte* ! lance Charles à Steve, qui revient au banc après avoir frappé la balle.

— Ta yeule, gros innocent ! Toi, t'as le scrotum plissé comme un vieux singe…

Charles assène un bon coup de poing sur l'épaule de Steve en guise de réponse à son insulte. Brandon et Pierre-Luc, assis près d'eux, rient en savourant ce moment authentique et véritable de pure amitié entre hommes !

Lundi, appartement de Pierre-Luc et Annie

« Ziziizizizizizиz… » fait le bruit de la brosse à dents d'Annie, maintenant en marche depuis cinq minutes. Simple et pragmatique, sa technique consiste à agripper le manche dans la même main qui tient son cellulaire afin de pouvoir s'affairer à diverses tâches en même temps qu'elle bavarde. Quoique « bavarder », c'est un grand mot !

— Ah oui ! Ah oui ! Je crois que ça y est…, gémit Baby Sitter en terminant une recherche sur Internet afin de dénicher une activité de bricolage sur le thème de l'été.

« Des fleurs en papier de soi… Bof ! Un peu trop classique… », se dit-elle en continuant de jouir faussement.

— C'est bon, j'aaaadooore çaaaa…

Elle atterrit sur une page de bricolage fait de minces tranches d'agrumes séchés. « Wow ! Bonne idée ! Les enfants vont adorer ! » estime-t-elle. Elle entend son interlocuteur pousser un long geignement de satisfaction. Il la remercie et raccroche rapidement. Elle éteint sa brosse à dents en soupirant.

— C'est tout ? Déjà ? Pas de discussion ? De tendresse ? s'exclame ironiquement Annie à haute voix, bien qu'elle soit seule.

Le téléphone sonne de nouveau. Elle répond de sa voix la plus langoureuse en notant sur une feuille l'idée de bricolage fait à partir de fruits. La voix au téléphone lui est familière.

— Salut Max, dit-elle en se réappropriant d'un seul coup sa voix normale.

— Je tente de te joindre depuis déjà vingt minutes et la répartition me disait que tu étais en ligne.

— C'est exact. Et toi, ça va bien ?

La discussion reprend de plus belle comme tous les lundis et jeudis. Max lui raconte son week-end comme s'ils étaient de grands amis qui avaient malencontreusement été dans l'impossibilité de se parler depuis quelques jours. Annie ne s'exprime pas beaucoup, mais pose plutôt le plus de questions possible à son « client ». Depuis que Max cherche à s'immiscer furtivement dans son intimité, Annie essaie de contrer sa curiosité en l'interrogeant professionnellement.

— Beaucoup de travail ? lance-t-elle, en souhaitant une réponse élaborée de sa part.

— On travaille comme des malades ici, donc je ne sors jamais. Les seules gens que je rencontre sont les clients en vacances. Ça me fait tellement du bien de te parler, mais tu sais, je commence à me trouver minable d'appeler deux fois par semaine pour m'entretenir avec une fille qui s'en sacre pas mal…

— Je m'en sacre pas arrête, se permet de dire Baby Sitter pour le mettre à l'aise.

— Tu sais, je développe réellement des sentiments à ton égard. On dirait que t'es faite pour moi. Tu m'écoutes, t'es douce, gentille… exactement le genre de femme que je cherche pour me marier !

— Voyons donc, Max ! C'est insensé !

Annie, décontenancée, réussit stratégiquement à faire bifurquer la conversation vers son bricolage de tranches de citrons et de limes. Belle diversion ! Max, avide de connaître le plus infime détail sur la vie de sa secrète Baby Sitter, dévore l'information comme si celle-ci s'avérait capitale.

Mardi, appartement de Stéphanie

— Il est comment le chalet de ton oncle ?

— Je ne m'en souviens plus trop et ça doit avoir changé. Ça fait vingt ans que je n'y suis pas retourné, explique Steve.

— Il faut que je sache pour planifier quoi apporter, pleurniche Stéphanie, qui tente de distraire Steve, toujours ancré devant le téléviseur.

— C'est pas compliqué, fais ta valise comme si on allait à l'hôtel, propose-t-il.

— Il y a un séchoir à cheveux ? demande Stéphanie, en cherchant à le coincer.

— Non ! Sûrement pas !

— Bon tu vois ! C'est de ce genre d'informations dont j'ai besoin !

Elle attrape le cellulaire de Steve qui trône sur la table à café et le met sous son nez, en le suppliant :

— Appelle ton oncle ! Je veux qu'il nous décrive sa maison de campagne !

— Ben voyons, Steph ! Tu me vois lui dire : « Salut Claude. Décris-moi donc ton chalet : les dimensions, la couleur des murs, tout ? Ma blonde a besoin de ces infos pour savoir quel pyjama « matcherait » avec le décor !

— Tu ne comprends vraiment pas !

— C'est toi qui rends encore tout tellement compliqué !

À cet instant, Stéphanie aurait pu être froissée ou faire une scène à son amoureux, mais contre toute attente, trop excitée par le projet, elle oublie le commentaire de Steve, comme s'il s'était évaporé dans l'univers. Elle sourit.

— Vis dangereusement, bébé ! La surprise, le mystère, l'aventure, énumère-t-il en se concentrant de nouveau sur le bulletin de nouvelles sportives.

« Ouin », songe-t-elle en appuyant sa tête sur l'épaule de son homme ; elle écoute, sans intérêt, des extraits de la conférence de presse à propos de la blessure au pied d'un joueur de baseball qu'elle ne connaît naturellement pas.

Mercredi, sous-sol de l'église de l'arrondissement Laberge

Debout près d'une table, Jasmine s'affaire à placer les immenses boîtes de façon stratégique pour faciliter la classification des différents types de vêtements amassés durant la collecte. Malheureusement, peu de bénévoles sont présents pour lui donner un coup de main. « J'espère que les gens seront plus généreux de leurs vêtements que de leur temps ! » se dit-elle. Elle entend alors la porte du sous-sol de l'église s'ouvrir doucement. Elle se tourne pour accueillir visuellement les nouveaux arrivants. Surprise ! Rose et Émile (les veufs) entrent en trottinant main dans la main. « Ah ben ça alors ! Un match parfait ! Je le savais ! » se réjouit

Jasmine en allant vers eux pour les saluer chaleureusement. Au même moment, Denis fait discrètement son entrée, la tête basse, les mains dans les poches. Il rejoint le petit groupe d'un pas lent, suivi de près par Georges.

— Bonjour tout le monde ! Je suis content de vous voir, déclare Georges en tapotant amicalement l'épaule de Denis.

— Je suis sobre depuis une semaine, révèle d'emblée ce dernier, comme si quelqu'un venait de lui poser la question.

Ils échangent tous quelques regards confus, mais applaudissent tout de même Denis pour sa sincérité, sans oublier de le féliciter.

— J'ai fait une rechute il y a deux semaines, confie-t-il, honteux, la tête baissée.

Tout le monde l'encourage en chœur, en le glorifiant de ne pas abandonner sa démarche pour autant. Il esquisse un léger sourire. Jack arrive au même moment en les saluant tous d'une voix de stentor. Ignorant les déclarations précédentes de Denis concernant son abstinence, il lui demande à la blague, en rejoignant le groupe :

— T'es sobre depuis combien de temps ?

— Une semaine, répond-il, l'air de nouveau abattu.

— Hein ? demande Jack, expressif.

— Il a fait une rechute, précise Jasmine, pour éviter à Denis d'avoir à se répéter.

— Qui t'a vendu ton stock ? s'intéresse instantanément Jack.

Tout le groupe lui adresse de gros yeux remplis de reproches. Il éclate de rire en disant :

— Je vous ai bien eus, hein ? Je niaisais.... Hahahaha !

« Bien oui, tu niaisais mon œil... », se dit Jasmine, prise d'un énorme doute, avant d'expliquer le système de triage qu'elle a improvisé pour faire la gestion des boîtes. Puisque les équipes sur la route commencent à revenir avec des sacs de vêtements, tout le monde se met au travail.

Jérémy s'immisce discrètement dans la pièce alors que les bénévoles paraissent tous bien occupés à leur tâche. Il repère Jasmine en moins de deux et fonce tout droit sur elle.

— Bon, tu es là ! prononce-t-il, comme s'ils avaient convenu d'un rendez-vous.

— Salut, lance Jasmine, concentrée à inspecter méticuleusement un chandail qui semble trop endommagé pour le proposer à quelqu'un.

Il s'approche encore davantage d'elle, en balayant du regard les alentours avec une nervosité palpable, comme s'il se sentait observé. Il lui murmure près de l'oreille :

— Un envoyé spécial m'a confirmé que c'était correct pour nos égarements...

Jasmine, lasse de ne rien saisir de son charabia, pose brusquement le vêtement sur la table en demandant, impatiente :

— OK là, j'en ai assez ! Tu m'expliques maintenant à quoi tu fais allusion, qu'on en finisse avec toutes ces énigmes et tous ces mystères. Je ne comprends rien !

— Chuttt ! supplie Jérémy en faisant des signes avec ses mains, les yeux ronds. Puis, il ajoute :

— Trop tard ! Il nous regarde, je reviendrai…

Il quitte la salle en trombe. « Nos égarements ? De quoi parle-t-il ? » tente de comprendre Jasmine.

Elle fixe pendant quelques secondes la table devant elle. L'équipe de travail, composée du couple de veufs nouvellement formé et de Jack, sifflote en triant les vêtements garçons-filles et les vêtements enfants-adultes ; il sera plus simple par la suite d'effectuer la distribution. La jeune femme songe à Jérémy tout en observant Jack, qui semble très concentré. Soudain, elle le voit prendre un morceau de vêtement dans une boîte et le dissimuler sous sa veste de cuir. Elle fronce les sourcils en réfléchissant : « Ben voyons, il vole du linge ? » Jack, qui effectue un tour visuel de la pièce à la recherche de témoins oculaires, arrête son regard sur celui de Jasmine. Celle-ci, ne sachant trop quelle attitude adopter, le regarde de façon détachée. Jack lui lance :

— Hahahaha ! Je niaisais ! en ressortant nerveusement le vêtement de son blouson.

« Il me semble oui, mais je n'allais certainement pas moucharder… », songe Jasmine en baissant la tête pour continuer son travail.

Vendredi, véhicule de Steve

— C'est vraiment loin, commente Stéphanie en contemplant le paysage par la vitre du véhicule de son compagnon.

— On arrive bientôt !

— Qu'est-ce qu'on va faire ? s'enthousiasme-t-elle, fébrile quant au week-end prometteur.

— On va relaxer, profiter de la nature, se faire de bons soupers, se promener en bateau. Il y a un lac juste devant le chalet, la renseigne Steve, enjoué.

— Un lac juste devant le chalet ! répète-t-elle, emballée par ce dernier détail.

« Ce doit être un super chalet, du genre sur pilotis avec un grand balcon et une vue magnifique… », spécule Stéphanie, en fantasmant sur l'idée de prendre un bon café au lait emmitouflée dans une couverture à l'aube.

Steve, un peu perdu, ralentit devant une intersection ; il doit choisir entre le chemin de terre à droite et le chemin de terre à gauche.

— Je ne me souviens plus si c'est par là ou par là, avoue-t-il, ambivalent, en désignant du doigt les deux options possibles.

— Peu importe, tente le coup ; on reviendra sur nos pas si tu ne reconnais pas le paysage.

Il emprunte finalement le chemin de droite et sillonne la route qui longe la rive d'un grand lac ; la voiture passe devant de majestueux chalets quatre saisons, tous plus luxueux les uns que les autres. Stéphanie admire les habitations en commentant les détails architecturaux de chacune d'elles.

— C'est pas aussi beau chez mon oncle, quand même ! Il n'est pas millionnaire ! précise Steve en observant les maisons de campagne de luxe, qui valent probablement plusieurs centaines de milliers de dollars.

— Je le sais, franchement ! le rassure Stéphanie.

— C'est bon ! Je reconnais, c'est bien par ici. Je dois emprunter ce petit chemin pendant quelques kilomètres et c'est tout juste après la grosse maison rouge, se rappelle Steve, qui a tout de même demandé, grosso modo, les indications routières à son oncle avant de partir.

— En tout cas, creux de même, on va sûrement avoir la grande paix !

— Mon oncle n'y est pas encore allé cette année. On sera les premiers. À cause de son nouveau contrat, il n'a pas eu le temps. Il espérait que ce ne serait pas trop le bordel !

— Ben là, ça ne peut pas être si à l'envers que ça, quand même, l'encourage Stéphanie. Sinon, on passera un coup de balai !

Après quelques minutes supplémentaires de route, Steve s'engage sur le petit chemin qui longe encore de plus près les rives du lac. Il roule doucement puisque la chaussée est quelque peu accidentée. Stéphanie, curieuse, allonge le cou pour tenter d'apercevoir l'habitation au loin. Rien. Juste des arbres.

— On descend par ici, dit Steve en tournant le volant pour entrer dans une cour encore moins bien entretenue que le chemin qu'ils viennent de délaisser.

— Ah oui ! Je vois leur hangar entre les arbres ! crie Stéphanie, qui vient de remarquer une cabane rustique dans la forêt.

— C'est là !

— Où ça ? Je ne vois rien !

— Ben ça, déclare-t-il en désignant la cabane que Stéphanie croyait être le hangar.

Steve immobilise le véhicule, juste devant le bâtiment, et ouvre sa portière en souriant à sa conjointe.

— Tu niaises ! Dis-moi que ce n'est pas ça ? s'exclame-t-elle, frappée de stupeur.

Vendredi, appartement de Charles

Assis sur son canapé, le téléphone à la main, Charles confirme leur rendez-vous au policier :

— Parfait, donc demain et on fait comme on a dit ?

— Oui, j'irai te chercher avec la voiture fantôme, de cette manière on sera plus discrets. On va juste faire une simple vérification…

— Super ! Merci pour ton aide, Carolin. Ça me rassure de savoir que demain, on en aura le cœur net.

— C'est sûr que personnellement, j'aurais préféré interroger ta conjointe avant, mais comme tu ne veux pas, on fonctionnera de cette façon-là.

— Je t'attends demain. Bye.

Quelques instants plus tard, Jasmine, qui revient de travailler, entre dans l'appartement. Elle se dirige tout de suite vers l'armoire de l'évier et se penche pour prendre un produit nettoyant et un chiffon. En passant devant son conjoint, assis sur le canapé à regarder la télévision, elle s'arrête pour lui reprocher :

— Elle était bonne ta crème glacée ?

— De quoi tu parles ? demande Charles, confus.

— Hier… J'aimerais ça que tu fasses un peu plus attention quand tu empruntes mon auto. Il y a une grosse tâche de crème glacée sur le siège du conducteur. C'est assez dégueulasse merci !

— Je ne sais vraiment pas de quoi tu parles, Jas. J'ai pris ton char, je suis allé à la balle, et après, on a pris une bière entre gars. Je n'ai pas été à la cantine…

— En tout cas, t'as mangé quelque chose de collant et tu manges mal ! ajoute Jasmine avant d'aller nettoyer sa voiture.

« Hish ! Elle n'a pas l'air de bonne humeur aujourd'hui… C'est bon, c'est bon, j'accepte le blâme même si ce n'est pas moi… », se dit Charles en changeant rapidement de chaînes. Il écoute finalement les nouvelles en rafale à LCN.

Lorsque Jasmine revient à l'intérieur du condo, Charles veut partager son engouement à propos d'une nouvelle impressionnante concernant un joueur du Canadien. Désintéressée, Jasmine se rend à la salle de bain pour prendre une douche. Il ne reparle pas du véhicule de Jasmine de la soirée.

Vendredi, chalet de l'oncle de Steve en Estrie

— Arrête de te plaindre, Steph ! C'est parfait ! clame Steve, tout sourire, en humant bruyamment l'odeur de la forêt, debout près de son véhicule.

— Euh… excuse-moi ! Ça a l'air délabré… voire en ruine ! se lamente Stéphanie, les bras croisés, en restant aussi très près de l'automobile, comme si elle n'osait pas avancer.

— J'avoue que l'extérieur demanderait un peu d'entretien, mais mon oncle n'a pas le temps.

La cabane de bois fait environ 15 pieds sur 20 pieds. De l'angle où se trouve le couple, on peut apercevoir un balcon dont la pente vers la droite est considérable. Le toit, endommagé par une branche cassée, permet probablement à l'eau de s'y infiltrer. Les vieilles fenêtres de bois, défraîchies, donnent à penser qu'il suffirait d'un seul petit coup de coude pour pénétrer à l'intérieur du bâtiment. L'accès visuel du lac est obstrué par des arbustes et des fougères de toutes sortes qui montent presque jusqu'à la toiture du « chalet ».

— Mon oncle n'est pas chanceux avec les branches d'arbres, cette année ! plaisante Steve en faisant référence au cabanon qu'il a dû réparer précédemment.

— Belle vue ! souligne ironiquement Stéphanie, en se dirigeant finalement vers la porte d'entrée.

La première marche cède sous le poids de Steve au moment où celui-ci grimpe sur le balcon.

— Attention, conseille-t-il à Stéphanie en gravissant les deux autres marches d'un seul pas.

En tentant d'ouvrir la porte, il constate que celle-ci est verrouillée. Steve sort une vieille clé de sa poche afin d'ouvrir la serrure.

— Je ne sais pas pourquoi il la barre. Personne ne voudrait voler ici de toute façon, s'insurge Stéphanie en scrutant, l'air dégoûté, un amas de champignons beigeâtres cramponnés à la façade de la maison, tout près de la porte.

— Ah, arrête Steph ! C'est tannant, supplie Steve en poussant la porte dont les pentures grincent sur leurs gonds.

— Dégueulasse ! crie Stéphanie, presque hystérique, en se mettant la main devant la bouche en voyant l'intérieur.

La pièce à aire ouverte paraît très poussiéreuse. Le contenu du garde-manger est éparpillé au sol, mais rien ne semble brisé. Un divan est légèrement éventré sur le côté et son rembourrage sort par l'étroite brèche. Une odeur fétide règne dans la pièce, comme s'il s'agissait d'un mélange d'urine de chat et de vomissure. Même Steve a un haut-le-cœur au point de couvrir son nez de sa main.

— Qui est venu ici ? Des porcs ? rugit Stéphanie, en faisant un pas vers l'arrière pour aspirer une grande bouffée d'oxygène de l'extérieur.

— Une belle famille de ratons, je pense ! Il y a des excréments, là.

— Bon bien, on va annoncer à ton oncle qu'il va avoir du ménage à faire, hein ? Viens- t'en, on s'en va ! ordonne Stéphanie en quittant le balcon pour se rendre à la voiture.

Steve la suit d'un pas accéléré.

— Euh non ! On reste ! rectifie-t-il, catégorique.

— Quoi ? Tu veux qu'on torche de la merde de ratons pendant deux jours et voilà le beau week-end romantique ! Moi je ne couche pas ici, c'est sûr ! Voyons ! Avec des bêtes sauvages ? Pas question…

— Steph, y a rien là ! Je passe un coup de balai, je remets ce qu'il y a sur le plancher dans les armoires et le tour est joué. Je m'occupe de tout, même si c'est une job de filles ! la taquine-t-il.

— T'es sérieux ! crie Stéphanie en revenant sur ses pas.

— Ouais… Je me demande bien par où ils sont entrés, investigue Steve en retournant à l'intérieur afin de résoudre l'énigme.

En signe d'opposition à la décision, Stéphanie reste dehors en maintenant les bras croisés fermement. Impuissante, elle frappe une branche au sol avec son pied avant de se frayer un chemin vers le lac. « Taudis de marde, ratons de marde, lac de marde… », enrage-t-elle, silencieuse, en regardant le paysage sans rien ressentir de positif.

Samedi, sous-sol de l'église de l'arrondissement Laberge

Étant donné l'efficacité des équipes volantes, la collecte de denrées alimentaires s'avère un franc succès. Tout le monde fourmille comme des abeilles. Certains anciens participants du groupe du mercredi s'y trouvent ; le couple de veufs et Denis (sobre depuis une semaine et quelques jours) ont accepté de collaborer. D'autres citoyens de la paroisse sont venus donner un coup de main pour trier les denrées afin de faciliter la confection de paniers équitablement remplis.

Jasmine sifflote en s'affairant au triage des aliments éparpillés sur une longue table. En voyant entrer Jérémy, elle se dirige tout de suite vers lui. Puisque Georges est dehors, elle suppose que la communication devrait mieux se dérouler. Elle veut éclaircir cette histoire une fois pour toutes.

— Salut, lui lance-t-elle, joviale.

— Salut, répond-il en effectuant de nouveau un balayage visuel de la pièce, nerveux.

— Est-ce que tu peux me parler ? demande-t-elle, prévoyante.

— Oui, je m'en venais te voir justement. L'envoyé spécial m'a confirmé que le jour de la célébration sera aussi le moment du grand jugement. Nous allons être épargnés, je crois… Béni soit le ciel !

— Le jour de quelle célébration au juste ? s'informe Jasmine, de plus en plus inquiète.

— Le mariage, déclare-t-il, comme si la réponse s'avérait simple.

Décelant chez Jérémy des signes de confusion évidents, elle l'interroge doucement :

— Jérémy, le mariage de qui ?

— De toi et moi ! rétorque-t-il, comme si elle était ridicule avec ses questions.

« Merde, comment se fait-il que je n'ai pas vu venir ça avant ? Il est en plein délire psychotique, le pauvre ! » cogite Jasmine en le dévisageant.

— Jérémy, assois-toi ici quelques minutes et attends-moi. Je vais dehors pour vérifier quelque chose.

Croyant à une surprise, il fait un signe de tête affirmatif puis s'installe docilement sur la chaise désignée par Jasmine. Celle-ci, dépassée par les événements, tente de trouver Georges pour lui faire part de la troublante nouvelle. Après avoir interrogé quelques personnes, elle le retrouve finalement, affairé derrière un gros camion, à décharger des boîtes de denrées. Elle lui explique ses inquiétudes au sujet de son apprenti ; le prêtre, sans voix, la suit à l'intérieur.

— Zut ! Il est parti, constate-t-elle, déçue, en apercevant son siège vide.

— Pas grave, il ne doit pas être très loin. Ne t'en fais pas, aussitôt que je le croise, je m'occupe de lui.

Samedi, voiture de police 18-3

En se garant près du parc de stationnement de l'église, Charles, quelque peu nerveux, récapitule avec Carolin les étapes du plan qu'ils ont élaboré.

— On entre tout bonnement, juste comme si on était curieux de voir ce qui s'y passe.

— Si on décèle des trucs qui semblent louches, tu me laisses faire. J'appellerai du renfort en annonçant tout simplement que c'est une vérification.

— Parfait !

Les deux hommes se dirigent d'un pas déterminé vers l'entrée menant au sous-sol. Aucun véhicule de livraison ne se trouve dans le parc-autos.

Samedi, sous-sol de l'église de l'arrondissement Laberge

— Pas beaucoup d'action pour une supposée « collecte », présume Charles, suspicieux, en ouvrant la porte extérieure du sous-sol.

En entrant dans la pièce, ils constatent assez rapidement que des groupes de gens dispersés autour de tables s'activent réellement à classer des denrées alimentaires. Comme ils s'attendaient à découvrir des activités sectaires illégales, leur présence dans l'endroit semble alors plus ou moins justifiée.

— Charles ? s'exclame Jasmine en levant les yeux vers les nouveaux venus.

— Bonjour ! s'exclame le couple de veufs en agitant la main simultanément.

— Qu'est-ce que tu fais ici ? lui demande Jasmine en s'approchant de son conjoint.

— Ben, heu… je…

Charles adresse des regards inquiets à Carolin, qui le dévisage comme s'il voulait lui dire : « Je ne sais pas comment t'aider à trouver un mobile… »

— On est simplement venus voir comment ça se passait ici, déclare finalement le policier, en mettant les mains sur sa ceinture, l'air sûr de lui.

— Ouin… C'est ça ! acquiesce Charles, en dressant le pouce en guise d'appui au motif invoqué par Carolin.

— Qu'est-ce que tu fais avec un policier ? l'interroge Jasmine, confuse, les bras ouverts en signe d'incompréhension.

Georges, qui remarque les deux hommes dans le fond de la pièce, accourt vers eux, trop content de leur présence ici.

— C'est vraiment gentil d'être venus ! J'ai envoyé un communiqué de presse au bureau de police hier pour leur annoncer l'événement !

— C'est ça ! commente Carolin, en regardant intensément Charles l'air démuni.

— Mais toi, tu fais quoi avec lui ? réitère de nouveau Jasmine, qui ne saisit toujours pas ce que son amoureux fait là.

— Lui ? Euh... On se connaît... Il joue au baseball avec nous. Il remplace le gros Bigras, qui s'est blessé, improvise Charles en donnant une tape sur l'épaule de Carolin.

— OK, répond Jasmine en fronçant les sourcils ; elle décèle un malaise chez Charles sans pouvoir identifier ce qui cloche.

— Hum..., opine Carolin, comme s'il sentait la nécessité de répondre par une onomatopée pour rendre le mensonge plus crédible.

— Vous venez nous donner un coup de main ? présume le curé, encore très emballé.

— Non, on venait juste vous féliciter de votre démarche au nom du Service de police municipal et on doit repartir, hein ? ment Carolin, en regardant Charles pour qu'il approuve à son tour cette fausse mission d'observation.

— Hum..., acquiesce Charles, qui réalise après coup le manque d'originalité de la réponse choisie.

— Bonne journée et continuez votre bon travail ! ajoute le policier.

— Bye, chérie ! salue à son tour Charles en embrassant rapidement sa compagne sur la joue avant de tourner les talons.

Pressés de sortir, ils bousculent trois hommes, les bras chargés de boîtes, qui s'apprêtaient à entrer dans le sous-sol de l'église. Ils accélèrent le pas jusqu'à la voiture de police fantôme, en saluant poliment les gens qu'ils croisent sur leur passage.

Samedi, voiture de police 18-3

— On a eu l'air de deux vrais épais ! Ma blonde doit vraiment se poser des questions, rage Charles, qui frappe le tableau de bord avec la paume de sa main.

— Moi surtout ! On a reçu un papier au poste annonçant l'événement... *Shit*, ça devait être sur le babillard ! Je ne l'ai jamais regardé. Je suis mauvais comme enquêteur, peste aussi Carolin, en ouvrant sa vitre électrique.

— C'est ma faute ! J'ai halluciné comme un con avec mon drame de l'Ordre du Temple solaire, se plaint Charles, honteux.

Les deux hommes partagent un moment de silence pesant, le regard perdu dans le pare-brise. Sans savoir pourquoi, Carolin ne démarre pas la voiture, comme s'il voulait faire le point sur son ignominieuse intervention policière avant de quitter le parc de stationnement. Puis, sans s'être donné le mot, ils se mettent à fixer un homme qui a l'air louche et qui se dirige vers une automobile. Ce dernier regarde à gauche et à droite, l'air nerveux, en trottinant, comme s'il craignait d'être repéré.

— Il a don' bien l'air suspect lui, commente Carolin, alerte, en remontant sa vitre pour ne pas être vu.

Flairant la malhonnêteté du rôdeur, Charles et Carolin l'épient de loin. L'homme avance vers un véhicule et tente d'ouvrir la portière du côté passager, qui est verrouillée.

— Sti, c'est le char de ma blonde, ça ! gesticule Charles, abasourdi, en voulant sortir de la voiture de police.

— Attends ! Je veux voir ce qu'il va faire, propose Carolin, qui attrape doucement le bras de Charles pour le forcer à se rasseoir.

Cette fois-ci, le suspect entreprend d'ouvrir la portière de derrière. Sans succès. Penaud, il se dirige de l'autre côté du véhicule. Celle du conducteur, malheureusement déverrouillée, permet à l'homme étrange de s'introduire à l'intérieur. Il referme derrière lui et ouvre quelque peu la vitre, probablement à cause de la chaleur qui y règne.

— Vite ! Il vole son char ! panique de nouveau Charles, ne saisissant pas la raison de l'inertie du policier.

— Je veux juste le prendre sur le fait. C'est plus facile pour les accusations si le gars met la voiture en marche et qu'il s'éloigne du stationnement, tu comprends ? Sinon, on peut juste l'accuser d'introduction par effraction dans un véhicule. Comme en ce moment.

— Peut-être pas si *clean* que ça, finalement, l'église du quartier ! déclare Charles, fier de trouver une faille dans toute cette histoire.

— Il est sorti de l'église ? demande Carolin.

— Je ne sais pas. Je ne regardais pas dans cette direction-là, avoue Charles, pour ne pas l'amener sur une fausse piste encore une fois.

Les deux « limiers » patientent pendant un long moment sans que rien ne bouge. De leur emplacement, ils ont une vue sur le véhicule sans toutefois déceler distinctement ce qui s'y passe.

— Coudonc, il n'est pas capable de le faire partir ? demande Charles, ahuri, à voix haute.

Le policier se décide à prendre son émetteur radio afin d'expliquer sur les ondes :

« Ici 18-3. J'ai un potentiel vol de véhicule automobile sur la rue Pears, dans le parc de stationnement de l'église, sur le côté droit. »

Quelqu'un répond :

« 12-6. On n'est pas loin. On arrive dans deux minutes. »

En attendant l'arrivée de ses collègues, Carolin analyse la situation :

— Je ne comprends pas pourquoi il ne démarre pas. Ce ne doit pas être un pro…

Lorsque surgit l'autre voiture de police, Carolin fait signe au conducteur de se garer dans la rue, pour ne pas alerter le voleur. Les deux agents s'exécutent et descendent de leur véhicule ; Carolin les rejoint sur le trottoir, accompagné de Charles.

— Bon, on fait ça doucement ! Toi, passe par-derrière et toi, du côté droit. Je le surprendrai par le côté gauche. Charles, reste à l'écart au cas où ça tournerait mal.

Les policiers avancent vers la voiture de Jasmine à pas de loup. Carolin dégaine son révolver dès qu'il en est à proximité, et annonce d'une voix forte :

— Lève les mains en l'air et sors de l'automobile !

Les autres agents empoignent leur arme en même temps que Carolin saisit la sienne. L'un posté devant le véhicule, l'autre derrière. Carolin observe l'intérieur de la voiture et prononce quelques mots à ses collègues ; ces derniers baissent leur pistolet, et Carolin les imite. Le truand ne sort pas. Carolin, debout près de la portière, semble abasourdi. Charles s'approche de la scène pour comprendre ce qui s'y passe.

— Qu'est-ce qu'il y a ? crie-t-il, confus.

Le policier ne lui répond pas et se retourne vers l'individu, toujours assis dans l'auto de Jasmine.

— Sors du véhicule, les mains sur la tête, ordonne Carolin au voleur.

Celui-ci ouvre la portière et s'exécute, son pantalon descendu jusqu'à la hauteur des chevilles.

— Câlisse ! blasphème Charles.

— Remonte tes pantalons et tends tes bras vers l'avant, le prie Carolin.

Au même moment, Georges et Jasmine sortent du sous-sol de l'église. Ils distinguent au loin un homme, le bas du corps nu, en train de retrousser son pantalon ainsi que trois policiers encerclant la voiture de Jasmine.

— Qu'est-ce qui se passe ? vocifère cette dernière, qui les rejoint en courant, troublée.

— Ce gars-là se masturbait dans ton char, sti ! gesticule Charles, traumatisé.

— QUOI ? JÉRÉMY ! T'as pas fait ça ? hurle Jasmine, l'air dégoûté, en lui criant des bêtises pendant que les agents appelés en renfort terminent de le menotter.

Carolin s'approche discrètement de Charles :

— On ne sera pas venus ici pour rien !

— Tu dis ! Méchante histoire !

Silencieux mais satisfaits, les deux gars observent les policiers de l'autre patrouille escorter Jérémy jusqu'à la voiture de police.

— Au fait, joues-tu réellement au baseball dans la vie ?

— Ouais, je me débrouille…

— Les lundis et jeudis jusqu'à la fin de l'été, ça te tentes-tu ?

Samedi, chalet de l'oncle de Steve en Estrie

Stéphanie, penchée sur le plat-bord de la vieille chaloupe de l'oncle de Steve, fait des clapotis dans l'eau avec sa main. Son amoureux semble bien concentré à envoyer à répétition sa ligne à l'eau.

— Au moins, il y a une cohérence concernant l'état des lieux : le chalet est *scrap* et le bateau aussi ! grommelle-t-elle.

— Arrête de faire des flic flac, tu effraies les poissons.

— On s'en va… je suis tannée.

— Steph ? On pêche depuis à peine vingt minutes !

— Ben c'est ça, c'est assez long, vingt minutes…

Impatient, Steve ramène sa ligne rapidement et prononce :

— Je vais aller te déposer au quai et je reviendrai pêcher après !

— Non ! Non ! Non ! Je ne veux pas rester toute seule avec les bêtes sauvages. Je préfère rester, annonce-t-elle, en soupirant profondément.

Ne sachant que faire, elle se met à tapoter machinalement sur son banc d'une main, tout en se grattant la nuque de l'autre.

— Y a donc ben des moustiques ! s'exclame-t-elle, en battant énergiquement des mains pour chasser les insectes de son visage.

— Pas tant que ça, relativise Steve, zen.

Au même moment, la canne à pêche de Steve se met à se courber, comme si un poids l'entraînait vers le bas. Il effectue un mouvement en direction opposée afin de bien accrocher sa prise.

— Steph, prends l'épuisette ! J'en ai un gros ! crie Steve, excité.

Pas certaine de ce qu'elle doit faire, Stéphanie se lève d'un bond dans l'embarcation, qui se met dangereusement à vaciller.

— Eh ! Doucement ! Tu vas nous faire chavirer. Prends l'épuisette, lui conseille de nouveau Steve, en tentant de créer un contrepoids pour stabiliser la barque.

Stéphanie tient le manche dans sa main, après avoir validé du regard avec lui qu'elle tenait bel et bien l'objet convoité.

— Tu observes le poisson et quand il sera près du bateau, tu le prends par la tête avec l'épuisette.

— Par la tête ? répète Stéphanie, en ne visualisant pas très bien la marche à suivre.

Pendant quelques minutes, Steve mène un combat amusant avec l'animal aquatique. Ce dernier frétille dans tous les sens, décidé à se libérer de l'hameçon maudit. Steve réussit malgré tout à l'approcher suffisamment près de l'embarcation.

— C'en est un gros ! Attends un peu Steph... pas maintenant... *Go* ! Vas-y ! lui indique fébrilement Steve, le poisson se trouvant juste au bon endroit pour que Stéphanie puisse l'attraper facilement.

Elle plonge rapidement la moitié de l'épuisette dans l'eau, mais elle ne heurte que le flanc de l'animal, qui de sa queue fait de vigoureux clapotis, les nageoires pectorales hors de l'eau. Elle sursaute et crie en recevant en plein visage de généreuses éclaboussures d'eau. Pas de doute, il s'agit d'un gros achigan bien vivant.

— Par le devant ! Par le devant ! lui rappelle Steve, qui voit mal de son poste ce qui se passe, Stéphanie lui faisant écran en essayant d'attraper la prise.

Celle-ci, peu habile, tente de s'exécuter, mais en vain. Bien qu'elle tienne l'épuisette à deux mains, elle touche une deuxième fois le poisson près de la queue, mais celui-ci se détache de l'hameçon et disparaît sous l'eau. La ligne de Steve, qui était tendue, se relâche d'un seul coup.

— *Fuck* ! rugit Steve, stupéfait, en dévisageant Stéphanie.

— Ben là ! C'est pas de ma faute ! riposte-t-elle, en lançant l'épuisette au fond de la chaloupe, avant de se laisser choir sur le banc de bois, en croisant ses bras.

— Par le devant, j'avais dit ! lui rappelle Steve, mécontent.

— J'ai-tu l'air d'une fille qui pêche, moi ? J'ai-tu l'air d'une fille qui dort par terre dans un camp de chasse parce que le lit semble infesté de bibittes ? J'ai-tu l'air d'une fille qui tripe à cuisiner sur un feu de bois, moi ?

— Regarde ! Je suis tanné de ton air de femme frustrée. T'es comme ça depuis qu'on a mis les pieds ici. On s'en va ! annonce Steve, en tirant violemment la corde du moteur pour mettre la chaloupe en marche.

Le cordon, visiblement usé, se brise et reste dans ses mains. Dans son élan, Steve perd pied ; toutefois, grâce à sa main qui agrippe le banc de l'embarcation à la dernière seconde, il parvient à rester en équilibre.

— Génial ! Génial ! hurle-t-il de nouveau.

Le voyant ainsi exaspéré, Stéphanie juge bon de ne pas en rajouter, mais maintient tout de même sa position « bras-croisés-de-femme-mécontente ». Steve, qui jure maintenant comme un charretier, s'installe au milieu de la chaloupe ; il saisit les rames pour diriger la barque jusqu'au minuscule quai, tout aussi en ruine que le reste.

Samedi, appartement de Jasmine et Charles

Jasmine s'assoit lourdement sur le divan après avoir déposé les clés de sa voiture dans un plateau de verre, sur la table, près de l'entrée. Elle soupire bruyamment en guise de commentaire pour qualifier cette journée mouvementée. Charles la rejoint et, compatissant, lui flatte doucement le dos.

— Lundi, lavage de char extrême par des pros ! Et ça, c'est parce que je me retiens de ne pas changer tous les couvre-sièges au complet, fulmine Jasmine, dégoûtée.

— Au moins, tu sais que je n'ai pas échappé de crème glacée dans ton auto ! lance Charles pour détendre l'atmosphère.

— Aaaaahhhh ouache ! Chhaaaaarles ! hurle-t-elle, encore plus écœurée.

— Ça prend-tu un malade ! commente Charles, aussi sous le choc.

— Mais bon, des gens vont s'occuper de lui, il est malade. Dans un tout autre ordre d'idées, t'as pas quelque chose à m'expliquer ? s'intéresse Jasmine en se tournant vers lui.

— Heu… Non, affirme-t-il en explorant nerveusement la pièce des yeux.

Elle ne dit rien, mais lui jette un regard comme pour lui signifier : « Allez ! Tu sais comme moi de quoi je parle. » Silence gêné. Charles la regarde et finit par céder :

— J'ai eu peur pour toi. Je me suis fait un scénario débile dans ma tête. J'ai imaginé le pire. Je te voyais changer. Je ne comprenais pas, déclare-t-il en prenant à peine le temps de respirer entre chaque phrase.

— Face à quoi ?

— Ton groupe religieux, ton attitude de bonne sœur, tes nouvelles croyances, ton manque d'argent… Quand je t'ai demandé d'acheter un lave-vaisselle, tu m'as dit que tu n'avais pas d'argent pour des raisons secrètes ou je ne sais pas trop. J'ai pensé que quelqu'un te soutirait peut-être de l'argent…

— Charles ! J'ai payé mon assurance voiture en entier et j'ai mis des sous dans mes REER…

— Ah… Alors, pourquoi tu ne me l'as pas dit ?

— Je ne sais pas, on ne se parle jamais de nos états de compte. Un détail, selon moi. Tu pensais que j'avais adhéré à une pyramide ? À une secte ?

— Peut-être…

— Pourquoi tu m'as rien dit ?

— Je ne sais pas, le policier voulait que je t'en parle, mais je n'osais pas.

— Et justement, le policier ? Est-ce qu'il joue réellement à la balle avec vous ?

— Oui, répond Charles, heureux que son mensonge de départ soit devenu une vérité.

Le couple discute du sujet pendant un long moment. À deux reprises, Jasmine manque de lui révéler la gageure, mais elle se ravise, trop honteuse de sa démarche ridicule.

[illegible]

[illegible]

[illegible]

— Donc c'est toi qui enquêtes sur la [illegible] de sa blonde? en [illegible]

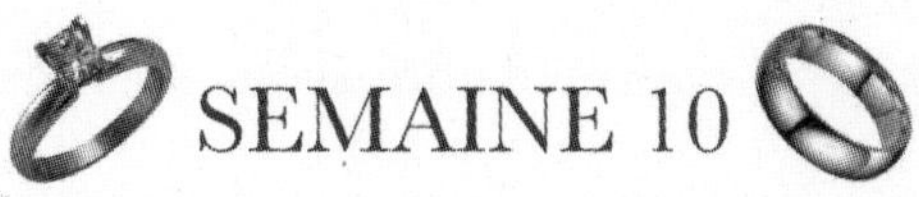

SEMAINE 10

Lundi, terrain de balle dans l'arrondissement Laberge

— ... Donc, on est en *break* jusqu'aux vacances dans deux semaines. On se demande tous les deux si on est encore bien ensemble, explique Steve en terminant de raconter les péripéties de son week-end de pêche raté.

— Ouin, intervient Brandon, sans émettre de commentaires précis.

— Ton gars vient jouer ce soir ? se renseigne Pierre-Luc en se tournant vers Charles.

— Oui, il arrive justement, annonce-t-il en désignant la voiture qui entre dans le stationnement.

Après de brèves présentations, Steve, qui s'interroge, ne peut se retenir de demander au policier en civil :

— Carolin ? C'est ton vrai nom ?

D'un signe affirmatif de la tête, celui-ci soupire, découragé. Pierre-Luc lui fait une mimique du genre : « Pauvre toi ! C'est vraiment pas drôle... » Brandon, quant à lui, tente de faire le lien entre le policier et Charles.

— Donc, c'est toi qui enquêtes sur la secte de sa blonde ? en montrant Charles de la main.

— Toute une aventure ça, hein ? se remémore Carolin en se tournant vers Charles.

— Je ne leur ai pas raconté la fin, avoue celui-ci, hésitant.

Comme ses amis insistent, Charles se lance dans son récit en omettant de fournir certains détails afin de minimiser le burlesque de la situation. Il met plutôt l'accent sur leur intervention quasi héroïque auprès de l'apprenti-curé-masturbateur qu'ils ont extirpé de la voiture de Jasmine.

L'arbitre siffle avec ses doigts pour annoncer que les équipes doivent se mettre en place pour commencer la partie.

Au milieu de la troisième manche, un violent orage éclate. D'un commun accord, les équipes décident d'interrompre la quatrième manche et de ne pas comptabiliser la partie dans le pointage total pour déterminer celles qui se rendront en finale. Les joueurs, trempés jusqu'aux os, rentrent tous chez eux plutôt que d'aller prendre une bière ensemble.

Lundi, appartement de Pierre-Luc et Annie

En garant sa voiture à sa place habituelle, Pierre-Luc sourit de voir la pluie torrentielle déferler sur son pare-brise : « Sapristi, c'est le déluge ! » estime-t-il en patientant quelque peu avant de sortir. Il court finalement jusqu'à la porte de son appartement. En arrivant sur son balcon, il s'arrête brusquement, amusé d'être encore plus trempé qu'il ne l'était. Il tord légèrement son chandail et tente doucement d'ouvrir la porte. Celle-ci est verrouillée. Ne comprenant pas pourquoi Annie ne s'y trouve pas, puisque son véhicule est bel et bien dans le parc de stationnement, il se penche vers la fenêtre qui donne sur le salon. Il l'aperçoit qui parle au téléphone, assise sur le canapé. Curieux malgré lui, il incline la tête en direction de la fenêtre, qui est entrouverte. L'apaisement de l'orage lui permet de saisir des brides de conversation :

— Ah oui, moi aussi je suis excitée, gémit Annie.

« Quoi ? » se dit Pierre-Luc, abasourdi, tout en refusant de croire ce qu'il a entendu.

— Vilain garçon ! Baby Sitter aurait le goût de te taper les fesses, prononce Annie d'une voix que Pierre-Luc ne lui connaît pas.

« Te taper les fesses ? Voyons donc ! » analyse-t-il de nouveau.

— D'accord, imagine que tu frappes les miennes alors, rajoute sensuellement Annie, la voix rauque et lente.

« Alors là, c'en est trop ! » s'indigne Pierre-Luc en déverrouillant rageusement la porte.

En entendant la porte s'ouvrir, Annie raccroche prestement son téléphone, qu'elle dissimule derrière un coussin, juste avant que son conjoint ne vienne se placer devant elle. Il écume de colère.

— Là Annie, c'est assez ! C'est quoi ça ? fulmine-t-il en la regardant, encore trempé.

— Quoi ? répond-elle, innocente, une fois de plus.

— Qu'est-ce que tu viens de cacher ? demande-t-il, pour qu'elle se rende compte qu'il a découvert son jeu.

— Rien, ment-elle.

Il s'approche d'elle et soulève le coussin, qui laisse apparaître un cellulaire dont il ne connaît pas la provenance. Sans rien dire, il s'en saisit et le pointe en direction d'Annie.

— Ça ? questionne-t-il pour la troisième fois.

— C'est pas ce que tu crois..., bafouille-t-elle, en ne sachant que dire pour sa défense.

Le téléphone cellulaire se met à sonner. Pierre-Luc lance l'appareil près d'elle, sur le canapé.

— Réponds à ton criss d'amant ! Gêne-toi pas pour moi ! Je m'en allais de toute façon !

Il fonce vers la chambre, en furie. Annie ouvre et ferme le portable afin de faire cesser le tintamarre. Elle reste assise. Tout va vite dans sa tête. Elle cherche une façon simple de lui expliquer la situation. En moins de temps qu'il n'en faut pour le dire, celui-ci revient vers la sortie, avec un sac dans les mains. Il lui lance un regard mi-dégoûté, mi-colérique, avant de franchir la porte et de la refermer brutalement. Annie, encore sur le canapé, baisse la tête, en regrettant son mutisme. Le cellulaire sonne.

— Ah, ça va à la fin ! crie-t-elle en refermant la sonnerie.

Mercredi, appartement de Pierre-Luc et Annie

Annie ouvre son téléphone cellulaire personnel pour la centième fois en une heure.

— Réponds-moi, implore-t-elle à haute voix.

Assise en indien devant sa garde-robe, elle en sort une boîte à chaussures. Machinalement, elle observe une fois de plus son portable, puis elle se met à pleurer doucement. « Quelle conne je fais… », fulmine-t-elle, en essuyant ses larmes, avant d'ouvrir la boîte. Celle-ci renferme des photos d'elle à différentes époques de sa vie. Certaines sont restées dans leur emballage, d'autres sont remisées dans de petits albums. Annie vide le contenu de la boîte, sans regarder les clichés. Deux albums photo plus épais que les autres en tapissent le fond. Elle ouvre le premier. Des liasses de billets de banque entourées d'élastiques à cheveux sont disposées en deux rangées de façon à prendre toute la largeur de l'album. Classée selon les montants, une rangée contient des billets de cent dollars et l'autre de cinquante. Le deuxième album compte également d'impressionnantes liasses, de vingt dollars cette fois-ci, et une feuille de papier pliée en deux. En disposant les paquets sur le plancher, Annie pleure maintenant bruyamment. « Presque 5 000 dollars pour perdre mon chum au bout du compte… », craint-elle, en mettant pêle-mêle tout cet argent dans un sac réutilisable de la pharmacie du coin. Par inadvertance, elle agrippe la feuille de papier pliée en empoignant un paquet de billets.

Tout en essayant de contenir ses reniflements, Annie prend le cellulaire de la compagnie de ligne érotique et cherche le numéro de Jocelyn. Elle le compose. Après plusieurs sonneries, il finit par répondre :

— Oui, répond-il.

— Bonjour, c'est Annie, la fille… euh…

— Oui, Baby Sitter ! J'ai plein de bons commentaires sur toi en passant ! Ça va bien ? s'exclame-t-il de bonne humeur.

— Je vous annonce que je quitte l'emploi.

— Ah bon… Fais au moins la soirée de demain, lui propose-t-il, un tantinet déçu.

Annie l'interrompt brutalement en fulminant entre deux pleurs :

— Non ! Pas de soirée demain ! Et pas d'autres soirs non plus ! C'est assez les pervers dégueux ! J'aurai tout perdu, moi, dans ce délire, et ça, tout le monde s'en fout, hein ?

— Euh… Je ne sais pas trop là…, hésite Jocelyn, qui déduit par les propos d'Annie que toute cette vomissure ne lui est pas directement adressée.

Silence bruyant. Reniflements.

— Je laisserai le téléphone à Tammy demain soir, annonce Annie, devenue soudainement un peu plus calme.

— Écoute, je ne sais pas ce qui se passe exactement, mais si ça peut te faire plaisir, comme j'ai été content de ton travail, je ne te demanderai pas de payer les deux appels manqués de lundi. Si un jour tu veux reprendre du service, fais-moi signe.

— Merci, balbutie Annie en raccrochant, avant de se remettre à pleurer en songeant à la fameuse soirée de lundi.

Jeudi, terrain de balle dans l'arrondissement Laberge

Debout près de leurs véhicules, tous les gars écoutent avec attention Pierre-Luc, qui raconte la scène de ce fameux lundi justement. Il termine son récit en disant :

— C'est pour ça que j'habite chez Steve… temporairement.

— Elle a vraiment dit : « Baby Sitter va te taper les fesses » ? répète Charles, l'air sérieux et abasourdi.

— C'est quoi ? Un genre de jeu de rôle avec son amant ? interroge Brandon, aussi perplexe que le reste du groupe.

Curieusement, aucun des gars ne semble vouloir tourner à la blague la situation décrite par Pierre-Luc.

— Je ne sais pas, mais au point où j'en suis, je m'en fous ! ment Pierre-Luc, tenaillé par la colère et le ressentiment.

— Elle t'a déjà demandé de l'appeler comme ça dans les moments intimes ? émet Charles en guise d'hypothèse.

— Ben non ! Voyons donc ! Bon, on change de sujet, je ne le connais pas beaucoup lui, dit Pierre-Luc, en faisant référence à Carolin qui s'approche d'eux.

Jeudi, bar La débauche

En voyant Annie avec une effroyable mine, Tammy l'entraîne immédiatement dans les toilettes. Elle mentionne à l'autre serveuse certaines choses à préparer pour la soirée.

— Calvâsse ! T'es-tu fait rouler dessus par un dix-roues ? demande-t-elle, inquiète.

— Oui, pleurniche Annie, en lui tendant le téléphone cellulaire de la ligne érotique.

— Qu'est-ce qui se passe ma noire ?

Annie raconte la scène du lundi en reniflant. Elle lui précise, sans cesser de renâcler, que Pierre-Luc est parti sans qu'elle sache où il se trouve en ce moment, et que sa vie est finie. Elle rajoute qu'elle n'a pas travaillé depuis mardi, quand Tammy lui coupe la parole :

— Imagine que ton chum ait entendu un bout de ta conversation cochonne. Comment penses-tu qu'il ait interprété tes paroles ?

— Je sais, mais il ne répond pas à mes appels ni à mes textos ! précise Annie. Je veux bien lui expliquer, mais il ne m'en laisse pas la chance.

— Écoute, ma noire ! Tu n'attendras pas comme une dinde qu'il te donne une opportunité. Il habite où, présentement ?

— Probablement chez un de ses amis, mais je ne sais même pas lequel…

— Trouve-le ! Ou pense à un lieu où tu es certaine qu'il sera et avoue-lui tout. TOUT !

Annie s'observe un instant dans la glace. Son reflet, peu flatteur, lui renvoie l'image d'une fille qui a les cheveux en bataille, l'air abattu, le visage décomposé, les yeux noirs de cernes et bouffis… « Même un dix-roues n'aurait pas pu me défigurer à ce point… », raisonne-t-elle en prenant conscience de son apparence, qu'elle trouve pitoyable.

— J'ai tellement honte ! Ça se peut-tu foutre sa vie en l'air pour une gageure aussi stupide ! déclare-t-elle en toisant avec dégoût le téléphone cellulaire que Tammy tient dans sa main.

— Oublie la honte et va chercher ton homme, ma noire !

Motivée par le conseil de Tammy, elle l'embrasse rapidement et quitte la pièce. Elle fonce littéralement vers la porte, comme si Tammy venait de lui révéler en une phrase ce qu'elle devait faire maintenant. Tout en approchant de la porte de sortie, elle se répète en boucle : « Aller chercher mon homme, aller chercher mon homme… » Tammy, qui sort à son tour de la salle de bain, lui crie, en courant en direction du bar :

— Attends !

Elle lui montre une enveloppe contenant sa dernière paie de la ligne érotique. Annie revient sur ses pas. Elle refait une franche accolade à Tammy par-dessus le comptoir, puis elle relève la tête, les épaules bien droites, en reniflant. Tammy pose sur elle un regard sincère pour l'encourager, signifiant : « Vas-y, fonce et bonne chance ! »

Jeudi, terrain de balle dans l'arrondissement Laberge

— On se rejoint à la brasserie, les *boys* ? J'ai soif en titi ! affirme Brandon en regardant ses amis.

Steve jette un coup d'œil en direction du parc-autos, où un véhicule roule au pas.

— Le gros, je crois que t'as de la visite.

Pierre-Luc reconnaît immédiatement la voiture d'Annie, qui s'immobilise près de la sienne, à quelques dizaines de mètres d'eux.

— Ah non ! Pas ici ! râle-t-il, et il se dirige rapidement vers son véhicule dans le but de fuir.

Annie descend de son automobile au moment où son compagnon monte dans la sienne sans daigner lui adresser un regard. Elle déduit qu'il ne veut pas lui parler ; elle songe alors à un moyen de l'empêcher de prendre la fuite. Lorsqu'il démarre sa voiture, elle s'écrie : « Et puis merde ! » Et elle s'élance pour s'asseoir sur le coffre arrière de son auto.

La voyant ainsi juchée sur son véhicule, Pierre-Luc lâche un soupir et baisse sa vitre électrique.

— Franchement Annie ! Arrête de faire l'enfant ! Enlève-toi de là !

— Non ! Pas tant que tu ne m'auras pas écoutée.

— Je n'ai pas envie ! Pousse-toi ! fulmine-t-il d'une voix forte.

Les gars, qui sortent tour à tour du parc de stationnement, font un petit sourire de politesse à Annie. Celle-ci attend que les voitures aient quitté le stationnement avant de poursuivre.

— Je veux que tu m'écoutes !

— Pour me dire quoi ? Avec qui tu me trompes ? À moins que tu veuilles me parler de « Baby Sitter » ? crie-t-il par la vitre, en imitant la petite voix qu'Annie utilisait sur la ligne érotique.

— Oui, justement, je veux te parler d'elle ! affirme-t-elle tout en prenant une grande inspiration pour se lancer dans ses lourdes confidences.

— Je ne veux rien savoir de tes jeux de rôle érotiques de marde ! Câlisse, Annie ! Tasse-toi ! vocifère de nouveau Pierre-Luc, en tournant sa tête vers elle pour s'assurer que celle-ci entende bien.

Lorsqu'il se calme, elle prend une fois de plus une grande inspiration et déclare :

— Pendant deux mois et demi, j'ai travaillé pour une ligne érotique.

Abasourdi, il hurle de nouveau par la vitre, gêné :

— Bien oui ! Madame en n'a pas assez de se taper des films de fesses, elle se masturbe en appelant des lignes érotiques, maintenant ! Franchement ! Ça va bien tes affaires, hein ?

Un couple qui se promène non loin de là fronce les sourcils en entendant les propos assez crus de Pierre-Luc ; se doutant qu'il s'agit d'une querelle entre amoureux, ils poursuivent leur chemin en chuchotant.

— Non ! C'est moi qui répondais aux appels, lui précise Annie après avoir attendu que le couple soit légèrement éloigné.

— Tu quoi ? Ah ! laisse faire, j'en ai assez entendu ! Descends de cette valise !

— Non, écoute-moi ! Je reprends tout ça du début. Tu comprendras mieux.

Pierre-Luc, impuissant, se cale dans son siège en soupirant, lui signalant ainsi de débuter son récit. Annie lui mentionne que tout remonte au mariage de Brandon. Elle lui dévoile toute la vérité : la gageure, le prix, le délai, l'enjeu. Elle lui rappelle ensuite la fois où il lui avait signifié que seul l'argent pourrait le convaincre de se marier. De là l'espoir de se faire rapidement de l'argent pour remporter le pari, son emploi au bar La débauche, sa rencontre avec Tammy, l'attrait des lignes érotiques… Bref, elle lui avoue tout !

Bouche bée, Pierre-Luc fronce régulièrement les sourcils et montre des signes de découragement, sa tête oscillant de gauche à droite. Annie, toujours assise sur le coffre de la voiture, se désole de ne pouvoir avoir de contact visuel avec son amoureux afin d'y déchiffrer son expression faciale. Elle termine son histoire en disant :

— Voilà, tu sais tout… Je ne peux rien faire de plus que de m'excuser en avouant être allée beaucoup trop loin. La suite t'appartient.

Annie bondit par terre et tourne la tête en direction de Pierre-Luc.

— J'apprécierais que tu ne le dises pas à tes amis.

Elle se dirige vers sa voiture sans se retourner et sans rien ajouter. Pierre-Luc, renversé, reste silencieux sans bouger, le regard perdu dans le pare-brise. Annie quitte le parc de stationnement en larmes, craignant pour la suite des choses.

Vendredi, appartement de Stéphanie

Stéphanie, assise devant le téléviseur sans réellement le regarder, réfléchit au dernier mois de sa vie. Elle se remémore la gageure en se disant : « Est-ce que c'est cette connerie monumentale qui a détruit mon couple, ou est-ce que j'étais capable de tout foutre en l'air toute seule ? »

— Peut-être que c'était une grosse gaffe ? demande-t-elle à son chat, qui grimpe sur le divan pour recevoir des caresses de sa maîtresse. Peut-être qu'on n'est juste pas faits pour être ensemble ?

Prise de remords, elle attrape son cellulaire et écrit un message texte à Steve :

(Allo, comment ça va ?) envoie-t-elle simplement.

Il réécrit :

(Bien, et toi ?)

(Je pensais à toi et je me demandais ce qui se passait...) écrit-elle, honnête.

(On prend du temps, comme on a dit. Je crois que c'est la meilleure chose à faire.)

(Et les vacances ?) interroge-t-elle, en pensant au voyage de couples prévu dans deux semaines.

(Je ne sais pas. On verra. Bonne soirée.) termine-t-il, expéditif.

(Toi aussi. XXX)

Samedi, appartement de Steve

Steve et Pierre-Luc terminent une partie de cartes amicale à la table de la cuisine. Ce dernier se rend au frigo pour y prendre une autre bière. C'est sa cinquième de la soirée. Il reste un moment debout, la porte ouverte, le regard absent. Soudain, il est frappé par un éclair de génie et, en refermant la porte, ordonne à Steve :

— Appelle Charles ! Dis-lui de venir ici. Je dois absolument vous révéler quelque chose.

— Si c'est parce que tu ne sais pas où habiter, tu peux rester ici le temps que tu veux, le gros. Il n'y a pas de problème.

— Non, c'est un truc concernant les filles. Vous devez le savoir !

— Ça a don' bien l'air important !

— Oui ! Vous allez comprendre bien des choses, je pense, affirme Pierre-Luc en rangeant les cartes sur la table.

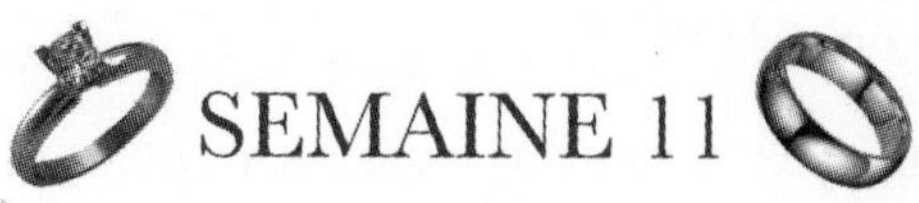

SEMAINE 11

Lundi, terrain de balle dans l'arrondissement Laberge

Les gars ont convenu d'arriver plus tôt au terrain de balle afin de discuter. En se coupant continuellement la parole, ils racontent à Brandon les informations cruciales que Pierre-Luc leur a révélées samedi dernier.

— Ah ben simonaque ! Je n'en reviens pas ! Qui l'eût cru ? En fait, je me demande comment ça se fait que je n'aie pas découvert moi-même le pot aux roses ? dit-il, déçu de sa piètre performance hypothético-déductive.

— Ouin, en tant qu'expert avec ton super « manuel » ! le taquine Steve, en lui administrant une tape dans le dos.

— L'histoire d'Annie, je vous le jure, ça me dépasse complètement ! confie Brandon. Mais notez que Pierre-Luc tirera des avantages de ces événements-là à court ou moyen terme. Voilà maintenant presque trois mois qu'elle parle de cul au téléphone…

— Les gars, Annie ne doit jamais savoir que je vous ai révélé tout ça, hein ? précise Pierre-Luc, conscient de la honte que sa blonde pourrait ressentir.

— Est-ce qu'on a su ce que goûtaient les bobettes mangeables finalement ? s'informe Charles, encore intrigué.

— T'es fatigant avec ça ! Sapristi, t'en fais une vraie fixation ! Achète-toi-z'en une paire, qu'on en finisse une fois pour toutes ! crache Pierre-Luc, expressif.

Steve intervient à son tour en levant discrètement une main en l'air :

— Si jamais t'en achètes une Charley, je serais curieux d'y goûter avec toi…

— Bon ! Achetez-vous-en une paire à deux, cibole, et faites-vous une soirée dégustation ! lance Pierre-Luc, mi-agacé, mi-amusé.

— Bof…, réfléchit Charles, en faisant mine d'analyser Steve de la tête aux pieds.

Tous se mettent à rire. Pierre-Luc roule des yeux en songeant à toute la saga des derniers mois. Brandon, gorgé d'informations croustillantes, demande tout bonnement :

— Vous allez faire quoi avec ça ?

— Je pense qu'on a tous réalisé bien des choses, le tient en haleine Pierre-Luc.

Charles prend la parole pour expliquer à Brandon la « surprise » qu'ils ont mijotée pour les filles…

— C'est bon ! C'est bon ! s'amuse Brandon en analysant leur plan.

— Tu te charges de ce dont on a besoin ? confirme Steve en se tournant vers Charles.

— Oui monsieur ! approuve celui-ci.

— Et quand avertit-on les filles concernant les changements apportés au programme ?

— À la dernière minute, du genre lundi matin. Une petite déstabilisation de rien ! propose Pierre-Luc, l'air mesquin.

— Parfait !

Mardi, appartement de Pierre-Luc et Annie

Annie remarque le véhicule de Pierre-Luc en entrant dans la cour de son immeuble. Elle soupire de soulagement en constatant qu'il a décidé de revenir à la maison. Fébrile, elle empoigne son sac à lunch et sort de sa voiture. En ouvrant la porte du condo, elle l'aperçoit assis à la table de la cuisine, l'air très sérieux. Son visage semble signifier : « Bon, je t'attendais. »

— Allo, déclare-t-elle en posant son sac sur le comptoir, et elle s'assoit devant lui sans même attendre qu'il l'invite à le faire.

— Salut, réplique Pierre-Luc.

— Je suis contente que tu sois revenu à la maison, lui affirme-t-elle, sincère.

— Je ne suis pas revenu, Annie. Je prends quelques trucs et je retourne chez Steve.

Le visage d'Annie s'assombrit, trop déçue que son conjoint la quitte encore.

— Je voulais qu'on discute, par contre. Tu sais, depuis jeudi dernier, je pense, je pense, je pense... Je me demande ce qui nous arrive, plutôt ce qui t'est arrivé. Avec tous tes mensonges, c'est difficile pour moi de gober toute ton histoire. Qu'est-ce qui me dit que ce n'est pas juste vrai à moitié et que le reste du temps, tu ne le passais pas avec un autre gars ?

Annie, qui comprend très bien que son amoureux ait du mal à croire à toute cette aventure, réfléchit à un moyen de prouver qu'elle dit juste. Un éclair de génie lui traverse l'esprit ! Elle s'élance dans le corridor pour se rendre à sa chambre à coucher. Elle attrape le sac recyclable qui trône sur sa commode depuis la semaine dernière et qui contient les piles de billets de banque. Elle revient près de la table et en vide tout le contenu devant lui. Les liasses de billets, toujours retenues par des élastiques, croulent sur la table ; elles forment une pyramide impressionnante, de sorte qu'on pourrait croire qu'elles représentent plus que la somme réelle.

— Cibole ! s'exclame Pierre-Luc, les yeux ronds devant toute cette richesse étalée sous ses yeux.

— Tu vois ! Je n'ai certainement pas volé ça ! le rassure Annie.

— Combien ? s'intéresse Pierre-Luc, quelque peu exalté, en tâtant de ses deux mains le magot de sa conjointe.

— 4 800 dollars... Je me disais que pour un mariage simple, avec peu d'invités et sans trop de flaflas, ce serait suffisant…

— Ou une belle mise de fond sur un duplex, fantasme Pierre-Luc, en tentant de placer les piles en ordre croissant.

Une feuille de papier apparaît entre deux tas de billets. Pierre-Luc s'en empare et l'ouvre. Il écarquille les yeux en prenant connaissance de son contenu :

gros cochon de pervers

taper les fesses (très populaire)

entre-moi-la derrière, bien profond

ma chatte dégouline de plaisir

Il interrompt sa lecture enrichissante pour dévisager Annie. Avant qu'il ne daigne poser une question, elle s'empare de la feuille en s'empressant de lui expliquer :

— Lorsque tu m'as surprise en regardant une vidéo porno, c'était pour apprendre le langage du sexe… pour être meilleure avec les clients sur la ligne érotique…

Voyant que le dévoilement de cette faramineuse somme d'argent a fait complètement bifurquer la conversation, Pierre-Luc repousse les billets vers un coin de la table pour replonger ses yeux dans ceux d'Annie.

— Ça n'empêche pas que tu m'as menti et trahi !

— Menti oui, mais pas trahi, rectifie Annie, repentante.

— Eille, tu te masturbais avec des pervers au téléphone ! rengaine Pierre-Luc, écœuré.

— Ark ! Je leur parlais, je ne faisais rien ! Franchement ! corrige Annie, encore plus dégoutée que lui.

— Bref, moi c'est la ligne que je ne digère pas. Le travail dans le bar, passe encore, mais les séances de branlette de groupe… ici, au téléphone, dans NOTRE appartement, c'est…

Annie le coupe :

— Je te dis que je ne me touchais pas…

Il l'interrompt à son tour :

— Annie ! Pour moi, c'est tout comme !

À bout d'arguments, elle se tait.

— Donc, comme je te disais, je venais prendre mes choses pour retourner chez Steve…

— Mais pourquoi ? s'indigne-t-elle d'une voix enfantine.

— Parce que j'ai besoin de temps. On se reverra pour les vacances lundi prochain.

Elle lève des yeux pleins d'appréhension vers lui, tout de même contente que les vacances ne soient pas annulées et surtout heureuse d'y voir une lueur d'espoir pour la suite. Leur couple pourrait donc survivre à cet épisode d'égarement de sa part. Comme Pierre-Luc semble percevoir une incertitude dans son expression, il ajoute :

— Je ne te quitte pas, Annie. Je veux juste prendre un peu de temps.

Il se dirige vers leur chambre. Elle le suit. Elle s'approche de lui, en regardant par terre, ses yeux s'emplissant d'eau. À la fois de tristesse, car elle regrette ses égarements réfléchis, et à la fois de joie, car son amour lui a confirmé qu'il ne la quittait pas officiellement. La voyant ainsi émotive, Pierre-Luc s'avance pour la serrer dans ses bras. Le couple partage silencieusement un moment sincère d'accolade pendant quelques minutes. En se dégageant, Annie ose tout de même demander :

— Tu n'as pas raconté tout ça à tes amis, hein ?

Pierre-Luc se tourne vers le lit, où gît son sac de vêtements, pour lui faire dos. C'est sans hésiter qu'il lui répond :

— Non…

— Merci, ajoute Annie en le serrant de nouveau, la tête contre ses omoplates.

« Un mensonge contre mille, ce n'est pas si pire que ça… », raisonne intérieurement Pierre-Luc en fixant la fenêtre.

Mardi, appartement de Steve

Profitant de l'absence de son colocataire temporaire, Steve rédige un texto à Stéphanie :

(Salut, je voulais te dire que j'aimerais bien que tu sois de la partie pour les vacances, lundi prochain. Es-tu toujours libre ?)

Son cellulaire retentit quelques minutes plus tard.

(Oui, ma semaine de vacances est réservée depuis longtemps. Je vous rejoindrai avec ma voiture par contre. Tout le monde s'y rend lundi, c'est ça ?)

Il répond :

(Parfait ! Oui, tout le monde y va lundi !)

Elle profite de cette brèche :

(Tu veux qu'on se voie cette semaine ? Ou ce week-end ?)

Il hésite quelque peu avant de répondre :

(Au fait, je suis occupé pour le reste de la semaine et, ce week-end aussi : le club de balle participe à un tournoi hors-ligue dans un festival d'été. Mais je te parle dimanche pour te confirmer l'adresse du chalet et l'heure de départ. J'ai hâte de te voir. XXX)

Mercredi, hôpital psychiatrique Saint-Azure

Jasmine, assise dans la salle du personnel, profite de sa pause-café pour feuilleter une revue. Elle lève les yeux en voyant une collègue entrer en trombe dans la pièce.

— Jasmine, on a un patient agité dans la chambre 120-3 ; peux-tu nous donner un coup de main pour le contenir un peu ? Tout le monde semble en pause, on dirait ! On ne peut pas lui injecter de calmant, il est ici pour une évaluation psychiatrique en externe.

— J'arrive !

Dans la chambre dudit patient, deux agents correctionnels essaient de maîtriser un homme visiblement très agité et à la fois très grossier. Jasmine s'approche du lit pour tenter d'apaiser l'individu. Une fois près de lui, elle s'aperçoit qu'elle le connaît. Et il la reconnaît lui aussi.

— Jasmine ! Ma femme qui vient me sauver ! Vous voyez, bande de méchants, que je n'avais pas tort de penser que l'archange Gabriel m'enverrait de l'aide ! crache Jérémy en plein délire, en menaçant du regard les deux agents prêts à intervenir au moindre faux pas de sa part.

Jasmine sort de la pièce aussi vite qu'elle y est entrée et fait signe à l'infirmière de la suivre.

— Ma femme ! Je t'aimerai à jamais devant Dieu le Père en tant que son fils bien-aimé... lui crie Jérémy de la chambre.

— Tu le connais ? demande-t-elle à Jasmine, surprise.

— Une longue histoire...

Jasmine saisit le dossier médical déposé dans le boîtier de plastique, près de la porte.

Elle prend connaissance d'un encadré surligné en jaune : `Jérémy Boulanger. Transfert externe d'un jour, pour une évaluation psychiatrique sommaire avec le Dr Mackenzie. Faire suivre le dossier médical et le rapport d'évaluation psychiatrique à la détention de Rimouski, au service de garde préventive`, suivi des coordonnées respectives de l'avocat de la Couronne et de celles de l'aide juridique.

« Il doit subir cette évaluation et quitter l'hôpital par la suite », analyse Jasmine, qui l'entend toujours crier :

— Jasmine ? Je t'aime !

Prise de court, elle se gratte la nuque en réfléchissant à une stratégie appropriée. Elle conseille finalement à sa collègue :

— Fais-lui croire que je vais revenir le voir pour discuter des préparatifs du mariage quand il sera calmé et qu'il aura rencontré le psychiatre.

— Hein ? s'exclame l'infirmière, qui ne comprend absolument rien au stratagème de Jasmine.

— Essaie ! Tant mieux si ça marche.

Elle pénètre de nouveau dans la chambre 120-3 pendant que Jasmine reste cachée près de la porte.

— Chut ! Chut ! Chut ! Arrêtez de crier, monsieur Boulanger ! débute la femme d'une voix douce, mais directive.

— Ma femme ! Je veux ma femme !

— Tut ! Tut ! Tut ! Vous n'êtes pas encore marié à ce qui paraît. Votre prétendante veut justement venir vous voir pour discuter de la planification de ce beau mariage. Mais seulement quand vous serez plus calme et que vous aurez parlé avec le médecin.

Le visage de Jérémy passe de la colère à l'extase. Il ressemble à un petit garçon de trois ans à qui l'on vient de promettre une promenade en tracteur s'il ne bouge pas trop chez le dentiste.

— D'accord ! D'accord ! répète-t-il tout sourire.

Jasmine lève son pouce à l'infirmière en guise de satisfaction avant de s'éloigner de la porte.

Jeudi, terrain de balle dans l'arrondissement Laberge

— Steph prend son auto lundi, confirme Steve à Charles en le voyant se joindre à lui et à Pierre-Luc avant la partie.

— Correct ! On change de plan dans ce sens-là ?

— Bien oui, dans le fond c'est l'idéal. Elle nous facilite la tâche, en quelque sorte.

— Super, on va leur annoncer ça dimanche, alors ? s'informe Charles, anxieux d'attendre trop à la dernière minute.

— Non ! Lundi matin, je te dis… De cette façon, elles n'auront pas le temps de se faire des scénarios mentaux.

Brandon, qui les rejoint, devine de quoi discutent ses amis :

— Vous planifiez encore votre plan ?

— Ouais ! approuvent les gars, fiers d'eux.

— Au fait, pour combien de nuits avons-nous l'hôtel ce week-end pour le tournoi ? s'informe Charles.

— Jusqu'à lundi. Le tournoi se termine tard dimanche soir. Et si on gagne, on pourra faire la fiesta dans le coin pour débuter les vacances, là-bas ! s'enthousiasme Brandon, confiant de se rendre en finale.

Samedi, église de l'arrondissement Laberge

Comme Jasmine entre dans l'église pendant la communion, elle s'assoit à l'arrière pour ne pas perturber la cérémonie. Georges lui adresse un signe de tête, accompagné d'un sourire accueillant. Même à cette distance, elle sent que le bon curé semble repentant au sujet des événements.

Comme elle s'y attendait, lorsqu'elle s'avance en direction de l'autel à la fin de la messe, il lui exprime d'emblée son malaise en la rejoignant dans l'allée centrale :

— Je suis tellement désolé, Jasmine. Si j'avais su…

— Ça va, Georges. Vous ne pouviez pas savoir justement, le rassure Jasmine en prenant son épaule en guise de sympathie.

— Je vous demande pardon, réitère le prêtre.

Il s'assoit sur le troisième banc, l'air abattu. Jasmine fait de même.

— Je me demande depuis ce temps si ma croyance en Dieu n'influence pas négativement mon jugement. Si ma bonne foi en l'être humain est allée un peu trop loin. Si je ne me suis pas moi-même égaré à travers tout ça…

— Non, personne ne pouvait savoir, tout se passait dans sa tête. Les déviances ou les obsessions de ce genre sont vécues à l'intérieur. Même si vous l'aviez interrogé à plusieurs reprises, vous n'auriez probablement rien vu venir, lui garantit Jasmine pour apaiser son tourment.

— J'étais inquiet, je sentais que quelque chose clochait avec ce jeune homme et je n'ai rien fait. J'ai laissé les choses aller. Peut-être que j'ai voulu préserver la paix en ignorant la réalité…, se culpabilise-t-il encore. Imaginez s'il avait fait du mal à une bonne chrétienne comme vous ?

— Écoutez Georges, j'ai quelque chose de grave à vous avouer…, commence Jasmine, hésitante.

Il se tourne vers elle, tout ouïe. Sans trop savoir pourquoi, Jasmine ressent le besoin de lui dévoiler toute la vérité. Elle récapitule l'histoire depuis le début : la scène du mariage, la gageure entre filles, les paroles dites par son conjoint concernant le mariage, sa stratégie qui consistait à lui faire croire que la religion occupait une grande place dans sa vie, sa participation aux cours du mercredi, etc. Georges l'écoute, attentif, sans sourciller.

— Donc voilà, je ne suis rien de moins qu'une menteuse, termine-t-elle, désolée, en inclinant la tête.

— Oh ! Vous êtes dure avec vous-même, Jasmine. Selon moi, Dieu doit déceler en votre démarche une motivation noble. Les chemins empruntés pour atteindre votre but furent peut-être marqués par une certaine malhonnêteté, j'en conviens, mais demandez à Dieu de vous pardonner dans sa grande générosité. Il vous exaucera.

— Et vous ? Vous me pardonnez ?

— Avant même que vous ayez commencé votre première phrase, vous étiez toute pardonnée !

— Merci.

Jasmine et Georges restent assis côte à côte pendant un bon moment. Silencieux, les yeux fermés, dans le calme de cette vaste église, où l'on entendrait une mouche voler. Georges, les mains croisées sous son menton, prie le Seigneur, probablement pour se repentir de toute cette histoire. Jasmine, quant à elle, songe aux dernières semaines : à sa stratégie menée avec trop d'énergie et à son obsession presque maladive. Elle évalue les conséquences de toute cette saga. Le regrette-t-elle ? Étrangement, non… Elle a découvert certaines valeurs d'entraide lui apportant une valorisation personnelle. Un aspect plutôt social que religieux, mais tout de même relié aux valeurs chrétiennes explorées durant toute cette aventure.

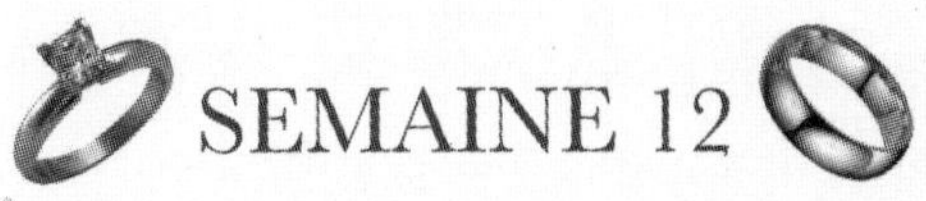

SEMAINE 12

Lundi, appartement de Pierre-Luc et Annie

Ding ! Dong !

« Pourquoi Pierre-Luc sonne-t-il ? Voyons, il est encore chez lui quand même », se dit Annie en se dirigeant vers la porte.

— Allo ? lance Annie, interrogative, en voyant qui se dresse devant elle.

— Allo, lui renvoie Jasmine, qui prend sa valise au sol avant de pénétrer dans l'appartement.

Les deux filles, qui ne se sont pas revues depuis le fameux souper houleux du samedi soir, s'embrassent sur les joues.

— Ton chum n'est pas là ? demande Jasmine, surprise.

— Non, il a couché chez Steve, confie Annie, en ne mentionnant pas que Pierre-Luc vit chez Steve depuis plusieurs jours déjà.

— Mon chum aussi a dormi là, hier ! Ils voulaient sûrement fêter leur défaite en finale ! avance Jasmine en souriant.

— Je ne veux pas être impolie, mais qu'est-ce que tu fais ici ? s'informe Annie, qui ne comprend pas encore pourquoi Jasmine se trouve chez elle.

— Euh... Charles m'a dit de le rejoindre ici. On prendra une voiture pour y aller tous les quatre.

— Ah ? Pierre-Luc ne m'a pas dit ça. Mais bon, il devrait arriver sous peu. Il m'a textée hier pour m'informer qu'il viendrait me chercher ce matin.

Jasmine s'assoit à table. Les deux filles, un peu mal à l'aise, font le bilan météorologique de l'été qui tire déjà à sa fin.

— On a eu un bel été...

— Bien oui, pas trop de pluie, hein ?

— Mais beaucoup d'orages violents. Il y a plus d'orages qu'avant, on dirait...

— Il paraît que c'est relié au réchauffement climatique.

— Ouais...

— Hum...

Le carillon de la porte retentit de nouveau. Annie sursaute, se réjouissant de cette distraction, sa discussion avec Jasmine n'étant pas très fluide.

— Bien voyons, pourquoi il sonne, lui ? s'amuse Annie en se dirigeant vers la porte.

Contre toute attente, ce n'est pas Pierre-Luc qui s'y trouve derrière. Stéphanie se tient sur le perron lorsqu'Annie répond à la porte.

— Salut, déclare-t-elle, désinvolte, en entrant sans gêne.

— Salut, répond Annie, de plus en plus médusée.

— Ben là ! On ne peut pas monter les trois couples dans une seule voiture ! déduit Jasmine, un peu confuse elle aussi.

— Ben non, Steve m'a dit de venir vous chercher ce matin, annonce Stéphanie, ennuyée que les deux filles ne semblent pas être au courant.

— Hein ? fait Annie en regardant Jasmine.

— Bon ! J'ai l'adresse. Êtes-vous prêtes ? demande Stéphanie, qui mâche sa gomme avec une énergie remarquable.

Lundi, voiture de Stéphanie

Après avoir épuisé toute la gamme de sujets propres à la météorologie, les filles abordent celle touchant à l'emploi, en évitant surtout le sujet « gageure-stupide-de-demande-en-mariage ». Chacune étant convaincue d'avoir perdu le pari, aucune allusion n'est faite à cet effet. Comme si ça n'avait jamais existé.

— Ton chum t'a répondu ? demande Jasmine à Annie, en faisant référence à un message texte que celle-ci lui a envoyé, il y a déjà plus d'une heure.

— Non, toi ? lui renvoie Annie.

— Non…

— Il a dû y avoir un changement de dernière minute. J'étais censée m'y rendre avec mon auto de toute façon, mais ce matin Steve m'a demandé de venir vous chercher, répète Stéphanie pour éclairer les filles.

— J'espère que ce n'est rien de grave ! s'inquiète Annie.

— Les gars sont revenus hier du tournoi, je pense. Bien en tout cas, c'est ce que Charles m'a dit, précise Jasmine.

— Moi aussi, confirme Annie en regardant par la vitre, songeuse.

« Mais pourquoi ne répondent-ils pas aux textos ? » angoisse-t-elle.

Lundi, Domaine de la sapinière

En se présentant à la réception, Annie confirme la réservation qui est enregistrée au nom de son conjoint. Un homme d'une soixantaine d'années se trouve à l'accueil. Il leur remet une carte du site en leur indiquant où se trouve l'emplacement du chalet.

— Vous n'avez pas besoin de clé, les autres occupants sont déjà arrivés ! affirme-t-il tout sourire. Mon fils ira vous voir là-bas sous peu pour vous expliquer les activités à faire dans le secteur. Bon séjour !

Les filles le remercient en prenant le plan du site, qui semble avoir été imprimé sur un napperon. En remontant dans la voiture, ces dernières, surprises, commentent :

— Ils sont déjà là ?

— Ç'a bien l'air ! Mon cellulaire a des ondes en tout cas…

En sillonnant différentes routes de terre, appelées par des noms de conifères, elles repèrent facilement le chalet. Un immense chalet.

— Wow ! C'est fou ! crie Stéphanie, enjouée.

— Mets-en ! approuve Jasmine.

— Je vous l'avais dit que mon chum avait fait une bonne affaire ! se vante Annie, fière du choix de Pierre-Luc.

Trop excitées de visiter les lieux et de voir leurs amoureux, les filles laissent leurs bagages et courent vers le chalet. Jasmine s'arrête net en apercevant une feuille de papier accroché sur la porte d'entrée, accompagnée de trois enveloppes collées avec du ruban à gommer. Le message dit :

Prenez la lettre à votre nom et suivez les consignes.

Exaltée, chacune s'empare de l'enveloppe à son nom et commence la lecture de la lettre en silence. Sur la première feuille de chaque enveloppe, on ordonne aux filles de se diriger dans leur chambre : Annie dans celle du premier étage près de la verrière, Jasmine en haut de l'escalier à droite, et Stéphanie en haut à gauche.

Lundi, chalet 129 du Domaine de la sapinière,
chambre 1er étage

En découvrant la majestueuse chambre où trône un grand lit recouvert d'une couette beige bien dodue, Annie remarque un cadeau de la taille d'une boîte à chaussures. Elle tourne la deuxième page de la lettre. Un message manuscrit s'y trouve :

Chère Annie de mes rêves,

Depuis notre discorde des derniers temps, je réalise à quel point tu es importante pour moi, à quel point le soleil brille moins haut dans le ciel quand tu n'es pas là.

« Aaaaaah » commente Annie, déjà les larmes aux yeux. Elle poursuit sa lecture.

Je ne veux pas te perdre pour rien au monde mon chaton. Et c'est pour cette raison et en signe de notre réconciliation que je t'offre ce présent. Ouvre-le avant de tourner la page.

Annie, dans un état d'excitation euphorique, déballe le paquet. Elle y trouve une petite boîte de bijoux. « Ah mon dieu ! » pense-t-elle.

Elle tourne la page rapidement et lit en grosses lettres :

Veux-tu m'épouser ?

Maintenant en larmes, elle répond à haute voix, comme si Pierre-Luc était là :

— Oui, je le veux ! avant d'ouvrir la petite boîte.

Lundi, chalet 129 du Domaine de la sapinière, chambre 2e étage à gauche (en simultané)

Stéphanie, aussi hystérique qu'Annie, court au deuxième étage en bousculant presque Jasmine contre la rampe de l'escalier. Elle accourt dans la chambre et, sans même apprécier le décor, elle se rue sur la boîte et l'ouvre. Lorsqu'elle y découvre une petite boîte à bijoux, elle s'arrête brusquement et s'écrie :

— Oh *my god* !

Elle se souvient que Steve demandait de tourner la page. Elle s'exécute, trop fébrile pour ouvrir la petite boîte. Elle finit par tourner la deuxième page sans la lire et tombe sur la troisième page où y est inscrit :

Veux-tu m'épouser ?

Elle se met à sauter littéralement sur place, en scandant fort :

— J'ai gagné ! J'ai gagné !

Lundi, chalet 129 du Domaine de la sapinière, chambre 2e étage à droite (en simultané)

....

Jasmine, plus calme, entre dans la chambre d'un pas lent en tentant de comprendre de quoi il en retourne. Elle aperçoit un cadeau sur le lit. Elle le prend, le secoue doucement avant de le reposer, puis tourne la page de la lettre.

Elle entend Stéphanie crier dans la chambre voisine :

— Oh *my god* !

Elle en débute la lecture :

Ma chérie, je m'excuse. Je m'excuse de ne pas avoir compris du premier coup l'importance de certaines choses cruciales pour toi... Je regrette d'avoir mal interprété ton attitude, d'avoir douté de ton bon jugement. Tu n'étais que toi, honnête, intègre, sincère...

Elle se dit : « Pas tant que ça quand même... » Elle poursuit :

Mais on dirait que ces derniers temps, tout m'a paru clair. Tu es la femme de ma vie, la seule, l'unique et je tiens à te faire ce présent pour le souligner. Ouvre la boîte avant de tourner la page.

Elle défait le paquet, émue par l'attention de Charles. Une gamme d'émotions en dyade la frappe : l'amour et le remords, la joie et la culpabilité...

On entend de nouveau Stéphanie crier dans l'autre chambre :

— J'ai gagné ! J'ai gagné !

Jasmine reste concentrée sur le moment présent. Elle découvre avec frénésie la petite boîte au fond de la grande. Elle l'ouvre sans tourner la page.

— Hein ? dit-elle à haute voix, trop surprise de ce qui s'y trouve.

Elle tourne la page rapidement :

Veux-tu m'épouser?

Lundi, chalet 129 du Domaine de la sapinière

— C'est n'importe quoi ça ? commente Annie en sortant de la chambre pour se rendre dans le salon.

Stéphanie, enjouée, descend l'escalier en dansant, la dernière page de la lettre dans une main et la petite boîte dans l'autre :

— J'ai gagné ! J'ai gagné ! J'ai gagné !

Dans la chambre de droite en haut, Jasmine referme la petite boîte de velours, le visage tranquille. Elle se dirige vers l'escalier pour retrouver les filles. Annie se tient près d'une grande fenêtre dans le salon et Stéphanie se trémousse toujours les bras en l'air près de l'îlot. Annie se retourne et observe Jasmine, le visage triste.

— C'est ma faute, avoue Annie.

— J'ai gagné ! rengaine Stéphanie.

— Arrête Steph ! Regarde donc dans ta boîte ! lui ordonne Jasmine, un peu impatiente.

Stéphanie s'immobilise tout à coup. Elle ouvre la boîte avec empressement et constate qu'elle contient effectivement une bague, mais jaune vif, coiffée d'un énorme diamant rose transparent… en bonbon.

— C'est quoi l'affaire ? demande-t-elle, désarçonnée.

Annie poursuit en fixant Jasmine :

— Je n'ai pas eu le choix. C'était la vérité ou mon couple y passait. Je ne pensais pas que mon chum répandrait la bonne nouvelle, par contre.

— Tu dis ! On se fait niaiser solide ! souligne Jasmine.

— Je ne comprends rien ! affirme Stéphanie, déconnectée de la réalité.

— Annie a avoué à son chum le pari de demande en mariage et tout. Il l'a dit au tien, au mien et probablement à toute l'équipe de baseball au complet, qui devait se tordre de rire en nous trouvant stupides…

Au moment où les filles réfléchissent en silence, on frappe à la porte.

— Bon ! La suite de l'humiliation ! s'exclame Jasmine en s'y dirigeant.

Les deux autres filles s'approchent aussi. Jasmine ouvre doucement, presque craintive.

— C'est ici que vous avez commandé trois clowns ?

Les trois filles soupirent. Charles, Steve et Pierre-Luc se tiennent devant elles, arborant fièrement d'épaisses lèvres rouges, des sourcils arqués dessinés au crayon noir et un gros nez de clown rouge au milieu du visage.

Stéphanie baisse la tête, silencieuse. Jasmine regarde Charles droit dans les yeux, le visage impassible. Annie fait de même avec Pierre-Luc.

— On le mérite, finit par dire Jasmine en s'éloignant pour laisser entrer leurs hommes.

— Moi, on dirait que je ne trouve pas ça vraiment drôle, commente Stéphanie, en relevant la tête.

Au même moment, un jeune homme se présente derrière les trois autres. Ceux-ci semblent surpris et se retournent. L'étranger paraît encore plus stupéfait en voyant leur visage de clowns. Il mentionne, hésitant :

— Euh… Je dérange peut-être ?

— Non ! Non ! On arrivait ! lance Charles en faisant comme si de rien n'était.

— Je suis le copropriétaire des lieux. Je viens vous parler des activités sportives à faire dans le secteur, car il faut réserver un peu d'avance. Je m'appelle Max.

« MAX ? », panique Annie en reconnaissant très bien la voix de son ancien client. Elle se rappelle ce qu'il faisait comme travail : « … compagnie de tourisme familiale, dans le nord, location d'équipements pour des sports estivaux… Merde ! C'est lui ! Comment est-ce possible ? »

— Super ! On va s'asseoir au salon pour regarder les brochures, propose clown Steve.

Stéphanie, les bras croisés, le fusille du regard en suivant poliment le groupe.

Annie se répète en elle-même : « Il ne faut pas que je parle… Il ne faut pas qu'il entende ma voix. Il faut que je fasse juste des signes de tête. »

Après explication de la gamme d'activités, tout le monde discute des options qui s'offrent à eux. Sauf Stéphanie, qui boude, et Annie, qui semble bouder aussi.

— T'as le goût de faire quoi, chaton ? demande clown Pierre-Luc en la regardant.

Celle-ci hausse les épaules sans dire un mot.

— L'escalade ou le kayak ? réitère-t-il en lui montrant le dépliant.

Elle finit par lever les épaules, toujours sans dire un mot. Max lui demande, en s'adressant à elle :

— As-tu déjà fait de l'escalade ?

Elle fait un signe de tête négatif en fixant Max, le regard effaré.

— Voyons Annie, ça va ? s'inquiète Pierre-Luc.

Elle refait non de la tête et quitte le groupe pour se rendre à leur chambre. Étant donné la douce vengeance des gars, tout le monde associe son étrange comportement à une réaction à leur mauvaise blague.

***

Lorsque Max quitte le chalet, les couples se séparent d'un bon naturel, chacun se retirant dans sa propre chambre. S'ensuit une longue discussion de plus d'une heure. Le dépaysement et l'esprit de vacances semblent favoriser les conversations qui se déroulent sans trop d'anicroches.

On frappe de nouveau à la porte principale. Pierre-Luc, qui occupe la chambre du bas, va y répondre. Brandon, qui est dans tous ses états, entre en trombe dans le chalet.

— *Fuck* ! Une chance que je me souvenais du nom et du lieu de votre chalet, *men* ! J'allais virer fou ! C'est de la câlisse de marde ! rugit-il, furieux.

Cette agitation attire les deux autres couples, qui descendent de l'étage.

— Brandon ? Qu'est-ce tu fais là, le gros ? s'enquiert Steve, surpris.

— Je capote solide ! En revenant de la balle dimanche au lieu de lundi, j'ai trouvé ma blonde chez nous avec... son amant ! Mon mariage est foutu ! crie-t-il en s'écrasant sur le divan la tête entre les deux mains, complètement sous le choc.

Tout le monde reste muet devant cette révélation plus qu'inattendue.

— Donnez-moi un nez de clown. Parce que je suis un criss de clown, oui ! Pis en plus, je suis un menteur... Ma blonde n'a jamais voulu mettre le kit de latex, ajoute-t-il avant de remettre sa tête au creux de ses mains.

Une heure plus tard...

— Un kit de latex ? Les gars se parlent de ça ? médite Annie, abasourdi, en regardant les autres filles.

— Brandon parle de ça. Pas nécessairement tous les gars, précise Jasmine.

Les gars, ayant jugé bon de discuter seuls avec leur ami en détresse, ont déserté le chalet pour se rendre au resto-bar, à l'entrée du site de villégiature.

— Une bonne bouteille de rosé, ça nous remettrait les idées en place ! propose Jasmine en se levant.

Stéphanie, assise au bout d'un des canapés, semble bien silencieuse. Elle a honte de sa réaction un peu excessive lorsqu'elle croyait avoir gagné le pari. Elle décide de crever l'abcès :

— Donc, en fin de compte, personne n'a remporté la gageure, déduit-elle.

— Ma vie a tellement été de la merde dans les derniers temps que je ne pensais même plus au pari, avoue Annie.

— Que fait-on avec le certificat ? On le fait tirer ? suggère Stéphanie, toujours très intéressée par le prix.

— Oui ! Comme on aurait dû le faire dès le départ, ajoute Jasmine en soupirant bruyamment.

Annie se tourne vers Jasmine qui revient du salon les coupes de vin entre les doigts, et lui jette un regard compatissant du genre : « Toi aussi, ça t'a causé juste des emmerdes on dirait ? », mais elle n'ose pas lui formuler directement la question. Jasmine pose les verres sur le comptoir et monte à l'étage. À son retour, elle lance avec force l'enveloppe sur la table, comme si cela l'indifférait complètement.

— La pomme empoisonnée de la méchante sorcière ! commente Annie en fixant l'enveloppe avec dégoût.

— Ben là, arrêtez ! Vous n'avez certainement pas été aussi folles que moi pour gagner ce prix ! déclare spontanément Stéphanie, comme si le simple fait d'avoir trempé ses lèvres dans le verre de vin lui avait soudainement donné le courage de se confier.

— Tu veux gager ? lui envoie Jasmine à la blague.

— En tout cas, plus de gageure pour moi ! ajoute Annie.

— Vous savez, comme une conne, j'ai tenté de devenir la blonde parfaite pour me faire demander en mariage en moins d'un an de vie de couple ! explique Stéphanie, honteuse, en se blottissant contre le canapé.

Le regard indulgent de ses deux amies la pousse à poursuivre. Elle se lance dans le récit de ses multiples tentatives pour parvenir à ses fins. Elle récapitule depuis le début : l'épopée de son métier d'apprentie-menuisière, les cours de golf avec Martin, les lunchs qu'elle préparait pour son chum, la location d'un film pour susciter leur complicité, et enfin, le week-end raté au camp de chasse en ruine. À chacune de ses histoires, elle ne ménage pas les conséquences désastreuses qui en ont découlé. Les filles l'écoutent en rigolant sans porter de jugement, car elles savent bien que leur propre situation n'est guère mieux. Stéphanie termine en avouant :

— Bref, un vrai fiasco, je vous le jure !

La bouteille de vin étant presque vide, Jasmine en ouvre une autre en se confessant à son tour :

— Bien moi, j'ai voulu devenir une bonne sœur pour faire gober mes fausses croyances religieuses à Charles !

Annie avance :

— C'est pour ça la crise lors du souper du samedi !

— Tu dis ! Il ne comprenait plus rien, le pauvre. Mais ça a mal fini, poursuit Jasmine.

Elle raconte les craintes de Charles relativement à son adhésion à une secte, l'intervention ridicule de la police municipale, puis elle décrit finalement les gens du groupe. Les filles rient.

— Le pire, c'est que j'ai découvert quelque chose sur moi à travers eux. Lors des deux collectes, je me suis sentie utile, valorisée. Au travail, j'aide souvent les gens, mais quand on le fait, comme ça, sans salaire, sans attendre rien en retour, on se sent tellement bien ! explique Jasmine dans un élan d'introspection personnelle.

Elle termine son récit par l'épopée de l'apprenti-curé-schizophrène-masturbateur qui avait cru qu'ils allaient se marier.

— Dégueulasse ! s'indigne Stéphanie, écoeurée.

— Mon Dieu ! C'est curieux, moi aussi, j'ai presque eu une demande en mariage, mais disons pas du bon gars, ajoute Annie.

— De qui ? s'intéresse Stéphanie, en songeant à Martin, sans mentionner aucun détail de lui.

— Un gars qui appelait à la ligne érotique sur laquelle je travaillais, explique Annie sans préambule, légèrement bouffie par l'alcool.

— LA QUOI ? crie Jasmine, constatant qu'elle n'est pas la seule à être allée trop loin dans cette histoire.

Annie se redresse quelque peu et se confie en débutant par sa « stratégie motivationnelle de départ » qui consistait à trouver de l'argent. Elle leur explique sa saga : la collègue de la garderie qui lui a conseillé de travailler dans les bars, l'annonce dans un journal pour un poste de *barmaid*, sa première soirée désastreuse, Tammy sa muse dans le « bartending », les lignes érotiques…

Stéphanie l'interrompt en beuglant :

— ANNIE ! Je ne peux pas croire que tu aies fait ça !

— Eh oui, je suis allée vraiment bas...

Elle poursuit en relatant les techniques qu'utilisent les intervenantes érotiques, les films pornos qu'elle a visionnés, la brosse à dents pour stimuler auditivement le client... Les filles, toujours aussi médusées quant aux confidences d'Annie, posent mille et une questions sur l'aspect technique de ce genre de ligne. Elles veulent avoir des détails sur son fonctionnement, sur les clients qui en sont accros, sur le déroulement d'un appel. Annie, maintenant désinhibée par l'alcool, leur fournit les détails d'une manière assez crue.

— OK ! Jasmine et moi, on a fait les connes ! Mais toi ! ajoute Stéphanie, toujours sous le choc.

— Je sais...

Annie continue en racontant les doutes de son conjoint, sa découverte en tant que *barmaid* au bar et le drame à propos de l'appel qu'il a entendu.

— Je comprends maintenant pourquoi tu lui as tout avoué ! Je t'en voulais un peu, mais je te jure, je ne t'en veux plus une minute ! déclare Jasmine, indulgente.

— Moi non plus ! la rassure Stéphanie.

— Donc voilà ! Et moi aussi, j'ai eu un client récurrent qui m'a presque demandée en mariage, exagère Annie.

— Qui ?

— Bah ! Un gars pas rapport, dit Annie sans vouloir révéler l'identité dudit client.

— Coudonc, les demandes en mariage ne venaient visiblement pas des bons gars on dirait, plaisante Jasmine en faisant référence à Jérémy.

Stéphanie ne fait pas suite à ce commentaire. Elle songe à Martin qui lui a avoué avoir développé des sentiments pour elle au cours de ses visites au club. Elle se retient de raconter cet épisode, compte tenu de son baiser adultère. Les filles reprennent à tour de rôle les événements qui les ont marquées dans le récit de chacune d'entre elles. La discussion dure plus d'une heure. Elles paraissent à la fois amusées et soulagées de voir qu'elles n'ont pas été les seules à déraper dans cette histoire.

— Et l'autre qui s'est fait une branlette dans mon char ! Imaginez ! rappelle Jasmine, qui s'étouffe presque en prenant une gorgée de vin tant elle se retient de rire.

— T'aurais dû lui dire de m'appeler ! Je lui aurais réglé ça par téléphone en deux temps trois mouvements ! ajoute ironiquement Annie.

— Ha ! Ha ! Ha !

La soirée suit ainsi son cours, sans les gars toutefois. Ils sont probablement trop occupés à consoler Brandon. Les filles préparent quelque chose à grignoter et profitent de ce moment d'intimité qui perdure pour revenir à la base de toute cette aventure.

— Bon, on le fait tirer ce certificat de malheur ? propose Jasmine.

— Je n'en veux même plus ! plaisante Annie.

— Arrête, c'est toi qui le mérites le plus avec tes prouesses téléphoniques ! rigole Stéphanie.

Jasmine écrit leurs trois noms sur une feuille qu'elle coupe grossièrement avec ses mains. Elle glisse les morceaux de papier dans la casquette de Steve qui traînait près du canapé. De sa main, elle brasse les bouts de papier et soulève le chapeau en s'approchant d'Annie.

— Tu as vraiment donné la meilleure performance, donc tu piges.

Annie lève son bras et s'exécute. Elle sort un bout de papier, le déplie et lit en souriant :

— Jasmine !

— Zut ! s'exclame Stéphanie, tout de même heureuse pour Jasmine qui saute de joie.

— On dirait que c'est exactement ce qui aurait dû se passer ce soir-là, souligne Annie.

— Mais bon, mon couple va sérieusement avoir besoin d'une thérapie avant d'en venir à un mariage dans le Sud ! conclut Jasmine, honnête.

— Moi, j'ai tout de même réalisé que Pierre-Luc est vraiment l'homme de ma vie lorsque j'ai cru le perdre, avoue Annie, émotive.

Elle leur explique sa certitude en faisant une déclaration d'amour touchante que Pierre-Luc aurait probablement apprécié entendre.

— Je l'aime tellement…

Jasmine poursuit dans la même veine et déclare avoir découvert elle aussi beaucoup de choses au cours de toute cette histoire, notamment l'importance de Charles dans sa vie, la découverte de certaines valeurs non pas religieuses mais spirituelles, qu'elle ne soupçonnait pas. Elle termine également par un :

— Je veux passer le reste de ma vie avec lui !

Attentive, Stéphanie écoute les témoignages des filles en réfléchissant, mais sans émettre de commentaires.

Mardi, chalet 129 du Domaine de la sapinière

En retrouvant ses amis, plus matinaux qu'elle, Annie confie :

— Ouf ! J'ai mal à la tête. Trop de vin hier !

— Moi aussi. Imagine, je n'ai même pas entendu les gars rentrer, confie Jasmine, assise sur le canapé.

— Moi non plus, renchérit Annie.

— On n'a pas fait de bruit étant donné qu'on n'était vraiment pas chauds, affirme Charles, en regardant le plafond.

— Pff ! réplique Brandon, les yeux bouffis, encore affalé sur le divan où il a passé la nuit.

— Steph dort encore, demande Jasmine, sans que ce soit vraiment une question.

— Euh… non… Steph est partie, avoue Steve.

— Hein ? demande Charles. À cause de notre joke d'hier ?

— Non, non. Disons que c'était mieux comme ça, je pense…

Steve explique que leur couple était voué à l'échec de toute façon, en raison d'un manque de points communs. Tout le monde reste silencieux, sans trop savoir si la rupture précipitée rend Steve triste ou soulagé.

— Je dormirai avec toi moi, Steve ! On se collera entre célibataires, propose Brandon, nostalgique.

— Gros fif ! Non ! Tu restes sur le divan toi, plaisante Steve afin de mettre un peu d'humour dans tout ça.

Le téléphone du chalet sonne. Annie, qui est tout près, décroche le combiné, curieuse de savoir qui appelle.

— Oui allo ?

— Allo !

— Vous êtes bien au chalet des clowns... Est-ce que je peux vous aider ? blague Annie en souriant à tout le monde qui la regarde dans la vaste pièce centrale.

— Baby Sitter ? s'exclame l'individu sans aucune hésitation.

— ...

Ahurie, Annie ne répond pas. Elle pivote plutôt sur elle-même pour se retrouver dos à ses amis ; comme si elle évitait ainsi qu'ils entendent la conversation. Elle se dit : « Quelle conne je fais ! J'aurais dû me douter qu'il y avait des chances que Max appelle ici... »

— Allo ? Baby Sitter ? réitère Max qui craint que celle-ci ait raccroché.

— Hein ? Me parlez-vous ? lance-t-elle en se donnant un léger accent français pour infirmer l'hypothèse de son interlocuteur.

Tout le monde la regarde bizarrement, ne comprenant pas ce changement de voix soudain.

— Ben oui, c'est Max ! T'es dans ce chalet-là ? On s'est vus hier donc ? déduit Max, excité.

— Bon, j'entends mal ! Allo ? Allo ?

Annie raccroche. Son conjoint la regarde, perplexe, en commentant :

— Le téléphone fonctionne mal ?

— Oui, je n'entendais rien. C'était le propriétaire, je pense...

— Il faut réserver les kayaks. Essaie de le rappeler.

— Non. Heu... Fais-le, toi ! Ça ne me tente pas !

— Ben voyons ?

Perplexe, Pierre-Luc rappelle et réserve les embarcations, sans déceler aucun problème de communication téléphonique. Annie le guette du coin de l'œil, craignant que Max ne puisse tout lui raconter. Mais elle se détend : « Disons que ce n'est pas vraiment à son avantage de se vanter qu'il appelait régulièrement une ligne érotique... » Annie convient que le mieux pour elle est de ne pas parler devant lui du reste de la semaine. Il croira peut-être que Baby Sitter, c'est Jasmine ou Stéphanie qui est partie... Annie s'extirpe de sa réflexion lorsqu'elle entend tout le monde rire autour d'elle. Brandon taquine encore Steve :

— T'es sûr qu'on ne peut pas dormir en cuillère ensemble ? ressasse-t-il de nouveau, en le fixant avec des yeux tristes pour le supplier d'accepter.

— Sti, t'es malade !

— En tout cas, je vous annonce officiellement que je deviens gai. Les femmes, c'est trop complexe, déclare Brandon.

— Bien non ! Tu vas juste devoir relire quelques chapitres de ton « manuel » avant. Je pense que t'as trop fait de lecture en diagonale, le taquine Pierre-Luc.

— Quel manuel ? demande Annie, intéressée.

— Ah rien… Une niaiserie, conclut Pierre-Luc en faisant un clin d'œil complice à Brandon, qui lui renvoie un sourire en coin un peu mélancolique.

QUELQUES JOURS PLUS TARD…

Lundi, terrain de balle dans l'arrondissement Laberge

Les gars scrutent attentivement le ciel, se demandant s'il va pleuvoir ou non. Une crainte que tous partagent, mais que personne ne dit par peur de provoquer l'orage.

— Ouin, drôles de vacances, hein ? commente Charles, appuyé sur la voiture de Steve dans le stationnement.

— Tu dis ! approuve Steve qui arbore la même position.

Carolin arrive dans le parc-autos en klaxonnant pour saluer les gars, qu'il aime côtoyer de plus en plus. En les retrouvant, il déclare, un peu découragé :

— Ouf ! Ç'a été dur de faire passer la *game* de balle de ce soir au conseil, je vous le jure. Les autres semaines, ça allait, et là, paf ! Tout d'un coup, ça dérange ma blonde ! Elle est comme de plus en plus contrôlante, je ne sais pas trop ce qui se passe avec elle…

— Je t'arrête tout de suite, chère recrue ! Ici, on a un règlement de *boys* très important : « Interdit de parler de femmes » ! On avait oublié de te le dire, précise Charles en riant.

— Ah ! Excusez. Pis vous savez quoi ? C'est parfait, ça me va ! Je disais juste ça de même, approuve Carolin, l'air bien content du règlement.

Lorsqu'ils se dirigent vers le terrain avec leur équipement, Brandon s'approche en douce de Carolin. Il le prend par le cou en l'entraînant un peu en retrait de l'équipe et lui chuchote :

— Comme ça, on a affaire à une petite « germaine en puissance » ? Moi je suis un as avec les femmes, je compte écrire un livre bientôt. Je l'appellerai : *Le manuel* ! Si je peux te donner un conseil pour ta blonde…

L'épilogue ou le nouveau départ ?

Et c'est ainsi que Princesse Stéphanie comprit, compte tenu des circonstances, qu'elle avait beaucoup plus d'affinités et de possibilités d'avenir avec Prince Martin. Celui-ci avait sauté de joie lorsqu'il avait vu le carrosse de sa princesse traverser le parc de stationnement du club de golf un certain mardi matin. Depuis ce temps, le couple filait le parfait bonheur, quoique Princesse Stéphanie, toujours aussi cabocharde, exprimait parfois son mécontentement sous forme de crises. Cependant, Prince Martin, si patient et si amoureux, réagissait toujours adéquatement en se réfugiant sur sa montagne afin de réfléchir. Il y trouvait toujours la solution miracle pour redonner le sourire à sa précieuse.

Princesse Annie réalisa son rêve lorsque Prince Pierre-Luc la demanda officiellement en mariage quelques semaines après leur retour de vacances. Le prince, qui avait pris soin de bien administrer leur budget, organisa un mariage d'automne économique dans un verger. Le peu de convives y étant invités participèrent tous en apportant un plat pour le goûter. L'argent économisé sur la dot de Princesse Annie ainsi que les propres économies du Prince Pierre-Luc leur permirent d'acheter un duplex, afin d'y vivre et d'y exploiter une petite clinique dentaire. Avec leur nouveau projet commun, tous deux, devenus mari et femme, se promirent de ne plus jamais se mentir, et ce, pour le reste de leur vie…

De son côté, Princesse Jasmine avait presque sur-le-champ utilisé le chèque-cadeau afin de profiter de la chaleur tropicale du Mexique en compagnie de Prince Charles. Durant le voyage, le couple avait eu la chance d'assister à un mariage extérieur. La cérémonie s'était avérée un vrai désastre après l'intervention inappropriée de six Ontariens nus, complètement imbibés d'alcool. À la vue de tout ce brouhaha, le rêve, si profondément ancré, s'était par enchantement volatilisé. Ou s'était-il tout simplement terré dans le jardin secret de la princesse ? Qui sait ? Cela étant, le rêve ainsi disparu avait laissé place à un nouveau projet : celui de donner la vie. Prince Charles et Princesse Jasmine passèrent donc beaucoup de temps à l'automne à concrétiser ce rêve, qu'ils partageaient intensément tous les deux. Princesse Jasmine continua de participer aux diverses activités paroissiales de son quartier dans le seul et unique but de donner à son prochain…

De leur côté, Prince Brandon, nouvellement divorcé, et Prince Steve, redevenu célibataire, batifolèrent ensemble, des soirées durant, dans les banquets et fêtes de toutes sortes, à la recherche de la princesse de leur vie ou d'une princesse pour la nuit, selon leur humeur. Une chose était certaine, ils s'amusaient beaucoup. Un de ces soirs, d'ailleurs, ils invitèrent même Prince Charles à venir déguster en secret des sous-vêtements mangeables qu'ils s'étaient généreusement procurés en trois saveurs distinctes...

Et ils vécurent ainsi, heureux, du moins pour le moment...

Fin